CENT FACETTES
DE MR DIAMONDS

Volume 1

EMMA L. GREEN

CENT FACETTES
DE MR DIAMONDS

Volume 1

TABLE

À Noémie,
pour sa confiance et toutes ses brillantes facettes.

Aux fans,
qui se sont retrouvés en Amandine et Gabriel...
et leur ont donné la force de continuer.

I

SUR LA ROUTE DU DÉSIR

1

UN TRAIN NOMMÉ DÉSIR

Je regarde le paysage défiler par la fenêtre. Le train vient juste de quitter la gare Montparnasse, et la banlieue qui passe devant mes yeux me semble grise et morose, comme mon humeur. Je n'ai aucune envie de passer les deux jours qui vont suivre dans des vignes. Ce soir, j'avais prévu de rester tranquillement à la maison et Marion m'avait proposé qu'on se fasse un ciné demain soir, comme tous les vendredis. Mais Éric en a décidé autrement. J'aime bien mon patron, il m'a un peu prise sous son aile et me tire vers le haut en me donnant plein de responsabilités, mais là, il m'en demande un peu beaucoup. Depuis six mois, je suis stagiaire sur son site Internet consacré à l'œnologie. Lui, 37 ans, célibataire et sans enfant, travaille vingt heures sur vingt-quatre ou presque, et a parfois du mal à comprendre qu'on ne soit pas aussi passionnées que lui, Émilie et moi. On n'est que trois dans l'équipe : Éric écrit les papiers, Émilie s'occupe des tâches administratives, et moi je suis en stage pour valider ma dernière année d'études de journalisme. « Ma petite Amandine, me dit souvent Éric, si tu travaillais un peu plus, tu irais loin ! » Ce que je n'ai jamais osé lui dire, c'est que je ne déborde pas d'ambition comme tous mes copains de promo et que ce stage dans sa petite entreprise est le seul que j'ai trouvé en m'y prenant, comme d'habitude, au dernier moment. Ce n'est pas que je n'aime pas le travail de journaliste, au contraire, j'adore écrire, mais je ne suis pas une fille de terrain. À la fois trop timide, trop impulsive, trop… moi-même : tout et son contraire. À 22 ans, il serait sûrement temps que j'arrête de me chercher. « Qui suis-je ? Où vais-je ? Qu'est-ce que je mets ? Qu'est-ce qu'on fait ? Qu'est-ce que je veux ? », c'est mon lot quotidien.

Et « J'sais pas » ma réponse favorite.

Dans mon wagon de TGV, tous les passagers se sont endormis ou rêvassent les yeux dans le vague. Je sors ma tablette pour essayer de travailler un peu. Paris-Angoulême, ce n'est que deux heures et demie de trajet, il faut que je m'active un peu avant d'arriver. Éric m'a bien briefée avant de partir, et m'a un peu mis la pression : « Je ne peux pas y aller mais c'est vraiment très important, ces deux jours, Amandine. Je te fais confiance, il faut absolument que tu arrives à échanger deux mots avec Diamonds ». Gabriel Diamonds… cet homme est un mythe dans le milieu du vin. Multimilliardaire, c'est un patron de presse qui possède quasiment toutes les publications autour du vin sur le marché international. Mais surtout, c'est un des plus grands amateurs de vin au monde et il a acheté, au fur et à mesure, tous les meilleurs vignobles de France. Chaque année, il organise, au château de Bagnolet, un événement en grande pompe pour faire connaître ses vignes et les aider à se développer. Je ne sais pas vraiment pourquoi mais apparemment, tout le monde tuerait pour pouvoir y aller. Le clou de ces deux jours de réjouissances au comble du luxe est un concert classique que fait donner Diamonds pour ses invités les plus proches. La presse spécialisée est généralement invitée à la fête, mais rares sont les journalistes qui peuvent assister au concert et approcher Diamonds de près. Je regarde pensivement la belle invitation au papier épais et crème que j'ai dans mon sac, et je caresse du doigt le relief des grandes lettres dorées qui écrivent « Gabriel Diamonds a le plaisir de vous inviter ». Le plaisir n'est pas vraiment partagé tellement ça me stresse d'avance, mais je suis curieuse, intriguée. J'ai tellement entendu parler de ce mystérieux Mr Diamonds, par Éric en premier lieu, et puis dans les dîners, dans les journaux. Je n'en reviens toujours pas qu'on m'envoie là-bas.

Réalisant que je ne connais même pas son âge ou son visage, je le recherche sur Google avec une pointe de fébrilité. J'essaie de me rassurer, il ne peut pas être aussi impressionnant que ça. La page Wikipédia qui lui est consacrée me renseigne un peu : Gabriel Diamonds a 35 ans, il est né aux États-Unis d'une mère française et d'un père américain, a grandi dans une famille plus qu'aisée, puis est venu faire ses études en France et vit aujourd'hui entre les deux pays. Je zoome sur mon écran pour mieux voir la photo associée à la page Internet et je découvre un homme au visage sculptural. Sa mâchoire, très marquée, lui donne l'air viril. Des cheveux blonds, coupés impeccablement, encadrent un front grand et large. Au-dessus du nez, fin et droit, ses yeux d'un bleu intense ont quelque chose d'énigmatique. Il y a de la noirceur dans ce bleu-là. Le regard ténébreux contraste avec la douceur de sa bouche, divinement ourlée de lèvres bien pleines et qui s'ouvre sur des dents parfaites. Ça ne me rassure pas pour autant, mais je comprends mieux maintenant : un tel visage ne peut laisser personne indifférent. Je m'aperçois que je suis moi-même très troublée par la photo, je me mets à penser à ce petit voyage de deux jours avec une certaine excitation. Pourtant, je sais qu'oser m'approcher de Mr Diamonds sera un véritable défi pour moi. Éric m'a demandé de préparer des questions pour pouvoir intégrer une petite interview à mon papier, je commence à jeter quelques idées sur mon carnet mais mon regard est sans cesse attiré par la photo, de façon presque magnétique. Mon esprit vagabonde, j'ai beaucoup de mal à me concentrer sur ce que je fais. Je repense à Éric, si déçu de ne pas pouvoir aller à cette fête dans le vignoble de Mr. Diamonds, et à moi qui rechignais à l'idée de le remplacer. Est-ce que je ne serais pas en train de changer d'avis… ?

Je cherche d'autres photos de Gabriel Diamonds sur

Internet. Il y en a très peu, comme s'il avait cherché à protéger son image. Sur l'une d'elles pourtant, je le distingue parfaitement, se tenant debout lors d'une cérémonie viticole. Plus grand que la plupart des hommes que je connais, il paraît svelte et bien bâti. À en croire ce large dos, ces épaules solides et ces fesses musclées, il est soit un sportif assidu soit une force de la nature particulièrement gâtée. C'en est presque agaçant. Et pour ne rien gâcher, il semble avoir un sens inné du style. Il est habillé de manière très élégante, sans être trop sophistiquée. Un costume noir, sobre et chic, laisse entrevoir une chemise blanche dont les trois premiers boutons sont ouverts, découvrant un torse tout aussi hâlé que son visage. Je me surprends à détailler avec plaisir cet homme dont je connaissais à peine l'existence il y a quelques minutes. Bon, il est franchement attirant, d'accord. Son physique hors du commun, cette allure, ce port de tête et cette stature me font de l'effet, je suis bien obligée de me l'avouer. Je soupire longuement et ferme les yeux après avoir regardé une fois encore les deux photos de Gabriel Diamonds. Sans m'en apercevoir, je sombre dans un sommeil incroyablement doux, un sourire aux lèvres et des rêves plein la tête.

Monté sur un pur-sang de race, Gabriel me domine de toute sa hauteur, et sa prestance me fait me sentir encore plus minuscule. Mes cheveux châtains trop raides et trop plats, mon jean rentré dans mes bottines plates toutes simples, mon caban noir un peu trop ample ne m'aident pas vraiment à gagner en confiance. Lui est habillé en cavalier chic et me regarde durement.

– Vous êtes en retard, gronde-t-il de sa voix virile, en plantant son beau regard bleu dans le mien.

– Oui pardon…

– Épargnez-moi vos excuses. Vous êtes ?

– Euh… Je viens pour l'interview.

Mais qu'est-ce qui me prend à bredouiller comme une gourde incapable d'aligner deux mots sans hésiter ?

– Il me semble vous avoir demandé qui vous étiez. Pas ce que vous faisiez.

– Ah. Oui, désolée, je suis la stagiaire d'Éric Chopard. Le site de vin.

– Je sais qui il est. Mais je ne sais toujours rien de vous. Excepté cette manie de vous excuser sans cesse. Vous avez un nom, « la stagiaire d'Éric Chopard » ?

– J'essaie simplement d'être polie. Mais je peux arrêter si vous préférez.

Sa façon de me prendre de haut commence à m'agacer et j'ai été piquée au vif par sa dernière remarque. Mais l'insolence de ma réponse n'a pas l'air de lui plaire non plus, à en croire son regard noir, ses lèvres entrouvertes et le silence qui suit. Il ne doit pas avoir l'habitude qu'on lui tienne tête. Je me reprends et j'essaie d'enchaîner rapidement.

– Amandine. Amandine B…

Je n'ai pas le temps de prononcer mon nom de famille qu'il m'interrompt déjà.

Bonjour la politesse !

– Amandine. C'est joli, fruité. Quoiqu'un peu sucré. Amande vous irait mieux. Fruit dur, peau veloutée, intérieur laiteux, saveur douce-amère. Oui, Amande vous va comme un gant. Je vous appellerai ainsi désormais.

Je pousse un long soupir.

Non mais c'est quoi ce type arrogant qui s'écoute parler ? Et qui se croit si puissant qu'il se permet de changer le prénom des gens ? Mais je suis subjuguée par sa beauté et j'en oublierais presque son ego surdimensionné. Je me surprends même à l'admirer.

– Vous cherchez quelque chose à répondre ou vous allez continuer à me fixer sans parler ? À moins que vous soyez en train de bouder, Amande amère ?

– Je préfère me taire. Vous avez d'autres questions ?

– Voilà une sage décision, douce Amande. Passons donc à la question suivante. Quel est votre type d'hommes ?

– Petit, brun, le type latin. Habillé simplement. Cool, discret, naturel. Très doux, surtout. Et bourré d'autodérision.

Et toc.

Pendant que je prends un malin plaisir à décrire son exact opposé, un léger sourire se dessine sur sa bouche puis il rit franchement. C'est la première fois que je lui découvre une émotion sincère et spontanée. La carapace de sa beauté froide se fendille et laisse apparaître un type séduisant. Non, carrément craquant. Il doit s'apercevoir de son effet puisqu'il descend de cheval pour se planter à moins d'un mètre de moi.

– Vous avez de l'expérience avec les hommes, chère Amande ?

– Je crois que cela ne vous regarde absolument pas.

– Je crois que ce n'est pas une réponse à ma question.

– Et je crois que c'était une très mauvaise question.

– Et je crois que vous cherchez surtout à fuir cette réponse.

Touchée.

J'ai 22 ans, trois ex au compteur, dont un seul a été sérieux, c'est-à-dire dépassé les six mois de relation. La plupart des mecs ne m'intéressent pas et quand je les intéresse, moi, je ne m'en aperçois même pas. Je ne vois pas les signes, c'est toujours une copine qui les déchiffre pour moi, et de toute façon, ce n'est jamais moi qui fais le premier pas. Côté sentiments, ça n'a jamais été la grande passion et côté, sexe, c'est le calme plat, rien que du très classique et jamais rien de transcendant. Je n'ai tout simplement pas rencontré l'amant avec qui me lâcher. Et je n'ai pas envie d'en essayer vingt avant de trouver le bon, c'est tout. Mon expérience se résume à peu près à ça, alors non, je n'ai rien à raconter, et non, je n'ai pas envie de répondre à cette question. Sauf que Mr Diamonds, le sublime milliardaire à qui personne ne peut rien refuser, me fusille de son regard azur, exige une réponse de la pointe de son menton relevée vers moi et ne semble pas du tout prêt à céder.

Dans un élan de courage ou de folie, je fais un pas qui réduit la distance entre Gabriel et moi, mes yeux rivés sur la plus sensuelle des bouches que je n'ai jamais vues, pose doucement ma main sur sa joue et approche mes lèvres des siennes, sentant son souffle se mélanger au mien. Puis je perçois quelque chose bouger à côté de moi, une présence qui me bouscule et me fait sursauter.

Je me réveille tout à coup, bouche entrouverte que je m'empresse de fermer, vérifiant du coin de l'œil que personne ne me regarde et prenant conscience que j'étais plongée dans un rêve. J'en ai presque honte. Le train entre en gare d'Angoulême, mes voisins de wagon se lèvent pour attraper leurs bagages, apparemment loin de se douter du trouble intérieur qui m'agite. Je les imite en maudissant mon romantisme dégoulinant. Non mais franchement, un cheval, et puis quoi encore ? J'essaie d'effacer de ma mémoire l'image de Diamonds en prince charmant des temps modernes et je n'ai qu'une hâte maintenant, arriver au domaine de Bagnolet pour me confronter à la réalité. Et regarder sa bouche.

2

CONCERTO EN REGARDS MAJEURS

Je n'ai cessé de penser à Gabriel Diamonds pendant tout le trajet en voiture allant de la gare d'Angoulême au château, me posant mille questions : est-il aussi beau en vrai que sur les photos ? Pourquoi ne trouve-t-on presque pas d'informations sur lui sur Internet ? Est-il marié ? Pourquoi ai-je donc fait ce rêve de midi-nette avec lui comme acteur principal ?

C'est bouche bée et les yeux écarquillés que je suis arrivée au domaine de Bagnolet, en fin d'après-midi. Le château est sublime, bien plus beau que tout ce que j'avais pu imaginer. Le pavillon central carré, en pierre blanche, est entouré de deux ailes qui le prolongent à l'est et à l'ouest. Une ancienne pergola, transformée en roseraie, donne au lieu une atmosphère poétique et un peu désuète. Le parc à l'anglaise qui s'étend sur plus de sept hectares descend en pente douce jusqu'à la Charente qui coule tranquillement en contrebas. Des journalistes arrivés avant moi se promènent lentement, par petites grappes, entre les arbres centenaires, faisant du lieu un véritable tableau vivant et bucolique. Deux buis taillés encadrent la porte devant laquelle la voiture s'arrête, en faisant crisser les graviers sous ses pneus. Aussitôt, un homme en costume vient m'ouvrir la portière, puis se saisit de mes bagages dans le coffre. Tout ce luxe me met affreusement mal à l'aise mais je souris le plus naturellement possible au groom qui me conduit jusqu'à ma chambre. Plus ça va et moins je me sens à ma place, je sors mon portable de mon sac à main pour me donner une contenance. L'homme me fait pénétrer dans une pièce immense et incroyablement cosy, pose ma valise au pied du lit king size, me souhaite gentiment un excellent séjour et quitte les lieux. Il est à peine parti que je dégaine mon téléphone pour envoyer une salve de textos à Marion.

— Je viens d'arriver ! Tu verrais ma chambre…

— Genre ?

— Ici, tout n'est qu'ordre et beauté. Luxe, calme et volupté.

— Ah carrément ! Du Baudelaire maintenant ? Crâneuse…

— Allez, fais pas ta jalouse. Si t'es gentille, je te ramènerai une bonne bouteille…

— Deal ! Je ne suis plus qu'amour et bonté…

Je la connais par cœur, en réalité elle est heureuse pour moi, elle sait que ce break va me faire du bien, mais elle ne peut pas s'empêcher de faire sa peste. C'est tout elle ! Je range mon téléphone dans mon sac en regrettant qu'elle ne soit pas là pour vivre cette expérience démente avec moi.

La chambre est belle à couper le souffle. Enfin, la chambre… Je devrais plutôt dire la suite, étant donné qu'elle doit faire la taille de mon appartement parisien. Située dans une tourelle du château, elle est de forme ronde. Tout le long des murs, des moulures d'une finesse incomparable viennent souligner la hauteur sous plafond qui me donne le tournis. Une épaisse moquette crème immaculée étouffe mes pas et confère à la pièce un côté moelleux qui me ravit. Je me jette sur le lit, prise d'une frénésie qui me fait rire : la pièce est si grande que j'entends mon rire en écho.

Il n'y a pas des caméras au moins ?

Le lit, deux fois plus grand que celui que j'ai à Paris, est habillé de parures assorties aux rideaux crème et taupe qui entourent les immenses fenêtres de la pièce. La tête de lit capitonnée dans les tons beige rosé ajoute une touche à la fois design et romantique à l'ensemble. Les draps sont incroyablement doux et les oreillers, au nombre de six, sont si bien rangés que je n'ose y toucher. Je découvre un dernier détail qui confirme que je me trouve dans un lieu d'exception : le cadre du lit, en bois noble, présente les armoiries de Diamonds, rehaussées d'or. Je me lève d'un bond, impatiente de découvrir le reste de mes « appartements ». Une porte discrète me fait pénétrer dans une salle de bains digne des plus beaux palaces, équipée d'une baignoire balnéo transparente, qui ressemble à un énorme aquarium et qui me donne instantanément envie d'y plonger. Pendant que l'eau chaude coule, je vais à la fenêtre pour admirer la vue plongeante sur le parc. La lumière de fin d'après-midi, rasante, donne un côté magique aux saules pleureurs que je distingue au loin, près de la Charente.

Dans mon bain chaud et moussant, je ne pense qu'à une chose : comment vais-je m'habiller pour le concert de ce soir ? Je me bénis intérieurement d'avoir pensé à emmener mes deux seules robes, alors que j'étais loin de m'imaginer que j'allais me retrouver à la cour du roi Diamonds Ier. Il me faut une tenue super classe mais pas trop extravagante, alors je mets mentalement de côté ma robe en tissu rouge chatoyant que je n'ai jamais réussi à porter.

Je me demande encore pourquoi je l'ai achetée...

J'entrevois un instant le visage de Gabriel Diamonds et un frisson d'excitation me parcourt... Sera-t-il là ce soir ? Nous croiserons-nous ? Oserais-je l'aborder ? Je sais bien qu'à cette dernière question, la réponse est un pathétique petit « non » mais je me plais à penser que, peut-être, j'échangerai quelques mots avec le riche inconnu. En sortant de la baignoire, j'enfile ma robe noire sobre et stylée, qui se mariera bien avec la paire de Louboutin noires qu'Émilie a insisté pour me prêter. Reste à savoir comment je vais réussir à marcher... Je glisse à mon poignet mon bracelet en argent préféré, et, à mes oreilles, j'accroche deux petites perles noires et scintillantes. J'hésite longuement entre laisser mes cheveux détachés ou me faire une coiffure. Finalement, j'improvise un chignon un peu relevé pour donner forme à mon dégradé trop sage. Un peu de rouge cerise sur les lèvres, et me voilà prête à descendre dans la salle de bal pour assister au concert classique. Le programme, mis gracieusement à ma disposition sur le bureau Louis XVI fraîchement restauré, annonce *Le Quintette à deux violoncelles* de Schubert. Je ne suis ni une spécialiste, ni une fervente amatrice de musique classique, mais j'ai hâte, malgré tout, de me rendre à cette soirée.

En descendant le grand escalier, j'entends les instruments qui s'ajustent et les voix des invités présents qui forment un brouhaha. J'ai un peu le trac, alors j'accepte tout de suite et avec plaisir la coupe de champagne qu'un serveur m'offre. Je me rends compte que je la bois presque d'un trait. Mmh, il semblerait que je sois un peu stressée. Je cherche une place d'où bien voir l'orchestre quand je sens un regard posé sur ma nuque. Je me retourne d'un coup, et découvre le beau visage de Gabriel Diamonds en train de me fixer, une flûte de champagne à la main, pendant que deux femmes et un homme lui parlent. Très troublée, je me retourne aussitôt, mais ne parviens pas à oublier le regard échangé avec le multimilliardaire… Il y avait une nuance étrange dans ses yeux mais je n'arrive pas à la décrypter. La lumière se tamise, et, avant que l'orchestre ne se mette à jouer, je sens à nouveau un regard posé sur moi.

Il est partout !

À l'autre bout de la pièce, sur ma gauche, Gabriel Diamonds est adossé au mur et me regarde sans détour. Je me sens à la fois gênée, affreusement gênée même, mais aussi flattée et, je dois bien l'avouer, un peu excitée. Mon rêve du train n'est sans doute pas étranger à l'euphorie qui me gagne, mais je suis tout de même surprise de voir dans quel état il me met. Encore plus beau en vrai que sur les photos, il me semble plus grand que je ne l'avais imaginé, plus dur aussi, avec ce regard impénétrable et une mâchoire très carrée. Le quintette, sublime, ne parvient pas à me changer les idées, et je me retiens de trop regarder sur ma gauche.

Résiste Amandine, résiste…

Malgré tous mes efforts, nos regards se croisent à de nombreuses reprises et je me liquéfie instantanément à chaque fois. Très gênée, je décide d'aller me repoudrer aux toilettes pour masquer mon trouble, craignant que tout le monde ne le voie quand les lumières se rallumeront. Je me faufile entre les invités et sort de la salle de bal comme une petite souris. Dans le hall, personne. J'avise une porte qui me paraît susceptible d'être celle des toilettes, mais en la poussant je me retrouve, surprise, dans les coulisses de la scène où jouent les musiciens. Le lourd rideau noir me frôle tandis que je cherche à tâtons dans l'obscurité la poignée de la porte que je viens de pousser. Le morceau de Schubert m'entraîne loin, et je reste quelques minutes, immobile dans le noir, à profiter de l'envoûtante musique. Soudain, je sens une présence toute proche, et, alors que je tente de m'éclipser, on me retient par le poignet. Un petit cri m'échappe, mais je me ressaisis et essaie de comprendre ce qu'il se passe. Je sens une respiration longue et lourde toute proche, mon poignet est toujours enserré par une main de fer, et pourtant, bizarrement, je n'ai pas peur. Mes yeux, s'accoutumant à l'obscurité, finissent par distinguer le visage de Gabriel Diamonds me faisant face. Je balbutie des mots incohérents mais très vite, sa main libre se colle à ma bouche pour me faire taire. « Enfin je mets la main sur vous » me murmure une voix chaude à l'oreille.

Avant de succomber totalement à sa voix suave et à ses yeux limpides qui me dévorent, je me dégage de son emprise. Sa réaction en dit long sur le personnage, il reste de marbre, son regard planté dans le mien. Il possède une telle assurance, une telle aisance, face à lui je me sens toute petite ! Nous sommes désormais à un mètre l'un de l'autre, ce qui me permet de le dévisager en détail. Je crois bien que je n'ai jamais vu un homme aussi beau. Ses lèvres sont encore plus dingues que dans mon rêve ! Quand je réalise que je le fixe depuis plusieurs secondes, je ne peux pas m'empêcher de rougir comme une gamine. Mon embarras semble l'amuser, il m'adresse un petit sourire narquois qui me caresse dans le mauvais sens du poil. Je tente de le remettre à sa place, mais pour ne pas déranger les musiciens, je suis obligée de chuchoter, ce qui me fait perdre toute crédibilité…

– Ça vous amuse, de terroriser les jeunes femmes sans défense ?

Non mais après tout, pour qui il se prend ?

– Seulement quand elles se trouvent au mauvais endroit au mauvais moment.

Il parle tout bas, mais son articulation irréprochable fait résonner ses mots dans ma tête.

– Je n'ai pas vu de panneau m'interdisant de rentrer dans les coulisses. Je ne transgresse aucune loi, il me semble.

Ma voix n'est pas aussi maîtrisée et calme que je le voudrais, j'ai du mal à réprimer mes émotions. Pour couronner le tout, mon regard est fuyant et je ne peux pas m'empêcher de m'agiter.

Je suis en train de passer pour une vraie bécasse.

– Non, il est vrai et je dois dire que je suis ravi d'avoir l'occasion de vous avoir rien que pour moi.

Je rêve ou il me fait des avances ? Et ce petit sourire en coin qui me rend folle !

– Vous ne « m'avez » pas, monsieur. Je n'appartiens à personne.

Mais qu'est-ce que je raconte ? Je devrais filer avant de totalement me ridiculiser !

Je m'apprête à tourner les talons et à sortir dignement quand il se met en travers de mon chemin.

– Je n'en ai pas fini avec vous, cette discussion m'intéresse beaucoup. Je tiens à vous informer que généralement, tous mes désirs deviennent réalité. Je finis toujours par obtenir ce que je veux.

Ses lèvres sont rieuses mais son regard est intraitable.

Houlà, il ne rigole pas !

Les mots me manquent. Que répondre à cet homme sublime et impressionnant qui, clairement, joue avec moi et fait tout son possible pour me provoquer ?

– Vous n'irez pas loin avec vos menaces, monsieur. Vu mon jeune âge, je n'ai peut-être pas votre sagesse, mais je ne cède pas si facilement. Puis-je m'en aller, maintenant ?

Ne te laisse pas démonter, Amandine ! Il n'aura pas le dernier mot. Dieu qu'il est beau. Et ce parfum qui m'enivre...

Je perçois une petite étincelle dans ses yeux, alors que son sourire s'élargit. Je l'ai surpris !

Amandine, un point. Monsieur parfait, zéro.

– Vous venez de me traiter de vieux décati, mademoiselle. Ce n'est pas très poli.

D'ordinaire, je serais confuse, honteuse. Mes propos pourraient en effet être interprétés comme une insulte. Mais les vibrations qu'il m'envoie me donnent le courage d'aller encore plus loin. Sans vraiment peser mes mots, je lui souffle la première phrase qui me vient à l'esprit.

– Surprendre une jeune femme dans l'obscurité et poser ses mains sur elle, c'est faire preuve de politesse selon vous ?

Cette fois, c'est moi qui souris. La situation est comique, je suis en train de faire la morale à cet homme de la haute, tellement plus charismatique et protocolaire que moi.

Soudain, la porte à notre droite s'ouvre. Une femme sublime et distinguée s'adresse à mon interlocuteur.

– Gabriel, je t'ai cherché partout ! Tu n'as pas salué

Monsieur le Maire.

Elle ne chuchote pas, elle. Gêner les musiciens semble être le dernier de ses soucis. Elle jette un regard rapide dans ma direction, ne semble pas du tout impressionnée par ce qu'elle voit et fait demi-tour.

– Mademoiselle, le devoir m'appelle. Je n'en ai pas fini avec vous, ni avec votre manque de politesse et votre langue, sûrement exquise, mais trop bien pendue à mon goût…

Toujours avec cette assurance qui le caractérise, le milliardaire quitte la pièce et alors qu'il passe la porte, je me surprends à admirer son dos musclé en me mordant la lèvre.

3

CAFÉ BRÛLANT ET ŒUFS BROUILLÉS

Bon sang, qu'est-ce que j'ai mal aux pieds !

Un peu chamboulée par ce huis clos à la fois exaltant et déroutant, je me dirige vers ma chambre en empruntant des couloirs étroits et sinueux ornés d'armureries et de tapisseries d'un autre temps. Ce château est une œuvre d'art, un édifice somptueux, mais ce soir je n'ai plus la force de m'émerveiller. Ma priorité, à l'instant où je gravis les dernières marches qui mènent à ma suite luxueuse, c'est d'enlever ces satanés escarpins qui me cassent littéralement les pieds. Il faudra que je songe à remercier Émilie pour son cadeau empoisonné…

En troquant ma petite robe noire contre une nuisette en coton gris anthracite, je repense à son regard perçant et à ses lèvres sensuelles et moqueuses. Gabriel Diamonds est un très bel homme, mais c'est son intensité, son charisme, sa repartie implacable qui m'ont renversée… et agacée. Du haut de mes 22 ans, je n'ai certes pas beaucoup d'expérience, mais jamais un homme ne m'a fait autant d'effet, ne m'a autant stimulée. Et excédée. J'aurais pu lui tenir tête toute la nuit, jouer au chat et à la souris avec lui pendant des heures juste pour le remettre à sa place et lui apprendre qu'il ne peut pas tout se permettre.

T'es grillée à un kilomètre, Amandine !

Oui bon, aussi pour voir ses yeux bleus plongés dans les miens, m'amuser de ses réactions imprévisibles et sentir sa chaleur irradier jusqu'à moi. Une sonnerie vient interrompre ma rêverie. Mon cœur se met à battre plus vite. Je saisis mon téléphone, en espérant sans me l'avouer que le multimilliardaire a réussi à se procurer mon numéro et qu'il souhaite jouer les prolongations. Je ne peux pas m'empêcher de faire la grimace lorsque je vois la photo de ma sœur s'afficher sur l'écran tactile.

— Tout va bien ? Ça ne te ressemble pas de m'appeler à minuit passé !
— Oscar a décidé qu'à six mois, il était assez grand pour faire la java toute la nuit. Et je viens de m'engueuler avec Alex, il est parti en claquant la porte. J'ai besoin que tu me changes les idées.

J'ai comme une impression de déjà-vu… ou de déjà-entendu. Amandine, la bonne poire compatissante à votre service !

— Camille, je suis désolée de ce qu'il t'arrive, mais je suis crevée et je voudrais aller me coucher. On peut en reparler demain ?

— Tu pourrais au moins m'accorder cinq minutes de ton temps ! Ça ne te réussit pas de fréquenter des snobs, ils déteignent sur toi !

— Je ne fréquente pas des snobs, je fréquente des multimilliardaires passionnants, ça me change. Bonne nuit, embrasse mon neveu pour moi.

Celle-là, tu l'as pas volée ma cocotte !

Ces derniers temps, nos relations sont tendues. Ma sœur a du mal à accepter que nos vies soient devenues aussi différentes. Pendant vingt ans, elle a été mon modèle. Maintenant, les rôles se sont un peu inversés, elle voudrait avoir ma vie, ma liberté, mon insouciance. Du coup, elle me le fait payer en me harcelant de coups de fil désagréables où elle passe son temps à se plaindre et à critiquer mes choix et mon mode de vie. Ce soir, elle n'aura pas eu le dernier mot, je ne veux pas qu'elle gâche cette soirée si… spéciale.

Je choisis d'ignorer son texto assassin et je me glisse dans ce lit délicieusement moelleux et réconfortant. En éteignant la lumière, des flash-back de mon tête à tête avec Gabriel me reviennent. Gabriel. Je l'appelle déjà par son doux prénom. Dans ma tête en tout cas, parce que je n'aurais jamais l'audace de le faire dans la vraie vie. Lui ne sait même pas comment je m'appelle et, a priori, c'est le dernier de ses soucis. Je n'ai même pas le temps de rejouer toute la scène dans mon esprit, je m'endors avant d'arriver à sa remarque sur ma langue « sûrement exquise, mais trop bien pendue »…

Vers sept heures et demie, je suis réveillée par le chant du coq. Je réalise où je me trouve et un large sourire se dessine sur mon visage. J'ai dormi comme un bébé, je suis en pleine forme, prête à affronter les événements de la journée, prête à le revoir, à le dévorer du regard. Je m'étire langoureusement et m'extirpe de ce lit royal en sautant sur mes deux pieds, comme une gamine. Moi qui ne suis pas du matin, je suis joyeuse, impatiente. Je file prendre une douche rapide, je me lave les dents, me démêle les cheveux, me maquille sobrement. De retour dans la chambre, j'enfile mon plus beau jean, un pull échancré rose pâle et mes petites bottines plates. Inutile de mettre des bijoux, vu l'heure, je ne pense pas croiser grand monde en allant prendre mon petit déjeuner.

Avant de me rendre dans la grande véranda pour boire mon demi-litre de café noir, je décide d'envoyer un e-mail à Émilie, histoire de lui confirmer que j'ai bien reçu mon billet de train du retour. J'espère que d'ici là, j'aurai le temps d'interroger Gabriel Diamonds. Je ne sais pas exactement quand aura lieu la fameuse interview, mais je compte bien recueillir ses propos et le cuisiner sur ses vins préférés. Après tout, je suis là pour ça et Éric me tuerait si je rentrais bredouille.

De : Amandine Baumann
À : Émilie Maréchal
Objet : Questions itv

Salut collègue,
La vie est belle au milieu des vignes !
Je vais avoir des tonnes de choses à te raconter…
Merci pour les Louboutin SM.
C'est ok pour le billet de train.
Bon dimanche, à demain !
AB

Ça, c'est fait. Mon manque de caféine commence à se faire sentir, il est temps que je descende. Sur le chemin de l'immense véranda constituée de grandes baies vitrées offrant une vue imprenable sur le parc, j'espère le croiser. Remarque, il est peut-être trop tôt. Un milliardaire a autre chose à faire que se lever à 8 heures du matin un dimanche, surtout après une soirée bien arrosée. D'ailleurs, il prendra sûrement son petit déjeuner en toute tranquillité, dans ses appartements. Peut-être qu'il aura face à lui une jeune femme sublime, en peignoir de soie ou dans le plus simple appareil, tout juste sortie d'un bain relaxant pour se remettre de sa nuit torride…

Tout doux, imagination débordante, tout doux...

Une fois encore, je suis époustouflée par la beauté du lieu. La véranda en verre qui surplombe le parc aux couleurs chatoyantes s'allonge sur des mètres et des mètres. Des dizaines de tables élégamment dressées et habillées de ravissants services de porcelaine blanche et bleue invitent les gens à s'attabler et à savourer des mets délicieux et variés. Un serveur souriant et poli me place sans attendre et m'annonce qu'il sera à mon service à tout moment. En moins d'une minute, Nicolas revient avec un café du Nicaragua aux arômes divins. En le dégustant, je me brûle un peu les lèvres, mais la tentation est trop forte et le liquide noir me réchauffe en un instant. Ça tombe bien, puisqu'il semble que je me sois habillée trop léger.

Je commande une deuxième tasse, ainsi que des œufs brouillés accompagnés de dés de tomates et d'emmental. Je ne sais pas de quoi ma matinée sera faite, mais quelque chose me dit que j'ai besoin de prendre des forces ! En attendant mon plat, j'observe les gens qui m'entourent. Certains me saluent en croisant mon regard, je leur retourne la politesse. Soudain, à l'autre bout de la véranda, je l'aperçois. Lui ne m'a pas vue et il est bien trop occupé pour me remarquer. À sa table, trois femmes tout droit sorties d'un magazine de mode se battent pour obtenir son attention.

Monsieur a pris la formule « harem » au petit déjeuner ?

Sans vraiment m'en rendre compte, je le fixe avidement. Je n'arrive pas à détourner mes yeux de ce sublime visage, de ce port de tête altier et conquérant. Il porte un pull-over bleu marine col en V avec des coudières camel. Assez près du corps, le vêtement le met irrésistiblement en valeur. Au bout de quelques minutes, il me prend en flagrant délit d'espionnage. Je lis la surprise dans ses yeux, puis l'amusement. Je rougis instantanément, sans trop savoir pourquoi.

Respire Amandine, respire.

Nicolas vole à ma rescousse en m'apportant mes œufs brouillés, mais je n'ai plus faim du tout. Je me force à manger quelques bouchées, en essayant de ne plus regarder dans la direction du milliardaire. Le challenge est difficile, mes neurones tournent à toute vitesse, mais je résiste tant bien que mal.

Contrairement à ces poules de luxe, je ne tiens pas à passer pour une groupie !

Subitement, je sens sa présence derrière moi. En tournant la tête dans sa direction, je me retrouve nez à nez avec lui. Penché en avant, il me chuchote quelques mots à l'oreille qui me font frissonner.

– Ne prenez pas froid, mademoiselle impertinente. L'arabica réchauffe, mais ça ne suffit pas…

Son parfum et sa chaleur m'enivrent. Son haleine sent le café, mon arôme préféré. Je voudrais répondre quelque chose, mais avant que j'en aie l'occasion, il a déjà tourné les talons. Il m'a observée, c'est sûr, sinon comment saurait-il ce que j'ai bu ? Je reste là, interdite. Comment cet homme fait-il pour me mettre dans tous mes états ? Il me déstabilise, me fascine, me fait ressentir des émotions nouvelles, inexplicables. Délicieuses. Insupportables.

Il joue avec toi, rien de plus ! Pourquoi je m'emballe, là ?

Quelques minutes plus tard, je vois Nicolas se diriger vers ma table, avec une sorte de paquet sur son plateau argenté.

– Pour vous mademoiselle Baumann, de la part de Mr Diamonds.

Interloquée, je prends le présent qu'il me tend et je jette un coup d'œil à l'intérieur du paquet pour savoir ce qu'il contient. Gabriel Diamonds vient de me faire parvenir son pull bleu marine. Celui qu'il portait quelques minutes plus tôt.

Mon dieu, mon dieu, mon dieu... Qu'est-ce que ça signifie ?

Deux possibilités : soit je ne rentre pas dans son jeu et j'ignore son geste certes chevaleresque mais un peu déplacé, soit j'opte pour la solution pratique, c'est-à-dire enfiler le pull pour avoir moins froid. J'opte pour l'hypothèse numéro deux, après tout, un vêtement, c'est fait pour être porté ! Une fois habillée du pull bleu marine, je suis assaillie par le parfum de cet homme énigmatique. Une odeur musquée, boisée, virile à souhait.

Avant de perdre totalement la tête, abrutie par les vapeurs doucereuses qui émanent du cachemire à la fois divin et maléfique, je tente de retrouver une once de dignité. En quittant la véranda, je fais un petit signe de la main à Nicolas, pour le remercier d'avoir été aux petits soins avec moi. Je monte les immenses marches en marbre qui mènent au château, je traverse le grand hall et j'emprunte le couloir qui serpente jusqu'à ma chambre. J'ai les bras croisés, mes paumes caressent le tissu fin bleu marine, à défaut de caresser la peau hâlée de son propriétaire.

Imagination débordante, acte II.

Quand je distingue sa silhouette, dans un petit recoin à deux pas de la porte de ma chambre, je manque de trébucher. Adossé au mur, il me fixe sans détours. Son expression est d'abord grave, tendue, puis elle s'adoucit au fur et à mesure que j'avance machinalement dans sa direction. Mes bras sont toujours croisés, je tente de ne rien changer, de rester impassible, mais j'ai énormément de mal à le regarder dans les yeux.

– Ce n'est pas trop tôt, vous en avez mis du temps !

Sa voix est sarcastique, j'adopte le même ton que lui.

– J'ignorais que j'étais attendue. Peut-être me confondez-vous avec quelqu'un d'autre, disons l'une des membres de votre fan-club qui a eu la joie de vous nourrir à la petite cuillère ?

Merde, il va comprendre que je l'ai observé pendant le petit déjeuner !

– Je vous aurais bien échangée contre l'une d'entre elles, mademoiselle… ?

– Amande… Heuuu Amandine, Amandine Baumann.

Tu ne connais plus ton propre prénom maintenant ? La honte !

Pendant quelques secondes, il me fixe, ses yeux fiers et intenses rivés dans les miens, un léger sourire narquois aux lèvres. Il n'est pas aveugle, il sait dans quel état il me met et ça m'agace au plus haut point.

– Vous m'attendiez pour récupérer votre pull j'imagine ? Merci pour ce geste amical, je peux vous le rendre maintenant.

– Croyez-moi Amande, mon geste n'avait rien d'amical.

Une lueur étrange, presque menaçante, traverse ses yeux. Au jeu de celui qui soutiendra le plus longtemps le regard de l'autre, je suis perdante. Cet homme me fait me sentir toute petite, mais j'essaie de lutter contre son envie de me dominer, de faire de moi sa marionnette. Il ne tire pas sur mes fils, mais sur mes nerfs.

— Je n'accepte de présents que de la part de mes amis. Sachez que je sais me vêtir toute seule, monsieur, et je savoure cette liberté chaque jour.

— La liberté est un concept bien vaste, Amande. Elle n'est qu'une illusion pour la plupart des mortels. Être libre, c'est dominer, et c'est justement ma spécialité.

— Dans votre cas, la liberté s'accompagne d'arrogance, à ce que je vois. La mienne est plus simple et ne se fait pas au détriment des autres.

Amandine, deux points. Monsieur égomaniaque, zéro.

— Vos mots confus ne m'atteignent pas, Amande. Je suis bien trop occupé à admirer ces lèvres qui s'adressent à moi.

Mon cœur se met à battre plus vite. Ce monsieur je-sais-tout au regard pénétrant m'exaspère, mais il me trouble au plus profond de moi. Quand il évoque mes lèvres, tout mon corps se tend.

Réagis, Amandine, ne te laisse pas embobiner !

— Il est temps que je vous quitte, monsieur, j'ai autre

chose à faire que philosopher avec vous. Voilà votre pull, merci pour cette attention un brin paternaliste et condescend…

Je n'ai pas le temps de finir ma phrase et de m'extirper totalement de ce cachemire démoniaque, il est déjà contre moi. En un dixième de seconde, il a saisi mes deux bras, les a remontés au-dessus de ma tête et il me surplombe, de toute sa superbe et de toute sa sensualité animale. Je suis totalement à sa merci. Je sens son souffle chaud contre mon visage, ses pupilles agrandies par son intensité se noient dans les miennes et me paralysent. Je pourrais lutter, bouger, me débattre, mais mon corps décide de se soumettre. Du bout de son nez fin et racé, il caresse mes joues, je sens sa respiration lourde et saccadée qui parcourt ma peau. Son contact m'électrise, je suis dans un état second, je n'ai jamais ressenti ça auparavant. Dans un élan tendre et langoureux, il approche ses lèvres des miennes, les entrouvre, les humecte et finalement, alors que je suis à deux doigts de le supplier, il plonge. Il n'a pas besoin de forcer le passage, j'accueille cet assaut charnel sans émettre aucune résistance. Il grogne, je gémis. Pendant plusieurs secondes, nos langues s'entremêlent, se cherchent, s'évitent, dansent une valse divine et terriblement érotique. J'ai chaud, j'ai envie de plus, je me cambre d'avantage pour que plus aucun espace ne s'immisce entre nous. Je sens tout son corps se tendre, il devient plus avide, plus entreprenant. Ses lèvres brûlantes et affamées se pressent plus durement contre les miennes, sa langue explore ma bouche plus profondément, je gémis à nouveau, malgré moi. Et puis tout s'arrête. Nos bouches ne sont plus en contact, il s'est reculé, sans lâcher mes poignets qui sont toujours prisonniers de ses larges mains. Alors qu'il me regarde, je lis quelque chose d'inédit dans son expression : il est troublé, presque sonné. Mais le maniaque du contrôle qu'il est reprend vite le dessus… Lorsqu'il s'adresse à moi, sa voix est étonnamment posée, grave, comme si ce baiser épique n'était jamais arrivé.

– Doucement, Amande, ne soyez pas trop gourmande. Rejoignez-moi dans mes appartements à midi, j'aurai un peu de temps à vous consacrer.

Je suis sous le choc, KO, liquéfiée et lui trouve le moyen de parler boulot ? Sa froideur me glace, j'ai envie de pleurer.

– Et vous me ferez le plaisir de me ramener mon pull. Sauf exception, je ne suis pas du genre à prêter ou à partager ce qui m'appartient. Je suis très possessif, Amande, surtout quand quelque chose me plaît vraiment.

4

À PRENDRE OU À LAISSER

Je viens de me glisser furtivement dans ma chambre et reste un long moment adossée à la porte que je viens de claquer sur cette scène surréaliste. Les bras pantelants, les yeux fermés, la tête qui tourne, les lèvres entrouvertes, encore humides de ce baiser inouï. Je n'ose pas fermer la bouche de peur d'effacer cette sensation divine que je peux toujours percevoir. Penser à respirer. Voilà. Ouvrir les yeux. Regarder ailleurs que dans le vague.

– Allez ma poulette, reprends-toi. Ce n'est quand même pas la première fois qu'on t'embrasse.
– Mais comme ça ! De cette façon-là ! Mais qu'est-ce j'ai ? Qu'est-ce qu'il m'a fait ?
– Ça va aller !
– Mais à qui je parle ?
– À toi. Enfin à toi, 15 ans et demi, premier baiser, tournis, tout ça.

– *Ah c'est dans ma tête. Bien, très bien, de mieux en mieux.*

– *A-man-di-ne ! Amandine Baumann, tu planes !*

À l'instant même ou je me surprends en train d'essayer mentalement la combinaison « Amandine Diamonds », je me jette sur le lit, la tête dans les oreillers, pour tenter de faire cesser cette spirale hystérique et grotesque. J'hésite entre rire et pleurer et je me dis qu'il faut que j'appelle quelqu'un d'urgence. Ça m'évitera de perdre totalement la tête et de me parler à moi-même, par exemple. Allongée sur le ventre, j'appelle mon dernier correspondant sans même vérifier son identité et j'attends nerveusement au bout du fil.

– Allô ?

– Allô ? C'est qui ?

– Ben c'est toi qui m'appelles !

– Ah oui, Camille. Je t'avais pas reconnue. Ça va ?

– Tu perds la boule, ma sœur. Ils te droguent, là-bas ?

– N'importe quoi ! Oscar t'a laissé dormir, finalement ?

– Pff… non. Mais ça t'intéressait pas du tout hier soir. Qu'est-ce qui se passe ?

– Hein ? Mais rien ! Je prends juste des nouvelles. Alex est rentré ?

– Oui, mais tu peux arrêter de faire semblant de t'inquiéter. Par contre, promets-moi de ne pas te marier et de ne pas faire d'enfant. Avant au moins 40 ans. Ou jamais. Les bébés, c'est chiant, c'est bruyant, c'est juste mignon, ça fait même pas la conversation. Et l'amour c'est nul, enfin c'est pas ce qu'on croit. Tu vois ?

– ...

– Tu dis plus rien ? Allez raconte, je te connais par cœur. T'avais besoin de parler à ta vieille sœur ?

– Non, je... Je vais y aller, je crois. Bon courage avec tes deux gars. Je t'embrasse.

J'appuie frénétiquement sur « raccrocher » pour que le calvaire cesse. Merveilleuse idée, ce coup de fil ! Grande réussite ! J'enfouis à nouveau ma tête dans la pile d'oreillers, désespérée. Tout ça pour un baiser ! D'accord, ses lèvres étaient d'une douceur infinie et se sont mêlées aux miennes dans la plus parfaite harmonie, d'accord sa langue s'est à peine immiscée dans ma bouche avec une délicatesse dont je n'aurais cru capable aucun homme et d'accord il avait un petit goût de pêche juste divin, mais ça n'était qu'un baiser, à la fin ! J'essaie de me ressaisir et de chasser cette inconnue, moitié midinette moitié drama-queen, qui s'est emparée de moi. Et avec mes bêtises, je n'ai plus qu'une heure pour me préparer au rendez-vous qu'il m'a donné. Il va bien falloir que je me refasse une dignité pour mener cette interview à bien. Je peux le faire. Il me suffira de ne pas regarder sa bouche, jamais. Je me l'interdis.

Après une longue douche revigorante, je me retrouve en culotte et soutien-gorge blancs devant ma valise ouverte et sens dessus dessous. Rien de sexy, c'est hors de question, il faut que ma tenue donne le ton. Mais rien de trop banal, c'est quand même un entretien professionnel, il faut que Diamonds me prenne au sérieux. Mais pas trop classique non plus, je ne veux pas lui laisser l'occasion de se demander une seconde comment il a pu avoir envie de m'embrasser. J'enfile un jean brut bien coupé, c'est une valeur sûre, rien ne peut m'arriver dans ce jean. Un chemisier blanc qui me vieillit un peu et j'ajoute un gilet bordeaux qui me moule juste ce qu'il faut. J'ajuste mon col de chemise qui essaie de se rebeller d'un côté et j'hésite à nouer en plus le pull bleu marine de Gabriel autour de mes épaules mais écarte rapidement cette idée. Je vais lui rapporter, digne et détachée, comme si c'était un objet de peu de valeur. Je laisse mes cheveux lâchés, me maquille légèrement, enfile mes bottines noires et me plante devant le miroir de la chambre. Mouais. J'ai l'air d'une ado avec un peu trop de seins. Ou d'une femme déguisée en petite fille tristounette. Je m'attache les cheveux en queue-de-cheval haute en espérant qu'une coiffure me donnera un peu d'allure. Il y a du mieux. J'essaie quelques poses ridicules devant la glace, tente un ou deux sourires plus ou moins forcés et finis par renoncer. Je m'assois sur le grand lit, désœuvrée, en attendant l'heure dite. Je répète cent fois dans ma tête les quelques questions que j'ai prévu de lui poser, j'essaie encore et encore de les reformuler et finis par les trouver toutes plus nulles les unes que les autres.

À 11 h 45, je m'élance hors de ma chambre, carnet et

stylo dans une main, l'autre dans la poche et j'arpente lentement les longs couloirs qui mènent aux appartements privés de Gabriel Diamonds. J'ai pris un peu d'avance au cas où je me perdrais dans le labyrinthe du château, j'en suis bien capable. Et j'ai bien fait puisque je réalise à mi-chemin que j'ai oublié d'emporter le fameux pull. Pas facile d'être moi, parfois ! Après un aller-retour au pas de course, il est 12 h 05 quand je frappe, un peu essoufflée, à la porte indiquée par le majordome comme étant celle derrière laquelle se cache « Monsieur ».

– Entrez.

OK. Il n'aurait pas pu faire plus froid, plus autoritaire, plus blasé. Ça commence bien.

– Vous êtes en retard.
Comme c'est gentil à lui de me mettre à l'aise…
– Oui, mais j'ai votre pull.
– Il était si lourd à porter qu'il vous a retardée ?
Que de mots doux. N'en jetez plus !
– Vous souhaitez le récupérer ? Je peux aussi le ramener dans ma chambre et moi avec ?
– Ne soyez pas si amère, Amande. Asseyez-vous.

Il m'indique un fauteuil club en cuir brun de l'autre côté de l'immense bureau de bois massif derrière lequel il trône. Il ne me quitte pas des yeux pendant que je prends place et en évitant soigneusement son regard.

Son côté tyrannique m'agace autant que son charisme m'étouffe. Et sa beauté qui me renverse encore. Je ne sais pas où poser mon regard.

Pas ses lèvres, pas ses lèvres, pas ses lèvres. Regarde son front !

J'ouvre mon carnet, tente une phrase qui ne veut décidément pas sortir avec du son, me racle maladroitement la gorge et reprend :

— J'ai préparé quelques questions.
— Moi aussi.
— Ah, vous allez m'interviewer ? C'est pour quel journal ?

Ne commence pas Amandine, pas de provoc avec lui, il finit toujours par gagner !

— Oui, mais cela restera privé.
— Bien. Qui commence ?
— À vous l'honneur, Amande douce.
— Vous arrive-t-il de vous plier à certaines règles ?

Bien joué. Première question, première improvisation. Beau travail de journaliste. Tu iras loin, ma petite !

— Rarement, mais vous pouvez toujours essayer. Lesquelles ?

– Par exemple, appeler les gens par leurs vrais prénoms. Répondre à l'interview que vous avez programmée. Vous montrer aimable avec les gens que vous invitez ?

– Les prénoms sont subis, les surnoms sont toujours mieux choisis. Je réponds à vos questions en ce moment même. Et l'amabilité ne fait que jeter un voile social sur les pulsions animales.

Rien que ça.

Je ne trouve rien à répondre, tout à la fois outrée de sa suffisance, admirative de ses reparties cinglantes et bouleversée par les deux derniers mots qu'il a prononcés. Son beau visage racé ne peut plus masquer le désir sauvage dont il semble animé. Je crois qu'on ne m'a jamais désirée comme ça. Et je ne sais pas comment me débattre avec le désir qui commence aussi à monter en moi. Il reprend son monologue, je crois autant pour me provoquer que pour se maîtriser.

– Votre silence en dit long… Vous êtes à votre tour en train d'oublier les conventions pour vous abandonner peu à peu à vos plus basses pulsions.

– Vous êtes vraiment persuadé d'avoir toujours raison ?

– Pas toujours, non. Souvent. J'ai simplement la conviction que vous mourez d'envie de m'embrasser en ce moment. Et je rêve de vous faire des choses pires encore. Mais nous parlons pour fuir ces pulsions. Plutôt que de céder à la tentation.

Pendant qu'il me fait son numéro de charme intello, il se lève de son large fauteuil, contourne son bureau et s'assoit à peine sur le bord, face à moi. Toujours assise, je ne peux détourner le regard de la bosse qui déforme son pantalon. Mes yeux paniqués cherchent un autre point d'accroche et atterrissent sur ses lèvres.

Erreur fatale…

Je me lève d'un bond pour mettre un terme au rapport de domination qu'il impose de par sa position. Et sans doute un peu pour me rapprocher de la bouche diabolique qui m'aimante. Sa main s'abat sur mon épaule, et d'un geste aussi sensuel qu'implacable, il me rassoit instantanément sur le fauteuil.

– Croyez-moi, je le voudrais. Mais je ne peux vous donner ce baiser. Pas avant de vous avoir entièrement goûtée. Et je connais déjà la saveur exquise de vos lèvres. Il me faut désormais déguster votre nectar pour confirmer l'alchimie que je pressens. Je n'aime pas me tromper, vous savez. Ce sont mes conditions. À prendre ou à laisser.

Dites-moi que je suis en train de rêver. Je viens pour une interview, je récolte une conversation sans queue ni tête, je baisse la garde et je n'obtiens pas même un baiser. À la place, est-ce qu'il est vraiment en train de me proposer ce que je crois qu'il me propose ? Ou plutôt, m'impose ?

Je suis trop choquée pour accepter, bien trop excitée pour refuser. Je reste muette, incapable de bouger. Je crois que je n'ai toujours pas dit oui quand il se penche devant moi, met un genou à terre, puis l'autre et son immense main commence un lent cheminement le long de ma cuisse. Je peux sentir la chaleur de sa paume à travers le tissu de mon jean. Le rouge me monte aux joues, j'ai la gorge sèche, je me sens subitement fiévreuse. Et pas seulement du visage ! J'ai un mouvement de recul réflexe quand ses doigts s'approchent du bouton de mon pantalon. J'entrouvre la bouche pour parler mais aucun mot n'en sort.

– Ne me repoussez pas, Amande. Je ne le supporterai pas.

C'est sans doute la première et la dernière fois que je l'entends me supplier. Son murmure essoufflé, son regard empli d'un désir urgent font tomber mes toutes dernières barrières. Comme soulagé, Gabriel repart à la conquête de mon jean, faisant céder le bouton, descendant lentement la fermeture éclair en même temps que monte mon désir. Furieux. Avec une habileté déconcertante, il soulève mes fesses et fait glisser mon pantalon et ma culotte en même temps le long de mes jambes. Il a enlevé mes boots et chaussettes sans même que je m'en rende compte. Ses doigts pianotent sur la fine peau de mes cuisses et me donnent instantanément la chair de poule. Pourtant, l'ambiance est de plus en plus brûlante quand il penche la tête vers mon pubis. J'essaie de ne pas penser au surréalisme de la situation : moi, à demie nue, assise sur un fauteuil en cuir dans un bureau luxueux, face à un milliardaire à genoux, prêt à me dévorer. Il me respire de longues secondes, je peux sentir son souffle chaud sur mon sexe et je commence à perdre la tête. Il plonge enfin entre mes cuisses. La première lente et douce caresse de sa langue me rend dingue. Je ne peux pas me retenir de gémir. Ses coups de langue suivants sont plus divins encore et Gabriel saisit mes fesses pour m'attirer à lui et coller sa bouche avide sur mon sexe. Il lèche, titille, contourne, aspire mon clitoris gonflé de désir. Je ne sais pas combien de temps encore je vais pouvoir tenir. Soudain, il me tire au bord du fauteuil, ses mains soulèvent mes jambes et les maintiennent écartées, en l'air. Il profite une seconde du spectacle que je lui offre puis enfonce sa langue voluptueuse dans mon intimité. Je vais défaillir. J'ignore ce qui se joue à l'intérieur de moi, ni où ni comment il a appris à faire ça, mais je ne touche plus terre.

Proche de l'orgasme, je plante mes ongles dans le cuir des bras du fauteuil et je sens son visage trempé de mon plaisir. Sa tête ondule fougueusement sur mon sexe et il accélère ses mouvements diaboliques au rythme de mes halètements. Prise de tremblements incontrôlables, je dois plonger mes doigts dans ses cheveux pour lui intimer de ne plus bouger, de faire cesser ce sublime supplice. Ses lèvres insatiables me dévorent encore et encore et ma jouissance explose dans sa bouche. Un orgasme inouï comme je n'en ai jamais ressenti de ma vie. Une toute dernière fois, sa langue vient recueillir le fruit de mon plaisir. Les yeux fermés, il se lèche les lèvres en souriant.

– Un pur délice. Je ne m'étais pas trompé, murmure-t-il plus pour lui que pour moi.

Il se relève, regagne son bureau, visiblement troublé. Je suis dans un état second et je ne parviens pas à décrypter son expression. Enfoncé dans son fauteuil, il regarde au loin par la fenêtre, les yeux plissés, le front soucieux. Je ne l'ai jamais vu comme ça. Je devrais sans doute me révolter contre cette réaction ombrageuse, franchement inappropriée, mais je me sens étrangement attendrie. Je devrais peut-être dire quelque chose. Mais quoi ?

– Vous devriez vous rhabiller. Nous pourrons nous retrouver à 16 heures. Si vous souhaitez toujours m'interviewer. Rejoignez-moi dans les vignes, un lieu public et un bol d'air frais vaudront mieux pour nous deux.

Merci, au revoir.

5

AMBRE ET DÉMON

Les joues encore rouges et la respiration saccadée, je retourne dans ma chambre après ce tête-à-tête torride. La grande horloge dorée qui trône sur la cheminée indique presque 15 heures. Je réalise que dans quatre heures, je serai dans le train et que ce drôle de rêve éveillé prendra fin. De délicieux frissons parcourent encore ma colonne vertébrale, je n'ai toujours pas totalement retrouvé mes esprits. Cet homme me rend folle, littéralement. Son corps et le mien semblent faits pour aller à la rencontre l'un de l'autre, mais nos deux personnalités se défient, se cherchent, se provoquent, sans qu'aucun de nous ne sorte totalement victorieux. Certes, il m'impressionne, son regard perçant, sa voix rauque et suave, ses mains habiles, sa bouche affamée m'électrisent, me domptent inexorablement, mais je ne m'avoue pas vaincue pour autant. Si c'est une petite fille sage et docile qu'il cherche, je passe mon tour.

Facile de dire ça maintenant, mais face à lui, tu es beaucoup moins convaincante ma cocotte...

Encore cette petite voix intérieure qui vient interrompre mes pensées et décrédibilise mes tentatives de rébellion. Il faut croire que je me voile la face. Je dois ouvrir les yeux et me l'avouer une bonne fois pour toutes : Gabriel Diamonds me bat à plate couture au jeu du « suis-moi je te fuis, fuis-moi je te suis » ! Comparé à lui, je ne suis qu'une débutante. Cette conclusion me consterne. Tout d'un coup, je n'ai plus envie de penser à tout ça, d'analyser, de débriefer sans cesse.

Vis le présent Amandine, arrête de tout ressasser !

À part Marion, je ne vois pas qui pourrait me faire redescendre sur terre. Je sors mon portable de ma poche arrière et ce mouvement furtif me rappelle que les mains du milliardaire sont passées par là. Le trouble m'envahit à nouveau, mais je ne me laisse pas déstabiliser par ma propre faiblesse et j'appelle sans attendre celle qui saura me remettre la tête à l'endroit.

— Alors, tu me l'as mise de côté cette bonne bouteille ?

Bonjour, je m'appelle Marion et je suis une fille intéressée !

– Pas encore, tout dépendra de ce coup de fil.

– Tu me connais, je suis un ange ! Ça va ? Le temps n'est pas trop long dans ton coin perdu ?

– Non…

– Tu me caches quelque chose toi ! Allez, passe aux aveux !

– J'ai rencontré quelqu'un. Enfin, rencontrer, c'est un bien grand mot. Disons que je ne suis plus la gagnante à notre concours d'abstinence.

– *Quoi* ? Tu as couché avec un inconnu ? !

– Je n'irais pas jusque-là, mais pas loin… Et il a 35 ans, il est beau comme un dieu et il est multimilliardaire.

– Haha, arrête de te foutre de moi. Je dois filer, Tristan doit passer à la maison. Tu m'appelles ce soir pour me dire que tu es bien arrivée !

Grrr, évidemment, elle ne m'a pas crue !

– Et Amandine, t'es belle, intelligente, drôle, tu vas le trouver ton prince charmant, pas besoin de l'inventer !

Finalement, c'est moi qui lui raccroche au nez. Je pensais qu'elle m'aiderait à y voir clair, mais je ne suis pas plus avancée et pire, maintenant, je suis de mauvais poil. Entre cet homme irrésistible et insupportable qui se croit tout permis et ma meilleure amie qui me traite de mythomane, je suis bien entourée ! Ma sœur Camille, ce n'est pas mieux. Émilie, elle, sort un peu du lot. Hyper pragmatique, elle a le don de trouver une solution à tout.

D'ailleurs, est-ce qu'elle a répondu à mon mail ?

Du bout du pouce, j'actualise ma boîte mail sur l'écran tactile. Bingo : un message reçu !

De : Émilie Maréchal
A : Amandine Baumann
Objet : Louboutin SM ?

Salut collègue,
Un conseil : vas-y mollo sur le vin, ça te donne des idées bizarres.
Et il faut souffrir pour être belle ;)
Ne rate pas ton train, Éric t'attend fraîche et dispose demain matin, pour le compte rendu du week-end.
Bises,
Em

Merde, il va falloir que je me mette sérieusement au boulot !

Je commence à me demander si je vais l'obtenir, cette foutue interview. En deux jours, j'ai passé plus de trois heures seule à seule avec Gabriel Diamonds, et nous n'avons pas parlé œnologie une seule fois. Niveau professionnalisme, on a déjà vu mieux. J'ai tout de même une excuse valable : cet homme passe son temps à me déstabiliser et à jouer avec mes nerfs. Bizarrement, je pense que cette explication ne plairait pas beaucoup à mon boss…

OK Amandine, cette fois c'est la bonne !

Ma mission : ne pas faire attention à lui, et mener vite et bien mon interview pour qu'Éric soit fier de moi. J'ai rendez-vous avec le milliardaire à 16 heures, il est temps que je me prépare. De retour devant ma valise, je tergiverse à nouveau sur ma tenue. Je ne veux surtout pas paraître aguicheuse, alors j'opte pour un autre jean tout simple mais bien coupé, un tee-shirt blanc en lin, un petit gilet gris. Je brosse soigneusement mes cheveux mais les laisse détachés. Je remets un peu de mascara, sans en faire trop, et évite la tentation de me mettre du rouge à lèvres. Je ne me parfume pas et je ne mets pas de bijoux. Un coup d'œil dans le miroir : je suis Amandine en reportage, une jeune fille passe-partout loin du glamour de la veille. Je claque ma porte, direction les vignes qui, à tous les coups, me réservent de nouvelles surprises…

– Re bonjour mademoiselle.

Très bien, il donne le ton : ce sera strictement professionnel.

– Re bonjour, monsieur Diamonds.

Ses yeux bleus plongent dans les miens, mais son regard est lointain. Il semble ailleurs. Quand il s'avance vers moi en me tendant la main, je tombe de haut. Il y a deux heures à peine, j'étais à moitié nue dans ses appartements, offerte à ses caresses intimes. Où sont passées cette complicité ambiguë, cette tension sexuelle ? À son contact, un frisson électrique me parcourt le corps entier, mais lui reste de marbre. Je remarque un peu de terre sous ses ongles et, loin de me dégoûter, cette image le rend encore plus mâle à mes yeux, mais il rompt bien vite le charme avec une remarque assassine. Il jette un coup d'œil méprisant à mon carnet.

– Vous avez vraiment besoin de ce cahier d'écolière ?
– Avec ou sans carnet, je compte bien obtenir des réponses, cette fois !
– Ah oui c'est vrai, la fameuse interview…

Il se moque de moi ?!

Il se met à marcher sans même m'attendre et je me retrouve à trottiner de manière ridicule derrière lui. Face aux vignes, il s'arrête et commence à me raconter l'histoire du domaine. J'essaie de me concentrer sur ses yeux mais mon regard glisse imperceptiblement vers ses lèvres, charnues, pulpeuses, chaudes.

Alors qu'il se baisse légèrement pour me montrer un pied de vigne, nos mains se frôlent et je sens une douce chaleur envahir mon bas-ventre. J'essaie de ne rien laisser paraître, mais une lueur un peu amusée apparaît instantanément dans le regard de Diamonds. Il me propose de passer à l'étape de la dégustation, m'expliquant que le temps, de toute façon, va bientôt se couvrir. Nous pénétrons dans la grande cave voûtée, je suis très impressionnée. Un nombre considérable de bouteilles s'étale le long des murs de pierre. Au fond est aménagée une partie réservée à la dégustation, avec quelques tables hautes, des tabourets en cuir, un bar. Sur une table sont disposés une corbeille de fruits et deux verres ballon. Diamonds aurait-il préparé mon arrivée ? Ou bien est-ce une mise en scène qui attend chaque journaliste venu l'interviewer ? Je me hisse sur un tabouret pendant qu'il choisit une bouteille. Naïve, je lui demande de quel vin il s'agit.

– Du vin ? Non, je suis plutôt d'humeur cognac ! Et celui-ci a trente ans d'âge.

Il me sert généreusement, s'assoit sur le tabouret face au mien, et prend à pleine main une grappe de raisin dont il détache chaque grain avec les lèvres en me regardant dans les yeux. Je me sens vaciller mais je résiste.

Vous me cherchez, Gabriel, mais vous ne me trouverez pas…

– Bon alors, mes questions…

Une fois encore, il ne me laisse pas finir ma phrase.

– Vous ne buvez pas ?

Monsieur le maniaque du contrôle est de retour.

Je porte le verre à mes lèvres et achemine dans ma gorge une lampée du liquide ambré.

– Voilà qui est mieux, c'est important de savourer les bonnes choses.

Le goût du cognac me surprend mais sitôt ma gorgée avalée, je ressens le besoin et l'envie d'en boire à nouveau. C'est comme si je ne pouvais pas m'en empêcher, comme si l'addiction était trop forte. Que ça me plaise ou non, c'est un peu ce que je ressens pour Diamonds. Je ne peux tout simplement pas arrêter de le regarder, de penser à ce qu'il s'est passé entre nous dans son bureau. Les images me reviennent et je me sens rougir jusqu'aux oreilles. Essayant de masquer mon trouble, je m'accroche désespérément à mon carnet et je commence à lire ma première question d'une voix un peu hésitante.

– Chopard m'a déjà posé cette question dix fois.

Je viens de me prendre une gifle. Son ton est sec, froid, il semble agacé. Je meurs d'envie de lui envoyer une repartie bien cinglante, mais je tente de rester professionnelle.

– Entendu, passons à la suivante.

– Vous autres, journalistes, vous ne vous renouvelez pas beaucoup, vous manquez atrocement de créativité. J'attendais mieux de votre part, faites un effort Amandine !

Il ne m'a pas appelée Amande. Aïe.

Je reprends une gorgée de cognac pour ne pas me démonter, mais les larmes montent, sans que je puisse les contrôler. Je me maudis d'être aussi émotive mais je me sens blessée, humiliée. Je relève les yeux juste à temps pour voir le visage de Gabriel Diamonds fondre vers moi. Je sens sa langue qui lèche le coin de ma bouche où coulait une petite goutte du précieux liquide ambré.

– Comme vous êtes appétissante quand vous êtes vexée, me murmure-t-il à l'oreille d'une voix rauque.

Soudain, il renverse la table haute d'un revers de bras. La bouteille de cognac explose au sol dans un bruit cristallin. Saisie, je regarde le liquide venir lécher les pieds de mon tabouret d'où je n'ai pas bougé. Tout à coup, le corps puissant et musclé du milliardaire est contre le mien.

– Où en étions-nous ? demande-t-il tandis que ses dents mordent sans ménagement ma nuque emprisonnée entre ses deux mains. D'un mouvement habile de son bassin, il se place de façon à ce que j'ouvre les cuisses, et je me félicite intérieurement de ne pas avoir choisi de porter une jupe. Il colle son bassin contre le mien, nos formes se complétant parfaitement, et pose ses paumes sur le mur voûté derrière moi. Je suis sans défense, complètement à la merci du beau milliardaire et ce fameux pincement de plaisir assaille à nouveau mon bas-ventre. Tandis que ses lèvres chaudes parcourent mon cou, de l'épaule jusqu'à la base de mes cheveux, je sens son érection contre mon pubis. Je me mets à gémir sous l'effet des baisers et, sans que je le décide vraiment de façon consciente, mes mains soulèvent le tee-shirt noir de Diamonds pour caresser les muscles de son torse, qui roulent bientôt sous mes doigts. Il déboutonne habilement mon jean, le fait coulisser le long de mes jambes puis, m'agrippant par les fesses, il me soulève avec une facilité déconcertante, contourne le tabouret et me plaque contre le mur.

La vapeur du cognac renversé me monte à la tête et je cherche la bouche de Diamonds avec exaltation. Nos lèvres se trouvent enfin et nous échangeons un long et furieux baiser. Comme si c'était le dernier…

La chaleur dans mon ventre, mon sexe humide, mes mains accrochées dans les cheveux de Diamonds, je ne suis plus qu'une boule de désir. Dans un souffle, il murmure « je vous veux tout entière », et, n'y tenant plus, il jette sa veste au sol et m'allonge dessus. De toute sa hauteur il me domine, et, quand il sort son sexe tendu pour y enfiler un préservatif, je ne peux retenir un petit cri de surprise : il est gigantesque ! Il s'allonge alors sur moi et me pénètre avec une exquise lenteur. Le souffle court, je gémis et le rythme s'accélère. Mon corps accueille la virilité de Diamonds avec un plaisir incroyable. Ces longs va-et-vient me rendent folle et je gémis presque sans discontinuer. Prenant appui sur une main, il se sert de la deuxième pour jouer avec mon clitoris, et alors qu'il le tord doucement, son sexe enfoncé loin en moi, je sens l'orgasme me submerger et je mords dans son épaule pour ne pas hurler de plaisir. Il jouit à son tour, tout au fond de moi et cette intense implosion secoue tout son corps. Enfin il s'écroule sur moi, et le parfum de ses cheveux, mêlé à celui de la sueur et du cognac, m'enivre complètement.

C'était... tellement... bon...

Même ma voix intérieure est essoufflée. Je n'en reviens pas, je ne réalise pas, mon esprit embrouillé flotte au-dessus de mon corps repu. Il m'a prise à même le sol et cette spontanéité a mis le feu à tous mes sens. Je ne me savais pas capable de me lâcher, m'abandonner à ce point-là ! En me relevant, je tente de faire un trait d'esprit, pour rendre ce face-à-face moins gênant.

– Je vous dois une bouteille de cognac.
– Vous me la rembourserez plus tard. En nature...

Il me lance un clin d'œil malicieux, puis il hausse les épaules nonchalamment et se retourne, à nouveau neutre et inaccessible.

6
IMAGES SUSPENDUES

Il faut que je l'oublie…

Le château de Bagnolet me semble loin même si je le rejoins régulièrement dans mes rêves les plus fous et les plus… chauds. Mais la routine parisienne a vite repris le dessus et le visage du beau Gabriel Diamonds disparaît peu à peu de mes souvenirs. Après cette divine et mémorable séance de sexe dans la cave voûtée, j'avais pris mon train pour Paris sans avoir revu mon beau et mystérieux amant. J'avais inventé de fausses réponses pour mon interview et la vie normale avait repris son cours, entre les soirées avec les copines et le travail avec Éric et Émilie. Une chose avait changé cependant : j'avais beaucoup plus confiance en moi qu'avant. Après une telle expérience avec un si bel homme, je me trouvais plus jolie, plus désirable, moins transparente ! Cet incroyable week-end avait réveillé la femme qui sommeillait en moi. Et si mon aventure avec Gabriel faisait maintenant partie du passé, je ne pouvais m'empêcher de penser à lui jour et nuit. Plus qu'une simple attirance physique, il y avait quelque chose d'indéniable entre nous. Une alchimie intense, irrépressible, contre laquelle j'étais incapable de lutter. Une telle rencontre ne vous laisse pas indemne. La preuve, quand il m'arrive de croiser par hasard un homme dont la silhouette ou l'odeur ressemble de près ou de loin à celles de Gabriel, je ne peux réprimer un petit pincement quand je découvre que ce n'est pas lui.

Il faudrait surtout que je songe à consulter un psy.

Ma sonnerie de Bruno Mars retentit pile au moment où je sors de la station de métro. La photo de Marion apparaît, je décroche en me préparant psychologiquement à recevoir une énième leçon de morale. Ma meilleure amie part du principe que je suis « trop bien » pour être obsédée par un milliardaire aux allures de top model. Ça fait un moment que j'évite de lui parler de Gabriel, mais elle a une fâcheuse tendance à remettre le sujet sur le tapis.

– Amandine, ça te dit de poser ton vendredi ?
– Pourquoi pas. Tu me proposes quoi ?
– Shopping à Bercy 2, déjeuner à Bercy village et expo à la Maison européenne de la photographie.

J'aurais préféré une journée farniente au lac Daumesnil ou au bois de Boulogne, mais en plein mois de décembre, ça va être difficile…

– OK, je suis partante !

La Maison de la photographie, c'est l'un de mes lieux de prédilection pour me ressourcer. J'adore cet endroit situé en plein cœur du Marais. La cour pavée, le vieil hôtel particulier qui abrite les grandes salles claires, le café dans les caves voûtées, j'aime autant m'y promener pour le cadre enchanteur que pour les expositions qui y sont proposées. Je m'y sens bien, apaisée. Le vendredi, il n'y a presque personne, on a le sentiment d'avoir le musée pour nous, c'est rare à Paris ! Après un déjeuner léger (une salade végétarienne et un thé detox, la nouvelle lubie de Marion), on descend à la station Saint Paul pour se rendre à l'exposition. Celle du mois dernier m'avait littéralement emportée. La série de petites photographies en couleurs de Susan Paulsen était merveilleuse, ses portraits du quotidien poétiques et touchants. D'après les spécialistes, ses œuvres ont la beauté lumineuse des toiles de Vermeer, mais moi j'étais juste tombée sous le charme de ces regards qui m'avaient transpercée à travers le papier glacé, de ces sourires communicatifs, de ces flous artistiques. J'ignore ce que je vais voir aujourd'hui, Marion adore me faire des surprises. J'espère ressentir à nouveau ce tourbillon d'émotions simples et authentiques, histoire de me transporter loin de tout, loin de mes réalités, loin de ce manque de lui qui me tiraille.

Marion me précède dans le hall du musée et au moment de laisser nos manteaux au vestiaire, elle s'extasie à nouveau sur ma robe, achetée le matin même. Noire et moulante juste ce qu'il faut. Le haut, à manches longues, est coupé dans un satin à tout petits pois blancs qui capte bien la lumière et vient complimenter mon teint. Puis la robe s'évase au niveau des hanches. La jupe, coupée dans un coton épais de très belle facture, s'arrête au-dessus des genoux. Je la porte avec des bas fins dont une ligne noire suit le galbe de mon mollet et de mes petites ballerines en cuir. Dans cette tenue inhabituelle, je me sens belle, confiante, pour une fois j'ai su me mettre en valeur. Les compliments de Marion me montent un peu à la tête et je m'amuse à virevolter sur moi-même pour lui permettre de m'admirer sous toutes les coutures.

– Je t'ai rarement vue aussi sexy, Amandine ! Ton milliardaire y est pour quelque chose ?

C'est reparti...

– Non, miss détective, j'avais juste envie de me faire plaisir. Et j'aimerais bien que tu arrêtes de me parler de lui toutes les trois minutes.

Elle s'éloigne en ronchonnant, mais je la rattrape immédiatement et lui saute dessus en lâchant un petit cri strident. Je suis de bonne humeur, ce n'est pas le moment qu'on s'engueule ! En réponse à mon saut de cabri, elle me demande si quelqu'un a drogué mon thé et on rigole à l'unisson, comme deux bécasses.

Madame lunatique a une envie pressante, direction les toilettes. J'en profite pour me faire un chignon rapide et me remaquiller légèrement. Puis, bras dessus bras dessous, on se dirige vers la première salle de l'exposition temporaire. Je découvre le travail d'un photographe italien, Mimmo Jodice, sur la question des villes. Les premières photographies, en noir et blanc, me laissent sans voix. Elles dévoilent des aspects de Paris qui m'échappent complètement, moi qui me contente bien trop souvent de suivre mon trajet métro-boulot. Une photo d'Angoulême attire mon attention : je reconnais les abords de la gare de cette ville où je ne suis pourtant allée qu'une seule fois. Angoulême... ce nom sonne pour moi comme la plus douce des mélodies. Rêveuse, je ne remarque pas les petits signes discrets que me fait Marion à côté de moi. Elle finit par me donner un gros coup de coude qui me fait sursauter.

La subtilité selon Marion, mesdames et messieurs...

– Ne te retourne pas, mais il y a un mec sublime qui te mate depuis quelques minutes.
– Peut-être qu'il te mate toi, Bruce Lee !

J'ai mal au bras, espèce de brute !

– Non, non, je te jure qu'il a l'air vraiment scotché par toi…

Un peu vexée par ma comparaison avec le karatéka, elle s'éloigne en direction de la salle suivante.

Et d'un coup, je le sens, ce regard sur moi, sur ma nuque plus précisément : magnétique, électrisant, surpuissant. Se pourrait-il que… Je n'ose pas me retourner pour faire face à celui qui me regarde, alors je tourne les talons et m'enfuis dans la première salle de l'exposition. J'entends des pas dans mon dos, l'inconnu aurait-il décidé de jouer au chat et à la souris ? J'accélère, pour voir, faisant à présent claquer mes ballerines sur les dalles en pierre du hall d'entrée. Les pas derrière moi accélèrent aussi. Pour éviter un groupe de visite guidée qui arrive sur moi, je bifurque soudainement vers la gauche, en direction de l'ascenseur. Au moment où j'appuie sur le bouton, j'entends la voix chaude et grave de Gabriel Diamonds. Je la reconnaîtrais parmi un milliard !

– Alors c'est bien vous, je n'ai pas rêvé…

Ce doux murmure me paralyse et son souffle dans ma nuque me fait frissonner de la tête aux pieds.

Oh mon dieu, il est vraiment là ! Je fais quoi je fais quoi je fais quoi ? !

Pour masquer mon trouble, je ne me retourne pas.

– Mademoiselle s'intéresse à la photographie ?

Son ton est moqueur, mais je perçois un soupçon de tendresse dans sa voix.

C'est nouveau, ça...

Les portes de l'ascenseur s'ouvrent devant moi et nous pénétrons en même temps dans la cabine.

– Vous montez ?

Comme à son habitude, Diamonds n'attend pas ma réponse et nous envoie en l'air en appuyant sur le bouton du deuxième étage. Quelques secondes plus tard, il presse le bouton rouge qui bloque instantanément l'ascenseur en marche. M'apprêtant à protester, je lève les yeux vers lui mais ma tentative de rébellion s'échappe en fumée. Une fois de plus, je suis frappée par la beauté de son visage, la perfection de ses traits, la virilité qui émane de tout son être. J'ai à peine le temps d'apercevoir une étrange lueur dans son regard que je me retrouve collée au miroir glacé, son corps lourd et brûlant plaqué contre le mien. Nos bouches, comme aimantées l'une par l'autre, se retrouvent et nous échangeons un long baiser.

Un brasier s'allume instantanément dans mon ventre.

Sa langue avide et voluptueuse inspecte les moindres recoins de ma bouche. Lorsqu'il me mordille la lèvre inférieure, je n'arrive plus à me contenir, je lâche un gémissement de plaisir. Une chaleur exquise se répand dans tout mon corps et avant qu'il ne soit trop tard, que j'atteigne le point de non-retour, je repousse mon assaillant. À bout de souffle, je tente de me reprendre.

– Qu'est-ce que vous faites là ?

Il me lance un regard noir mais ne peut s'empêcher de sourire, étonné par ma bravoure.

Apparemment, monsieur n'apprécie pas qu'on lui résiste ! Quoi que...

Il s'approche à nouveau tout près de moi, l'air presque menaçant et glisse une main ferme sur ma nuque, mais là encore, je lui résiste.

– Peu importe ce que je fais là, Amande ! Je vous ai retrouvée et je compte bien en profiter !

En profiter ? Profiter de moi, surtout !

Planté face à moi, il ressemble à une gravure de mode dans son costume trois pièces bleu marine.

Bleu marine, comme son pull...

Nos visages ne sont qu'à quelques centimètres l'un de l'autre. Il me fixe droit dans les yeux, sans se démonter. Il a envie de moi, c'est évident, mais il attend une réaction de ma part. La tension sexuelle est palpable, irrésistible. Son parfum enivrant m'achève et, dans un élan de désir, je me colle à lui pour l'embrasser. Cette fois, c'est lui qui recule.

Il se fout de moi ? !

Vexée et un peu humiliée par son refus, je baisse les yeux, n'osant plus le regarder en face. Puis, tel un prédateur qui s'approche de sa proie, il me domine de toute sa hauteur et parcourt la courte distance qui nous sépare. Lorsque nos corps, pressés l'un contre l'autre, ne font plus qu'un, il passe une main dans mes cheveux et, grâce à une légère pression, m'oblige à relever la tête et à plonger mon regard dans le sien.

Il me veut, je le veux, qu'est-ce qu'on attend ? !

Comme une réponse à l'excitation qui anime mon bas-ventre, je sens son érection contre ma cuisse. Sa bouche affamée se jette sur mon cou, il m'embrasse, me mordille, me dévore.

– Mmh, vous avez toujours aussi bon goût, Amande douce.

Les lèvres chaudes et tendues de mon bel amant

embrassent à présent la peau dénudée de mon décolleté, me faisant frissonner de toutes parts. Ma petite voix intérieure se demande si tout cela est bien raisonnable, mais l'instant est tellement intense que je l'ignore et me laisse aller sous les caresses de Diamonds. Il cale l'une de ses cuisses entre mes jambes et, tout en m'agaçant le lobe de l'oreille de sa langue experte, il glisse une main sur mon genou et la fait lentement remonter le long de ma cuisse. Je l'entends gémir de plaisir lorsqu'il trouve du bout de ses doigts la dentelle du haut de mes bas. Sa main continue sa montée sous ma robe, et c'est à mon tour de gémir de plaisir quand il effleure les bords de ma culotte déjà humide.

– J'ai terriblement envie de vous. Cette tenue vous va à ravir…

Puis, d'un ton beaucoup moins caressant, il m'ordonne :

– Tournez-vous !

Résistera, résistera pas ? C'est cela oui ! Comme si tu avais la force de lui résister…

La formulation sans appel et son autorité maladive m'excitent au plus haut point, et c'est avec un plaisir sans nom que je me retourne pour lui offrir mon dos. Il retrousse ma robe pour me caresser les fesses d'une main tandis que l'autre parcourt mes seins. Puis il fait glisser ma culotte le long de mes cuisses, et je ne peux que soulever mes ballerines l'une après l'autre pour libérer mes jambes tandis que mon bassin ondule en se frottant contre la braguette de son pantalon. Je pousse un petit cri quand je sens le majeur droit de Diamonds s'engouffrer en moi, suivi d'un gémissement plus long lorsqu'il se met à faire rouler et à pincer doucement mon clitoris entre son pouce et son index. Son sexe, à travers son pantalon, se place contre la raie de mes fesses et entame des va-et-vient qui me rendent folle.

Au moment où, n'y tenant plus, je m'apprête à le supplier de me pénétrer, j'entends le froissement d'un emballage de préservatif. Je tends tout mon corps vers mon amant avec un désir qui me surpasse et me surprend. Il rentre en moi d'un seul coup, jusqu'au bout, et m'arrache des gémissements de plus en plus forts au fur et à mesure de ses butées. Ma poitrine collée au miroir face à moi, je regarde l'image de nos deux corps reflétée à l'infini dans le petit ascenseur. Le froid de la glace contre le feu de mes tétons me fait un effet de folie.

Soudain, le milliardaire agrippe mes hanches et se met à faire des va-et-vient plus rapides, plus longs et plus forts. Son visage dans mes cheveux, je ne perçois de lui que ses halètements appréciateurs. L'accélération qu'il imprime à la pénétration me fait perdre la tête et, dans un dernier sursaut, je jouis intensément. Il coulisse encore un peu dans mon sexe et, relevant la tête et croisant mon regard dans le miroir, il jouit à son tour, en prononçant mon prénom. En entier !

Il m'observe, un sourire fier aux lèvres, pendant que je remets ma culotte et lisse ma robe du plat de la main. Puis il appuie sur le bouton rouge et l'ascenseur se remet en branle. Avant de s'extirper de cette cage délicieuse, il me saisit une dernière fois par le bras et me colle un petit baiser sur les lèvres.

Serait-ce à nouveau une preuve de tendresse, monsieur Diamonds ?

– À très bientôt, mademoiselle Baumann.
– Adieu, Gabriel.

Étonné de m'entendre prononcer son prénom, il plisse les yeux en se mordant la lèvre. Je m'attends à une repartie cinglante, mais au lieu de ça, il me tourne le dos et s'éloigne, sans un mot. Nos chemins se séparent sur le palier du deuxième étage. Rapidement, je retrouve Marion qui me saute dessus, à deux doigts de la crise de nerfs.

– Ça fait vingt minutes que je te cherche partout ! T'étais où ?

Vingt minutes… Il m'a semblé qu'il s'était écoulé une éternité. Je bredouille que j'ai dû passer aux toilettes tout en guettant parmi les visiteurs la silhouette de mon bel amant. L'esprit embrumé, le corps encore palpitant, je suis ma boudeuse de meilleure amie au milieu des photographies, sans rien regarder. Je ne pense qu'à l'image que me renvoyait le miroir de l'ascenseur : un très bel homme au corps parfait et aux yeux d'un bleu pénétrant en train de faire intensément l'amour à une jeune femme au joli visage. Je réalise que je suis cette jeune femme et la fierté que j'éprouve me fait sourire.

Gabriel... Tu n'as pas idée de ce que tu me fais !

7

AMOUR AMER

– T'es dans la lune toi… T'es amoureuse ou quoi ?

– Je suis juste fatiguée, Marion, et tous ces éclairages me donnent la migraine.

Ne lui raconte pas la scène de l'ascenseur, elle va encore te faire la morale…

C'était si intense, si imprévisible, si bon, si…

– Amandine ! Tu peux arrêter de m'ignorer sans cesse ? Je te rappelle que tu m'as déjà plantée pendant vingt minutes pour faire je ne sais quoi…

Ses reproches commencent à me gonfler mais je reste calme, impassible. Je suis encore sur mon petit nuage, le parfum de Gabriel Diamonds me colle à la peau et me renvoie à cette scène irréelle, à ce voyage des sens. Je suis toujours en apesanteur, mon corps est bien là, mes pieds foulent le sol du musée, mais mon esprit divague.

– Si tu veux tout savoir, j'étais avec lui.
– Avec ton milliardaire ? C'était lui qui te matait tout à l'heure ?
– Oui, et je viens de m'envoyer en l'air avec lui. Dans l'ascenseur.

Je la regarde droit dans les yeux et j'attends une réaction. Je vais sûrement avoir droit à l'un de ses interminables monologues qui se concluent toujours par un pénible « je te l'avais bien dit ! ».

Rien ? Je rêve ou j'ai réussi à avoir le dernier mot ? !

Pour une fois, Marion ne fait pas honneur à son surnom : « madame Toujours-Raison ». Elle semble soufflée par ma révélation, commence à entrouvrir la bouche pour répondre quelque chose et finalement, se ravise. Pour m'assurer qu'elle n'a pas perdu sa langue, je la relance.

– Tu ne me demandes rien, ça ne t'intéresse pas ?
– J'ai déjà tout dit : tu es amoureuse.
Je suis surprise par mon cœur qui fait un bond à cette remarque. Amoureuse… Jamais de la vie !

Quelques instants plus tard, nous nous quittons à

Saint-Paul, où nous prenons le métro dans des directions opposées. Je flâne un peu dans les rues de mon quartier, espérant que l'air frais me sorte en douceur de l'état cotonneux dans lequel je me trouve. C'est peine perdue, mes pensées flottent vers Diamonds.

Que faisait-il là ?

Il me suit à la trace ou quoi ?

Il a installé un traqueur sur mon portable ?

Amandine, tu divagues !

Me voici arrivée devant la porte de mon appartement. J'ai hâte de m'écrouler sur mon canapé et de manger les restes de penne all'arrabbiata d'hier. Je tâte mes poches à la recherche de mon trousseau de clés, que j'égare toujours. Dans la poche droite de mon manteau, quelque chose de dur attire mon attention. C'est une carte de visite de couleur crème, au papier épais. Mon cœur s'emballe quand je vois gravé en lettres dorées le nom de Gabriel Diamonds.

Mes mains tremblent, cet homme me rend vraiment folle et je m'exaspère moi-même. Je retourne la carte de visite. Au dos, quelques mots sont écrits à l'encre noire.

Amande mi-douce, mi-amère,
Rendez-vous en Toscane pour la suite de l'exposition,
le week-end prochain.
Arrivée souhaitée le samedi 22 décembre à 12 heures.

En bas de ce message, un numéro de téléphone portable. Le cœur battant, je ne pense même pas à rentrer chez moi, je reste interdite sur le palier pendant bien un quart d'heure. Je lis et relis les trois lignes sans arriver à croire ce qu'il m'arrive.

Gabriel Diamonds m'invite en week-end ? Moi ?
Mais qu'est-ce qu'il me trouve ?

J'ai du mal à penser que je ne rêve pas. Surexcitée, j'appelle Camille et m'invite à dîner chez elle. Je saute à nouveau dans le métro, en cogitant puissance mille. Arrivée chez ma sœur, je déballe toute l'histoire, devant ses yeux ronds. Hallucinée par ce qu'elle entend, elle me demande plusieurs fois de tout reprendre depuis le début. Pour une fois, on est sur la même longueur d'ondes et je réalise que je devrais peut-être me confier plus souvent à elle…

– Tu vas t'habiller comment ?

Oui, bon, on n'a pas les mêmes priorités mais au

moins, elle m'a écoutée...

En rentrant chez moi, je me sens soulagée d'en avoir parlé avec quelqu'un d'autre que Marion. J'adore ma meilleure amie, on se connaît par cœur et on est toujours là l'une pour l'autre, mais parfois je la trouve trop négative. Camille, elle, ne voit pas le mal partout et m'a dit de foncer, de ne pas rater cette chance. Sans tergiverser pendant des heures, j'envoie un texto au numéro inscrit sur la carte.

C'est d'accord pour le 22 décembre. J'achète mes billets de train ce soir. À très bientôt.
Amandine tout court.

J'ai beaucoup de mal à m'endormir ce soir-là, et bien plus encore à me concentrer au travail les jours suivants.

Le 22 arrive à grand pas et je passe ma vie pendue au téléphone avec Camille et Marion. J'ai fini par mettre ma meilleure amie dans la confidence, mais comme je m'y attendais, elle n'a pas explosé de joie... Le 20, ma valise est déjà bouclée et le 21, je prends sur moi pour qu'Éric ne sente pas mon impatience, ni mon désintérêt total pour les dossiers en cours.

Dans le train qui m'emmène en Italie, je pense à la folie que je suis en train de faire : après tout, je ne connais rien de cet homme. Nous ne nous sommes vus que très peu de fois, mais il a déjà pris entièrement possession de mon corps. Mais qui est-il, au fond ? J'espère bien le découvrir lors de ce week-end, mais en même temps, je meurs de trouille. Quand je descends de la voiture venue me chercher à la gare, j'ai le souffle coupé par la beauté du domaine que j'imagine appartenir à Diamonds.

Rien que ça... Remarque, je m'attendais à quoi ?

Une grande villa de pierre blanche domine une piscine naturelle encadrée par des cyprès. À perte de vue, des vignes et des champs reposent dans le soleil couchant. Je n'ai pas le temps de m'attarder plus sur les détails du paysage. Près d'un bâtiment qui ressemble à une écurie, j'aperçois Gabriel, et sa beauté me paralyse. Vêtu simplement d'un pantalon de lin blanc, il est torse nu. Je découvre son torse pour la première fois, et je suis saisie par la splendeur de son corps musclé et doré. De fines gouttelettes de sueur perlent entre ses pectoraux, et je comprends qu'il est en train de couper du bois à la hache. Il m'aperçoit et s'avance vers moi, d'un pas chaloupé.

Urgent : besoin d'une douche froide !

– Il fait très bon, et même chaud pour le mois de décembre, mais les nuits sont fraîches. Vous voulez boire quelque chose, jolie Amande ?

Bonjour à vous aussi...

Sans attendre ma réponse, il m'entraîne dans la maison et me fait asseoir à une table déjà dressée pour deux. Le mobilier est luxueux, la vaisselle raffinée, le panorama somptueux. Je pourrais m'y habituer... En tirant ma chaise en bon gentleman qu'il est, il m'embrasse rapidement la joue.

– Nous dînerons simplement, si cela te convient.
– On se tutoie maintenant ?
– Ce n'est pas une obligation. Mais étant maître de ces lieux, il me semble que c'est à moi d'établir les règles...
– Et c'est à mon libre arbitre de décider si je me plie ou non à vos directives, monsieur le maître des lieux.
– Vous et votre obsession de la liberté... Et que dit-il, ce libre arbitre ?
– Que je voudrais aller me changer.

En me levant, je lui adresse un sourire taquin, lui me répond par une moue mi-amusée, mi-agacée.

Vous êtes d'humeur joueuse monsieur Diamonds ?
Ça tombe bien, moi aussi...

Le temps que j'aille enfiler une robe un peu habillée, un carpaccio de bœuf accompagné de tomates au basilic frais apparaît comme par magie sur la table où les bougies ont été allumées et les verres remplis d'un vin très certainement grandiose. J'ai envie de me pincer pour vérifier que tout cela est bien réel. Gabriel est incroyablement beau et me dévore du regard. Son parfum léger flotte dans l'air. Il a revêtu une chemise de coton noir qui lui donne un air décontracté. Nous parlons de choses et d'autres, puis il me désigne du menton, dans un coin de la pièce, une photographie originale de Mimmo Jodice.

– Je l'ai achetée pour me souvenir de cette exposition si… particulière.

Je me sens vaciller à l'évocation de ce souvenir. Au moment où nous trinquons au champagne, pour le dessert, il sort de sa poche une enveloppe qu'il glisse vers moi.

– Pour les billets de train.

J'ouvre l'enveloppe et découvre, horrifiée, des billets de banque en grand nombre. Je me sens insultée, humiliée.

Il me prend pour qui, pour une pute ?!

Il me dévisage, son regard est tendu, concentré. Il a dû voir que j'étais en colère. Je voudrais qu'il dise quelque chose, qu'il s'explique, mais il reste muet.

– Je ne veux pas de votre argent, je ne suis pas votre employée.

Je suis debout et je le surplombe de toute ma colère. Mon ton est dur, mais ma voix est chevrotante. Si je le pouvais, je crois que je le giflerais. Sans dire un mot, il se lève et s'approche de moi.

Un conseil, monsieur le multimilliardaire, restez loin de moi...

Quand il tente de m'attirer contre lui, je me dégage de son emprise.

– Vous comptez faire quoi ? Me payer double pour vous rattraper ?

– Je ne veux pas vous payer, Amandine, je veux juste vous rembourser les billets de train. Je vous ai invitée, ça me paraît normal.

– Vous en payez beaucoup, des jeunes filles comme moi ? Je devrais peut-être augmenter mes tarifs, apparemment vous n'en avez pas encore assez de moi...

Son visage est méconnaissable, je me rends compte que je l'ai offensé.

– Arrête ça, tu es différente des autres, c'est justement pour ça que je ne peux plus me passer de toi !

« Je ne peux plus me passer de toi. »

Je ne sais pas quoi répondre. Il vient de me clouer. C'est lui qui est en colère maintenant, il me jette un regard noir et courroucé. Quand il vient se coller contre moi, je n'ai plus la force de résister, j'ai envie de m'enfouir dans ses bras et de m'abandonner totalement. Mon absence de résistance l'étonne, je sens tout son corps se détendre contre le mien. Il prend mon menton et approche mon visage du sien. Sa langue caresse ma langue, se promène le long de mes dents, joue avec mes lèvres. Je ferme les yeux, troublée, et lui rends ses baisers qui me font tellement vibrer.

– Tu es si belle, arrête de me fuir, ça me rend fou.

Sa voix est rauque, son souffle est brûlant. Il me caresse doucement les épaules d'abord, puis le haut des seins. Ces simples effleurements m'excitent terriblement et je sens le désir monter en moi. Gabriel me soulève avec une facilité déconcertante et j'enroule mes jambes autour de son torse. Tout en continuant à m'embrasser les seins, il m'entraîne dans une chambre sublime. Un feu crépite dans la cheminée. Le lit, immense, est habillé de draps de soie blanche. Il me renverse, et plonge aussitôt entre mes jambes pour parsemer l'intérieur de mes cuisses de baisers qui enflamment mon bas-ventre. Peu à peu, son souffle remonte vers mon clitoris et l'entrée de mon sexe. Sa langue affûtée trouve sans peine l'ouverture d'où perlent déjà les gouttes de mon plaisir et entame des mouvements qui me font frissonner.

L'envie de l'avoir en moi est si forte que des cris

puissants remplacent vite les gémissements qui sortent de ma bouche. Mais Gabriel ne cesse pas pour autant la douce torture qui secoue mon corps entier de spasmes de plaisir. D'un coup, c'est trop, je crie « Gabriel » d'une voix suppliante. En réponse à ma prière, il introduit deux doigts dans mon sexe humide, sur lesquels je m'enfonce avec fièvre. À plusieurs reprises, au moment où il sent mon orgasme imminent, il retire ses doigts et sa bouche de mon corps, dominant entièrement mon plaisir. J'aperçois son visage entre mes cuisses, une lueur malicieuse danse dans ses yeux lorsqu'il se redresse sur ses avant-bras. Il m'écarte doucement les genoux et me désigne son impressionnante érection.

– Passons aux choses sérieuses, Amande douce.

Il me pénètre avec lenteur et je caresse avec avidité la peau parfaitement lisse de son dos, le cœur battant, les hanches ondulant au rythme de ses longs va-et-vient. Accablée par le plaisir, je cherche ses lèvres avec les miennes et nos bouches se trouvent dans un long baiser langoureux. Prise d'une soudaine assurance, j'appuie sur son épaule avec hardiesse de manière à le faire basculer sur le lit. Je me retrouve à chevaucher son magnifique corps à la peau ambrée, son sexe profondément enfoncé en moi. D'abord intimidée, je roule vite du bassin autour de son membre dressé.

Une bûche craque dans la cheminée. Le temps semble presque suspendu dans cette grande chambre où seuls

résonnent nos soupirs de plaisir et quelques gémissements de ma part lorsque Gabriel me pince un téton
ou me mordille les lèvres. Et puis, n'y tenant plus, il
me saisit les fesses pour accélérer mes mouvements
autour de sa virilité. Il me fait finalement rebasculer
sur le matelas moelleux, avec une telle avidité que,
poussant un cri, je sens l'orgasme me submerger tel
un véritable tsunami. Le corps palpitant, repue de plaisir, je m'abandonne sous ses coups qui continuent
jusqu'à ce qu'à son tour, il jouisse, son regard bleu nuit
planté dans le mien. Son corps majestueux s'écroule
sur moi et l'espace d'un instant, j'ai le sentiment de
toucher du doigt le nirvana. Nous restons un long
moment enlacés, le souffle de Gabriel dans mes cheveux. Puis il se retire de mon corps et pendant que je
file me rafraîchir dans la luxueuse salle de bains, il
attise le feu dans la cheminée. Nous nous endormons
presque instantanément, les flammes formant de belles
volutes dorées sur les murs blancs de la chambre.

– Fais de beaux rêves, amour.

*Amour ? C'est bien ce qu'il a dit ? Je suis… si
fatiguée…*

Le lendemain matin, je me réveille encore endolorie de nos ébats enflammés de la veille. Les yeux fermés, je le cherche à tâtons dans ce grand lit moelleux
qui sent nos deux parfums mêlés. Je découvre avec
déception que mon amant a filé en douce.

Réjouis-toi qu'il ne soit pas là pour admirer ta crinière ébouriffée et ton maquillage de la veille qui a dû couler...

Sur la table basse en bois clair qui trône de mon côté du lit, je remarque une petite enveloppe. Impatiente de découvrir ce qu'elle contient, je l'ouvre rapidement, en déchirant un peu les bords.

Ça va Amandine, tu ne joues pas ta vie !

Mlle Baumann,
Merci pour cet interlude passionnant.
Ne m'en veuillez pas de mon absence mais je suis un homme très occupé.
Un chauffeur vous attend pour vous emmener à la gare.
Mr Diamonds

Interlude passionnant ? Je suis un homme très occupé ? Mr Diamonds ?

Je retiens mes larmes, un goût amer dans la bouche.
Amande amère.

II

UNE ÉQUATION IMPOSSIBLE

8

LE BUREAU DES PLAINTES

Pour la première fois depuis vingt-deux ans, je n'aime pas Noël. Je ne me sens pas à ma place. Et pourtant, je connais si bien ces murs, ces gens. Mais j'étouffe. Je suis dans ma maison d'enfance, comme chaque année, entourée de tous ceux qui me sont chers… et dont je me sens si étrangère. Mes parents adorés, dont le mariage dure depuis près de trente ans. Cet amour tranquille et évident, que j'ai si longtemps envié, espéré et qui ce soir me semble d'un ennui mortel. Ma sœur aînée, Camille, son mari et leur bébé, cette petite famille parfaite mais pas vraiment choisie, juste trop vite arrivée. Mon petit frère, Simon, petit arrogant à peine majeur qui croit tout savoir de la vie parce qu'il enchaîne les conquêtes éphémères. Et ma grand-mère, veuve et triste, qui ne regarde qu'en arrière. Pour la première fois de ma courte vie, je me demande ce que je fais ici. Mon corps est là mais mon esprit ne pense qu'à lui. Gabriel. Je ne suis pas à la fête, je suis encore en Toscane. Je n'ai qu'à fermer les yeux pour revivre ces instants magiques, ce week-end intense et romantique qu'il m'a offert, sa peau contre la mienne, ses muscles tendus sous mes mains, son corps enfoui au plus profond du mien. C'est encore si présent et déjà tellement loin.

– On passe à table, Amandine. Ma mère me sort brutalement de ma rêverie et, voyant mon air absent, me lance ce regard mi-amusé mi-compatissant.

– Tu me caches des choses, ma fille. Viens avec nous et lâche un peu ce téléphone, c'est Noël. Pour une fois qu'on est tous ensemble.

Je glisse mon portable dans la poche de mon jean et, dans un soupir, rejoins ma famille en traînant les pieds. Ce dîner me paraît durer une éternité. J'essaie de faire bonne figure et tâte cent fois mon téléphone à travers le tissu, croyant l'avoir senti vibrer. Vibrer, je ne demande que ça. Gabriel a mon numéro. Pourquoi mon bel amant ne m'appelle pas ? Il ne l'a jamais fait jusque-là, je me sens bête d'attendre un signe de sa part… et je me retiens de lui en faire un. Après l'ouverture des cadeaux, quasiment les mêmes que l'année dernière, je jette un dernier regard sur mes proches et cette scène tellement cliché, vécue et revécue chaque année, et je cours m'enfermer dans les toilettes. Je sors mon portable et je tape sans réfléchir : « Quand vais-je te revoir ? » C'est envoyé. Je suis déjà en train de le regretter quand une réponse s'affiche sur mon écran. « Plus vite que tu ne le crois, j'ai une surprise pour toi. Joyeux Noël, Amandine. »

Deux jours se sont écoulés depuis ce message énigmatique. J'ai repris le travail et j'essaie tant bien que mal
de cacher mon impatience, à moi comme aux autres. Ce
matin, Éric, mon patron, est de très bonne humeur, il n'a
tellement pas l'habitude de prendre trois jours de vacances.
Je plonge le nez dans mon ordinateur pour essayer de
me concentrer. À 10 heures précises, je prends mon deuxième café de la journée et je manque de m'étouffer.
Cette voix. Sa voix. Gabriel est là. Je ne l'ai pas encore
vu mais je l'entends, je le sens dans tout mon corps. Ses
pas mêlés à ceux d'Éric approchent. J'inspire profondément, j'essaie de me composer un visage. Souriant mais
détaché. Gabriel traverse le couloir. Sublime dans un
trench bleu marine, en train de défaire nonchalamment
sa longue écharpe beige à fines rayures bleu ciel qui illuminent ses yeux, ces yeux si bleus qui ne se tournent
même pas vers moi. L'homme qui me faisait si longuement l'amour il y a huit jours ne m'a même pas adressé
un regard. En voyant s'éloigner ses larges épaules, ses
cheveux blonds que j'ai tant décoiffés, cette nuque bronzée à laquelle je me suis agrippée si fort, j'ai envie de hurler. Ou de pleurer. Mais Éric ne m'en laisse pas le temps,
il m'appelle dans son bureau. Monsieur Diamonds sou-
haiterait un café, noir et bien serré, avant de commen-
cer le rendez-vous. Je me liquéfie, non seulement Gabriel
m'a ignorée superbement mais je dois en plus jouer les
serveuses et aller l'affronter, mon étiquette de stagiaire
bien collée sur le front. Suprême humiliation. Je prépare

un café bien allongé, j'ajoute deux sucres (je sais qu'il n'en prend pas) et j'apporte la tasse avec tout le professionnalisme et le détachement que je peux réunir à ce moment-là.

Une fois que je suis arrivée dans le bureau, Éric sort derrière moi en lançant à Gabriel :

– Je vais vous chercher ça, j'en ai pour dix minutes au plus. Amandine, je te laisse t'occuper de notre invité.

– Tu l'as entendu Amande ? me souffle Gabriel dans un sourire.

Il s'approche pour me prendre la tasse des mains. Je dois me retenir pour ne pas lui jeter son café bouillant au visage. J'éructe :

– Comment oses-tu… ?

Il m'interrompt en plaquant sa bouche sur la mienne et me tient fermement par le cou en attendant que j'arrête de résister. Il passe doucement sa langue entre mes lèvres et quand je cède enfin à son baiser, recule son visage d'un centimètre à peine. Je sens son haleine mentholée et je l'entends murmurer : « Tu n'aimes pas ma surprise ? Il ne nous reste que neuf minutes… ». De rage et de désir, je me jette sur lui et l'embrasse à pleine bouche. Il claque la porte du pied et son immense bras m'entoure la taille pour me soulever du sol, pendant qu'il donne un tour de clé dans la serrure avec sa main libre.

Il m'assoit sur le bureau d'Éric, m'écarte les jambes d'une main et défait sa ceinture de l'autre. Je plonge les mains dans son pantalon de costume pour en sortir sa chemise mais Gabriel me saisit les poignets et me renverse sur le bureau en plaquant mes mains au-dessus de ma tête. « Ne bouge pas, c'est ton cadeau, rappelle-toi. » Il se redresse, me domine de toute sa hauteur et commence à défaire les boutons de ma braguette, ses yeux brillants plongés dans les miens. Avec brutalité, il dégage l'une de mes jambes de mon jean et de ma culotte, soulève mes fesses pour m'approcher du bord de la table et fait surgir son sexe de son pantalon. Droit tendu vers moi. J'avais presque oublié à quel point il était impressionnant en érection. Pendant qu'il enfile un préservatif, il me regarde profiter du spectacle. Il ne m'a pas encore touchée mais tout mon sexe est gonflé de désir et frustré de son absence. Allongée sur le bureau, les bras croisés au-dessus de ma tête, je n'ai pas changé de position depuis qu'il m'a dit de ne pas bouger mais tout mon corps l'appelle, le veut. J'écarte un peu plus les jambes pour l'inviter à entrer, à me remplir, à me combler. Je n'ai pas eu besoin de parler, Gabriel passe une main sous chacune de mes cuisses et me pénètre d'un coup de reins violent. Je brûle de plaisir, je le sens tout au fond de moi et je voudrais qu'il reste là éternellement. Mais il décide soudain de me priver de lui, se dégage presque entièrement pour s'enfoncer à nouveau en moi avec plus de force encore. Ce nouvel assaut me faire perdre la tête. Je me cambre pour en redemander, Gabriel ne se fait pas prier et accélère le rythme. Il s'accroche aux rebords du bureau en me défiant du regard. Je ne sais pas si c'est pour me prévenir que je n'ai encore rien vu ou pour me demander d'être à la hauteur. Quoiqu'il veuille, je ne contrôle plus rien. En cet instant, il peut faire de moi ce qu'il veut, je suis sa chose. Et mon amant tient toutes ses promesses. Ses va-et-vient puissants me coupent le souffle, mon corps se cabre, ma tête se renverse en arrière et mes yeux se posent sur le mur opposé. Dans mon vertige, je ne distingue plus le mur du plafond. Mais les feuilles que j'aperçois, éparpillées sur la table, me rappellent où je suis.

L'espace d'une seconde, je réalise que je suis en train de faire l'amour dans le bureau de mon patron, ou plutôt sur son bureau, que je suis à moitié nue et au bord de l'implosion, avec son plus gros client entre les cuisses, qu'il peut revenir d'un instant à l'autre, trouver sa porte fermée et découvrir son innocente petite stagiaire dans un corps à corps torride. Qu'est devenue la jeune femme sage et bien élevée que j'étais, où sont passées ma pudeur et ma timidité, qu'ai-je fait de ma conscience professionnelle ? Et lui, qu'a-t-il fait de moi ? Tout ce que je croyais être semble soudain évaporé. Comme si je n'avais existé avant lui. Il a suffi d'un baiser pour que je laisse un homme réduire mon monde à néant et m'entraîner dans le sien. Il me possède entièrement et, à cet instant, je lui en veux terriblement. Ma colère se mêle à la peur d'être découverte, à la déception de ne pas avoir su dire non, et aux vagues de plaisir qui m'assaillent et m'empêchent de dire stop.

– Regarde-moi !

La voix rauque de Gabriel me ramène violemment à la réalité. Comme s'il avait compris mon trouble, il serre mon visage entre ses doigts puissants et me force à le regarder. Je lui obéis mais je vois que son regard bleu s'est assombri. Ses mâchoires se contractent, il semble furieux que je lui aie échappé momentanément. Il se penche un peu vers moi, fait glisser sa main lourde le long de ma gorge, elle s'attarde sur mon sein, atteint ma taille et saisit ma hanche nue. Ses doigts s'enfoncent dans la chair de mes cuisses. De sa main libre, il s'empare de son sexe encore dur et le glisse en moi le plus lentement possible. Il ne me quitte pas des yeux. Mon soupir de plaisir semble le satisfaire. Il repart à l'assaut de mon corps avec ardeur et ses élans répétés me font tout oublier. Pire, ils décuplent mon désir et je me redresse pour saisir ses fesses des deux mains. À chaque coup de boutoir, je sens son pubis frotter contre mon clitoris. Je me mords les lèvres pour retenir mes gémissements. Il atteint des profondeurs insoupçonnées et j'entends le bureau cogner contre le mur, de plus en plus fort. Il bloque la table avec sa jambe et se rapproche encore un peu plus de moi. Je croise mes cuisses autour de ses reins et sens l'orgasme me submerger. Ses râles de plaisir et ses doigts crispés autour de mes côtes achèvent de me faire défaillir. Je laisse échapper une longue plainte. Il vient plaquer sa main sur ma bouche et nous jouissons ensemble, enchevêtrés l'un à l'autre, nos corps en parfaite osmose.

L'orgasme simultané ne m'était jamais arrivé.

Il s'est à peine retiré qu'il glisse déjà ma culotte autour de ma cheville et remonte mon jean le long de ma jambe nue. Il dépose un baiser sur mon sexe en feu et s'occupe de se rhabiller. J'entends sa ceinture coulisser en même temps que des pas approcher dans le couloir. Gabriel ajuste sa cravate et déverrouille la porte pendant que je mets mon dernier bouton. Mon corps engourdi et mes jambes en coton me tiennent difficilement debout. Je suis en train de lisser mes cheveux quand Éric ouvre la porte du bureau. Le visage de Gabriel ne laisse rien paraître alors que j'ai l'impression de sentir le sexe. Je m'éclipse le plus rapidement possible et les laisse à leurs affaires. Pendant qu'Éric s'excuse d'avoir été si long, je guette le sourire complice de mon amant. Mais déjà, il m'a tourné le dos.

9

DESCENTE EN EAUX TROUBLES

Quand je quitte le travail ce soir-là, j'ai comme la sensation de n'être plus tout à fait la même. De petite stagiaire discrète et impliquée, j'ai l'impression d'être devenue une jeune femme sûre d'elle et sans scrupule. Je ne me reconnais plus. Je m'emballe peut-être mais c'est comme si ces quelques semaines de romance avec Gabriel m'avaient fait gagner dix ans de confiance et de maturité. Sexuellement, professionnellement, mes barrières sont tombées. Je devrais peut-être me sentir sale, honteuse, mais c'est la fierté qui m'envahit. En partant, je n'ai pas pu m'empêcher de jeter un dernier coup d'œil dans le bureau d'Éric, pour voir s'il restait une trace de mes ébats du matin. Malgré la pluie glacée, je marche lentement sur le trajet vers mon appartement, pour faire durer encore un peu cette journée. Les lumières de Noël dans les rues de Paris me font plisser les yeux. Et les souvenirs de ma folle matinée me plissent les lèvres en un petit sourire narquois. En arrivant chez moi, je jette mes chaussures et laisse tomber mon manteau mouillé dans l'entrée, je sème mes vêtements jusqu'à la salle de bains et fais couler la douche jusqu'à ce qu'elle soit brûlante. J'aperçois mon reflet nu dans le miroir et découvre un énorme bleu sur mon flanc gauche. En regardant de plus près, je peux distinguer la forme des quatre doigts de Gabriel imprimés sur ma peau. J'y promène ma main et souris de plus belle. Je peux presque sentir son emprise. Je me retourne et dévisse la tête pour voir mon dos. Au niveau du fermoir de mon soutien-gorge, une belle égratignure me rappelle l'inconfortable bureau qui me râpait le dos pendant que Gabriel s'affairait. Une grande griffure rouge me barre aussi la cuisse. Tout mon corps est endolori alors que je n'ai rien senti ce matin. Je comprends enfin ce que j'ai pu lire dans tous les magazines féminins, c'est donc comme ça que c'est si bon d'avoir mal.

Je me glisse dans la douche et reste sous l'eau chaude vingt bonnes minutes. Même mon corps me semble différent. En me savonnant, je passe ma main sur mon sexe encore douloureux. Mon désir grimpe en flèche aussitôt. Ce nouvel appétit me surprend mais je saisis machinalement le pommeau de douche et dirige le jet d'eau sur mon clitoris. Je n'ai qu'à fermer les yeux pour imaginer Gabriel me rejoignant sous cette douche fumante, son corps d'Apollon, ses cheveux blonds ruisselants, ses muscles dessinés sous sa peau dorée, ses lèvres mouillées.

Je colle mon corps nu contre le carrelage froid, comme s'il m'y avait jetée, j'intensifie la pression du jet en plaçant mes doigts stratégiquement sur le pommeau mais, dans mon imagination, ce sont ses doigts à lui qui me caressent, exactement comme je le souhaite. Je sens mon orgasme approcher, presque trop vite, j'essaie de me retenir, comme il le voudrait sûrement. Mais je cède à mon plaisir et ma main vient se plaquer sur la vitre embuée. En jouissant, je regarde l'empreinte laissée, c'est celle de la main de Gabriel, mon esprit en est persuadé.

Une fois sèche et remise de mes émotions, je m'écroule sur le canapé. Je fixe l'écran noir de ma télévision, je n'ai pas le courage d'aller l'allumer. Il faudrait aussi que je me fasse à manger mais je n'en ai ni la force ni l'envie. Mon portable vibre sur la minuscule table basse et affiche le numéro de Marion, ma meilleure amie. Je décroche et lui lance :

– Devine ce que j'ai fait ce matin, entre 10 heures et 10 heures 10.

– Salut Marion, comment ça va ? Bien et toi, quoi de neuf ? Voilà, j'ai fait les politesses pour nous deux, tu peux y aller.

– Excuse, trop pressée de te raconter. Tu vas jamais croire ce qui m'est arrivé.

– Oh, je suis pas sûre d'avoir envie de savoir. Je t'appelais pour me plaindre de ce mois de décembre qui n'en finit pas, toute cette pluie, ce froid, Noël qui est déjà fini et on n'a aucun plan pour le nouvel an, j'ai envie d'hiberner.

– Allez ma vieille, on avait dit que 2013 serait notre année ! Gabriel est passé au bureau ce matin, il avait rendez-vous avec mon boss pour parler affaires…

– Nan ! Tu te l'es tapé sur ton lieu de travail ? Dans les toilettes ?

– Pire que ça…

– Mais t'es malade ? Tu veux te faire virer ? Je croyais que t'adorais ton stage.

Je m'allonge sur mon canapé et écoute Marion me faire la morale, les yeux rivés sur le plafond décrépi. En fait, j'écoute à moitié, j'entends seulement son ton rabat-joie et la petite pointe de jalousie dans sa voix. Je finis par écourter le coup de fil après lui avoir promis d'être prudente et de ne pas faire n'importe quoi.

J'enfile mon manteau et me décide à aller chercher des sushis au japonais du coin. En passant dans le hall de l'immeuble, je glisse la main dans la fente de ma boîte aux lettres, j'ai complètement oublié de l'ouvrir en rentrant du travail. Du bout des doigts, je sens une enveloppe rugueuse qui ne ressemble pas à mes factures habituelles. Je dégaine ma petite clé pour ouvrir la boîte et saisis le grand rectangle argenté. L'enveloppe n'est pas timbrée et je reconnais immédiatement l'écriture de Gabriel, ses belles lettres noires qui forment mon prénom. À l'intérieur, un carton d'invitation de la même couleur, au message très formel. M. Diamonds donne une réception pour fêter la nouvelle année autour de ses vins

de château. L'adresse indique Miami Beach, Florida. J'ai
besoin de relire cinq fois. Je n'ai jamais mis les pieds aux
États-Unis, et encore moins pour un dîner d'affaires ou
une fête mondaine. Au dos de la carte, quelques mots
griffonnés par Gabriel : « Rejoins-moi pour un bain de
minuit. Pour toi, début des festivités le 30 décembre à
20 heures. G. »

Trois jours que je trépigne, que je ne mange plus, que
je ne dors presque plus, que je passe mes nuits sur Internet
à essayer de découvrir la Floride. Ma petite valise est
prête. Un peu à contrecœur, Marion m'a aidée à dénicher
la petite robe chic qui me manquait pour la réception.
Toutes mes économies sont passées dans le billet d'avion.
Hors de question que je demande à Gabriel de payer. Le
dimanche 30 décembre à 19 heures 25, j'atterris à Miami.
Un homme m'attend à l'aéroport avec mon prénom sur
un panneau. Il me conduit vers South Beach dans une
luxueuse voiture. Après la ville et son agitation, la plage
défile à ma gauche et sur ma droite, une succession de
palmiers et de petits bâtiments blancs très classe. L'air
est incroyablement doux, on se croirait au printemps.
Mon chauffeur me dépose devant un building impressionnant, puis une jeune femme en tailleur noir m'accueille en anglais et monte avec moi dans un ascenseur
parlant, qui me crache au bout de quelques minutes à
l'intérieur d'un appartement. Enfin, le mot est faible. Sans
doute un penthouse. Un long couloir en marbre clair
débouche sur une gigantesque baie vitrée en angle qui
offre une vue panoramique sur l'océan. Je n'en crois pas

mes yeux. J'aperçois Gabriel de dos sur l'immense terrasse, accoudé à une balustrade. Il porte un bermuda
beige, ses pieds nus dans des chaussures bateau assorties et un polo blanc immaculé qui souligne ses biceps
virils. J'ai envie d'aller me coller derrière lui sans parler.
Mais il m'a entendue approcher et se retourne vers moi :

– Que penses-tu de l'endroit ? Je ne me lasse pas de
cette vue.

J'arrive à bredouiller que je suis heureuse d'être là et
Gabriel passe sa main sur mes reins pour me faire avancer. Un frisson me remonte jusque dans la nuque.

Il me guide à l'intérieur en me demandant si j'ai faim.
Dans une cuisine archi-moderne, grande comme deux
fois mon appartement, il sort deux verres à vin. Les tenant
d'une seule main, il les penche pour y verser un nectar
doré. Tous ses gestes me fascinent. Il n'est pas seulement
beau, il est plein de grâce. Voyant que je ne réagis pas, il
me prend par la main et souffle : « Je crois que le dîner
attendra. » Je le suis, silencieuse, m'enivrant déjà de son
odeur et de sa voix. Il m'emmène à nouveau dehors et
nous avançons sur un ponton en bois brun. Tout au bout,
en plein air, un vaste jacuzzi à l'eau vert émeraude semble
comme suspendu au-dessus de la mer. J'en ai le
vertige.

Gabriel dépose les coupes de champagne sur le rebord,
enlève ses chaussures et s'approche de moi. Tout près.

Délicatement, il passe son index sur mes lèvres, mon menton, descend dans mon cou et arrive à la naissance de mes seins. Il atteint le premier bouton de mon chemisier et le fait rouler du pouce. Il continue sa lente descente et je sens le désir monter dans mon ventre. Tout doucement, il fait glisser ma chemise en me caressant les bras puis fait tomber les bretelles de mon soutien-gorge sur mes épaules. Son index droit reprend sa course sur mon ventre, s'attarde sur mon nombril et arrive enfin au bouton de mon pantalon. Cet obstacle passé, il fait descendre ma fermeture éclair en même temps que mon string et son doigt vient se poser à la commissure de mes lèvres. Il s'immobilise et regarde l'effet que cela produit sur moi. Il dégage soudain sa main et s'accroupit. Toujours aussi lentement, il délace mes chaussures, les enlève, puis fait glisser mon pantalon le long de mes jambes. Ma peau s'électrise, mon bas-ventre s'embrase. Il se recule légèrement pour m'observer en sous-vêtements et chuchote : « Tu n'auras pas besoin de ça non plus. » Il retire mon string et se relève pour dégrafer mon soutien-gorge d'une main. Gabriel fait un pas en arrière pour retirer son polo, puis la boucle de sa ceinture et enfin son short. Il ne porte rien dessous. Il m'attrape par les fesses, me porte et me plaque contre lui, mes jambes autour de sa taille. Je sens mes tétons durcis contre son torse, mon sexe trempé sur son ventre et son érection juste sous mes fesses. Je me retiens de ne pas jouir instantanément. Il enjambe le jacuzzi et nous fait descendre, enlacés, dans l'eau chaude. Une fois assis sur le rebord, il me soulève à peine et me plante sur son membre dressé. Ma longue attente ne fait que décupler le plaisir inouï de cette première percée. Le corps à moitié immergé, je me laisse porter, tandis que Gabriel, impassible, me balade sur son sexe en me tenant les fesses. À chaque fois qu'il s'enfonce en moi, je me sens m'ouvrir un peu plus. Les ondulations qu'il imprime à mon bassin, de plus en plus vite, de plus en plus loin, créent une vague dans l'eau du jacuzzi. Je renverse ma tête en arrière, prête à céder à l'orgasme qui me submerge et manque de vaciller. Je me redresse en passant mes mains derrière sa nuque et mes seins viennent frôler son beau visage. Gabriel profite de ce rapprochement pour avaler goulûment l'un de mes tétons. Le contact de sa langue chaude et ses va-et-vient dans mon ventre me rendent dingue. Il m'empoigne les fesses encore plus fort et coulisse au plus profond de moi. Il s'immobilise dans mon intimité et pousse un grand râle de plaisir viril. Je me cabre et jouis à mon tour en laissant échapper un long cri qui résonne dans la nuit. Mon amant me murmure : « J'aime t'entendre jouir. »

10

JEUX DE DUPES

Je ne sais pas où Gabriel a dormi. Je me réveille nue, seule et minuscule dans un lit gigantesque et, en me redressant, découvre une chambre à couper le souffle. Elle ne m'avait pas paru si incroyable dans la nuit noire. Un parquet couleur sable sur une centaine de mètres carrés, le ciel bleu perçant par des baies vitrées sans aucun montant, d'épais rideaux en velours crème, un salon privé dans les mêmes tons et une baignoire démesurée trônant dans un coin de la pièce. Je dois me pincer pour y croire. De notre fin de nuit, je me souviens seulement de Gabriel me portant dans ses bras, nue comme un ver et somnolente, montant des escaliers et me posant délicatement sur ce matelas moelleux, au milieu des coussins. Il a déposé un baiser sur mon front puis sur chacun de mes seins, j'ai tendu la main pour le retenir et il a embrassé langoureusement ma paume avant de disparaître. J'ai dû m'endormir dans la seconde qui a suivi.

Ce matin, le soleil brille déjà haut dans le ciel, je n'ai aucun vêtement à portée de main et ignore où se trouve ma valise. Je m'enroule dans le long drap blanc et vais entrouvrir la porte de la chambre en espérant ne croiser personne. Un somptueux buffet de petit déjeuner m'attend sur un chariot roulant dans le couloir, avec un mot de Gabriel griffonné sur un petit carton : « Reprends des forces. » Ce message m'arrache un sourire mais je m'en veux instantanément d'avoir sombré si vite dans le sommeil. Le long voyage et notre tête-à-tête torride à la belle étoile m'ont épuisée. J'approche le chariot de la baignoire et me fais couler un bain. Autant en profiter et, de toute façon, je ne me vois pas aller chercher Gabriel dans ce dédale d'escaliers et de pièces immenses vêtue d'un unique drap. Je me glisse dans l'eau bouillante et mords dans un scone aux raisins encore tiède, bois d'une traite un jus d'oranges pressées comme je n'en ai jamais bu d'aussi bon. Comment se peut-il que tout soit aussi parfait dans le monde de Gabriel ?

Deux coups frappés à la porte interrompent ma rêverie. Une voix de femme jeune m'annonce en français mais avec un fort accent américain que mes affaires ont été rangées dans le dressing attenant, que M. Diamonds sera absent pour l'après-midi, qu'elle s'appelle Hannah et qu'elle est à ma disposition si je souhaite profiter des facilités en attendant le retour de monsieur. Puis elle égrène une liste apprise par cœur : sauna, massage, spa, tennis, fitness, plage privée, sports nautiques ou randonnée équestre. J'hésite de longues secondes et je brise enfin le silence en bredouillant « Euh… oui, d'accord, merci… ok pour la plage. » Après plusieurs heures à me dorer sur le sable et me balader sur le front de mer, l'ennui me gagne. Et Gabriel me manque, je suis bien obligée de me l'avouer. Je décide de rentrer et arrive à retrouver le chemin de la cuisine en espérant trouver de quoi me rafraîchir.

Je tombe sur une vingtaine de personnes en pleine effervescence. Des cuisiniers virevoltants, des serveuses agitées, un brouhaha de mots échangés en anglais, de plats qui s'entrechoquent et les immenses mains de Gabriel, suspendues dans l'air, qui réclament le silence. Tout le monde s'immobilise et se tait. Il impose le respect et je ressens une pointe de fierté du genre : « Regardez ce que mon homme sait faire. » De sa voix grave et posée, il organise, délègue, recadre, encourage, souligne qu'il ne reste qu'une heure avant l'arrivée des invités et qu'il exige le meilleur de tous. Il lance un sourire ravageur et frappe dans ses mains pour inviter chacun à se remettre au travail. Puis il ressort de la cuisine sans même me voir et me bouscule au passage. Je le rattrape par le bras : « Gabriel ! » C'est sorti un peu plus fort que je ne l'aurais souhaité.

– Ah, Amandine, je ne t'avais pas vue. Pardon, je t'ai fait mal ?

– Non non, ça va. Mais… Tu… ?

– J'ai beaucoup à faire. Tu as besoin de quelque chose ?

– Pas vraiment. Je… Juste… Enfin… Moi, je fais quoi ?

Il hésite, recule, me jauge des pieds à la tête : son regard me met à l'aise, sa froideur me poignarde au cœur et le sourire qu'il finit par afficher me perturbe encore davantage.

– Si tu veux te rendre utile, j'ai bien une idée. Demande à Hannah de te briefer et de te donner un uniforme.

Il se penche près de mon oreille, son souffle tiède dans mon cou me fait frissonner, et il murmure : « Je suis sûr qu'il sera très sexy sur toi… » Je m'apprête à le gifler quand il saisit mon poignet lancé vers son visage et me plaque contre le mur de marbre froid. Il chuchote à nouveau :

– Tout doux. Non, je ne t'ai pas invitée ici pour que tu joues les serveuses. Non, tu n'es pas comme toutes les autres filles de cette cuisine. Maintenant, Amandine, écoute-moi. Tu es libre de t'en aller sur le champ. Mais si tu en as vraiment envie, ce soir, tu pourrais être ma serveuse très spéciale. Ma demoiselle particulière. J'aurai toute la soirée pour te désirer, t'admirer dans ton uniforme et rêver de te l'arracher. Je te vouvoierai, tu me vouvoieras, et je pourrai te frôler dans le plus grand secret. Personne d'autre ne saura qui je suis pour toi, qui tu es pour moi. Tu n'imagines pas ce que je ressens déjà. Et quand tu t'y attendras le moins…

Gabriel joint le geste à la parole : il glisse son genou entre mes jambes et vient plaquer sa cuisse sous ma robe, tout contre mon sexe. Il m'excite tellement. À cet instant, je voudrais avoir le courage de me ruer sur lui et de lui arracher sa chemise. Mais il me libère de son étreinte et souffle : « Fais-moi confiance, Amande, tu ne le regretteras pas. »

Moins d'une heure plus tard, je suis en rang d'oignon avec les autres serveuses au milieu de la salle de réception. J'ai revêtu la courte jupe noire, le chemisier blanc très étroit dont j'arrive à peine à fermer les boutons, j'ai relevé mes cheveux en un chignon strict comme Hannah me l'a conseillé. Et j'ai glissé mes pieds habitués aux ballerines dans des talons aiguilles de dix centimètres dont j'ignore encore comment je vais les supporter toute une soirée. Les invités arrivent et j'imite les autres serveuses qui vont leur servir une coupe de champagne et leur plus beau sourire. Il y a à peu près autant de femmes que d'hommes en costume trois pièces. Gabriel est sublime dans un smoking noir aux revers satinés. Il ne m'a jamais paru aussi grand, si élégant, si impressionnant. Je m'approche de lui en essayant d'assurer ma démarche mais n'ose pas l'interrompre dans sa conversation. Il se retourne pour prendre sa coupe de champagne et, de son autre main, me frôle le bas des reins sans jamais me regarder. J'en ai les jambes coupées.

Quand les invités passent à table, Hannah me conseille dans un clin d'œil d'aller servir M. Diamonds. Je le trouve en train de remercier ses invités et de leur présenter ses vins en blaguant. Il est d'un charisme renversant.

Je me sens si petite. Pendant que je pose l'assiette dorée devant lui, il passe sa main droite derrière moi et me caresse l'intérieur de la cuisse tout en continuant à parler. Je sursaute et cours me réfugier en cuisine, en me maudissant. Au moment de venir retirer son assiette, il recommence son petit manège et ses doigts atteignent par en dessous le lycra de ma culotte. J'essaie de garder mon calme mais un désir fulgurant m'assaille. Je sens la pulpe de son doigt passer sous l'élastique et l'entends dire à haute voix : « Mademoiselle, vous m'enlèverez ça » en désignant du menton les couverts sales devant lui. Je m'exécute et repars, droit vers les toilettes. Je retire ma culotte, déjà trempée de mon excitation, la fourre dans une poubelle et me précipite en cuisine pour apporter son plat à Gabriel. Je dépose l'assiette devant lui le plus lentement possible, pour qu'il ait le temps de vérifier ma nudité. L'un de ses doigts vient titiller mon clitoris et prolonge sa course à l'entrée humide de mon intimité. Puis il porte sa main à sa bouche et se lèche discrètement le bout de l'index en assénant, toujours à haute voix : « C'est mieux », pendant que je dépose des couverts propres sur la nappe. Je reste interdite, regardant les invités ricaner. Gabriel rit avec eux avant de me lancer d'un air moqueur : « Vous pouvez disposer. » Au moment du dessert, je bous intérieurement, autant de désir que de colère. Ce jeu de rôles m'attise et me blesse, mon bas-ventre est en feu mais ses humiliations me glacent. Je lui apporte sa poire pochée au vin rouge qu'il renverse d'un coup de coude furtif mais bien volontaire. La sauce sirupeuse asperge mon chemisier blanc et me brûle la peau, je la sens dégouliner entre mes seins. Gabriel se lève d'un bond en s'excusant et me guide vers les cuisines. Il expédie serveuses et cuisiniers d'un ordre qu'on ne peut pas contester. Puis se retourne vers moi, passant instantanément d'autoritaire et froid à sensuel et fiévreux.

« Laisse-moi me faire pardonner. » Gabriel se penche pour venir lécher le sirop sur mon décolleté avant de m'embrasser goulûment. Je me délecte du mélange de ses lèvres et de la sauce au vin sucrée. Il saisit mes seins à pleines mains et arrache mon chemisier tâché en faisant sauter les boutons. Je lui enlève sa veste de smoking et sa chemise pendant qu'il glisse ses mains sous ma jupe pour la remonter sur mes hanches. Il me soulève et me pose sur le plan de travail au centre de la cuisine, faisant voler quelques plats au passage. Pendant que je défais sa ceinture en haletant, brûlante de désir, il dénoue mon chignon et empoigne mes cheveux lâchés pour m'allonger sur la table. Des heures que j'attends ce moment, je veux qu'il me prenne, je ne supporte plus le moindre centimètre de distance entre nous. Mon corps réclame le sien bruyamment. Gabriel me devine et s'allonge sur moi de tout son long. D'autres verres et assiettes se brisent autour de nous. Je sens son sexe dur contre ma cuisse, le prends dans ma main pour le guider vers moi et attends son coup de rein salvateur. Mais mon amant cruel se remet debout, me redresse sur mes pieds et me retourne dos à lui. Il me penche d'une main sur le plan de travail en caressant mes fesses de l'autre. Je me cambre pour lui offrir ma croupe et Gabriel me prend violemment. Enfin. Ses mains ancrées sur mes hanches, il me pénètre, plus fort et plus loin, comme il pourrait m'entendre le supplier de le faire. Il se penche sur moi pour m'embrasser le dos, me mordre le cou et glisser un doigt dans ma bouche avant de m'agripper les épaules pour accélérer le rythme et l'intensité de ses percées. J'entends son ventre claquer contre mes fesses et ses râles de plaisir de plus en plus profonds. J'ai le souffle coupé. Mes gémissements deviennent des cris répétés et je jouis comme jamais, incapable de l'attendre. Après quelques derniers allers-retours intenses, il jouit à son tour en moi et s'écroule comme un poids mort sur mon corps. Sa voix essoufflée me souhaite une bonne année.

11

LE FIL ROUGE

2012 s'est terminée en feu d'artifice. Même si j'ai fêté le passage à la nouvelle année seule dans mon immense chambre de Miami Beach, pendant que Gabriel rejoignait ses invités, je n'aurais pas pu rêver mieux que sa fougue, nos corps, mon explosion de plaisir sur cette table de cuisine… Mais 2013 a commencé comme si rien de tout ça n'était arrivé. Retour à Paris, et à la case départ. Métro, boulot, dodo, solo. Éric, Émilie, Marion, mais pas de Gabriel. J'ai repris le travail et j'ai dû faire un compte rendu du nouvel an à la sauce Diamonds… Très inspirant. Mon patron en a été très content et, apparemment, le « client » aussi. Je suis sans nouvelles de Gabriel depuis trois semaines entières alors qu'Éric en a, lui. Cette jalousie m'étouffe. Je ne peux pas me mettre à envier une relation professionnelle. J'essaie de reprendre le cours de ma vie. Peut-être était-ce la dernière fois que je le voyais. Peut-être était-ce sa façon à lui de me faire ses adieux.

Je dois, même si je ne peux pas, essayer de le sortir de ma tête. Et de ma peau.

Un matin de janvier, Éric me convoque dans son bureau. Il a tout découvert, il met fin à mon stage et me dit à quel point je l'ai déçu. Il croyait en moi, me faisait confiance. Je le dégoûte. Voilà ce qui se trame dans ma tête en marchant fébrilement jusqu'au bureau du boss. Ce bureau de tous les interdits que Gabriel m'a fait braver en un claquement de doigts. Cette table que je ne peux pas regarder sans la voir cogner contre le mur sous le poids de nos corps. J'inspire un grand coup, toque à la porte déjà ouverte et Éric me fait entrer, souriant.

– Amandine, assieds-toi. Le courant passe bien avec Diamonds, non ?

Mon cœur bat de plus en plus fort. Je reste muette.

– En tout cas, je crois qu'il t'aime bien. J'ai signé le contrat de l'année avec lui l'autre fois. Tu sais, quand il est venu en décembre. Bon, il prépare une campagne de pub pour ses vins, on va en mettre partout sur le site. Et il a accepté qu'on y appose notre logo. Diamonds a suggéré que tu ailles assister à la séance photo demain matin.

– Hein ? Pourquoi faire ? ! je l'interromps, un peu trop sur la défensive.

– Je ne sais pas trop, de toute façon il m'a dit qu'il n'y serait pas. Mais le client est roi ! Va te montrer, donne un peu ton avis, rends-toi utile, prends des notes, vois ce que tu peux en tirer. Voilà l'adresse du studio.

Le lendemain matin, après une courte nuit, je traverse tout Paris pour rejoindre les Champs-Élysées. Nerveuse. Et agacée. Près d'un mois sans nouvelles et Gabriel m'envoie jouer les potiches sans une explication. Je n'arrive pas à me résoudre à l'idée d'être la énième petite stagiaire avec laquelle il s'envoie en l'air. Et d'être une fois de plus mal à l'aise dans un monde qui n'est pas le mien. En arrivant devant l'immeuble typiquement parisien du 8ᵉ arrondissement, je réalise qu'il s'agit du prestigieux studio Harold, l'un des plus célèbres en France. Je pensais qu'ils n'y shootaient que des portraits de stars. Gabriel m'étonnera toujours.

Après avoir frappé à la porte du studio pendant de longues minutes, j'entre sans qu'on ne m'y ait invitée. Personne ne semble remarquer ma présence. Grands fonds blancs, spots de lumière, parapluies : aucun doute, je suis bien à un shooting photos. Mais à en croire les grands mannequins filiformes qui se baladent en petite tenue sous mon nez, le styliste, le coiffeur et la maquilleuse qui s'agitent autour d'elles, je ne dois pas être au bon endroit. C'est en tout cas ce que je crois jusqu'à ce qu'un jeune assistant à la tête rasée, à l'exception d'une houppette au sommet du crâne, apporte une caisse de bouteilles de vin et une glacière remplie de grappes de raisins. Je me tapis dans un coin de la pièce en m'asseyant par terre, mon bloc-notes sur les genoux. Je me mets à mâchouiller nerveusement mon stylo quand une grande silhouette apparaît sur le seuil de la porte. Son visage est caché par un spot mais je connais ces bras musclés, ces avant-bras aux veines saillantes, ces immenses mains gracieuses, ces solides épaules et cette paire de fesses à tomber. Le look arty m'est moins familier : T-shirt noir un peu flou, jean gris délavé, bottines montantes en cuir et chèche à carreaux autour du cou, ce n'est pas le Gabriel que je connais... Mais cette voix, cette odeur, ça ne peut être que lui. Qu'est-ce qu'il fait là ? Je me recroqueville dans mon coin, me fais toute petite, je voudrais disparaître. Ou me jeter à son cou dans des retrouvailles explosives. Mais rien entre les deux.

L'homme qui ressemble à Gabriel saisit un appareil photo et commence à mitrailler une blonde élancée au visage de poupée, qui tient un énorme verre à moitié rempli de vin rouge. Je ne sais pas à quoi sert le styliste puisque la fille ne porte qu'un banal shorty noir. En haut, elle est nue, à l'exception d'un ruban bordeaux en satin qui lui entoure les seins, juste sur les tétons. Je ne lui connaissais pas de talent de photographe mais Gabriel a l'air de savoir parfaitement ce qu'il fait. Il change d'objectif, se rapproche de son modèle et lui donne des indications : tête renversée, bouche ouverte ou fermée, verre plus proche des lèvres... Puis l'assistant à crête vient lui verser un filet de vin rouge de la commissure des lèvres à la naissance des seins. Le résultat est plutôt réussi, je suis fascinée. Un autre modèle arrive, une brune froide au carré court et à la peau laiteuse, encore plus belle que la précédente et aussi peu vêtue. Le même ruban lui fait plusieurs tours autour du cou. L'assistant lui tend une grappe de raisins pourpres et Gabriel lui demande d'une voix douce de mordre dans les fruits. Il continue ses cliquetis jusqu'à ce qu'elle soit barbouillée de jus et de pulpe rouge foncé. Aussi jalouse qu'admirative, je dois avouer que le tableau est terriblement sexy.

Gabriel va déficeler son modèle avec délicatesse et je vois bien qu'elle est totalement sous le charme. Indifférent, il récupère le ruban rouge et annonce une pause générale. Comme s'il savait depuis le début où je me trouvais, il fonce droit sur moi d'une démarche assurée. Arrivé à ma hauteur, il me tend une main pour me relever et le contact de nos paumes m'électrise.

– Je suis content que tu sois venue. Qu'est-ce que tu en penses ?

– Hmm… c'est intéressant. Je ne savais pas que tu étais aussi photographe.

– Et je parie que tu ne savais pas que tu étais aussi modèle. Pose pour moi, Amandine.

– Tu plaisantes ? Je suis journaliste. Et je ne sais même pas ce que je fais là.

– Je vais te montrer.

Il glisse le ruban derrière ma nuque et m'attire à lui pour un baiser d'une sensualité inouïe. Il m'avait tellement manqué. Tout en m'embrassant, il m'emmène devant le fond blanc où les mannequins posaient il y a quelques minutes. Il décolle sa bouche de la mienne pour remonter ma robe et la passer au-dessus de ma tête. Un désir brûlant monte dans mon ventre, je me liquéfie sous ses doigts et j'oublie tout : le studio, ma mission, l'assistant et les modèles dans leur loge tout près de nous. Gabriel dégrafe mon soutien-gorge, glisse ses mains dans ma culotte avant de me l'enlever lentement. Il m'allonge sur le sol avec langueur et embrasse chaque centimètre de ma peau. Il sort de sa poche le ruban bordeaux qu'il noue autour de mes poignets. Sa langue dessine des ronds sur mes mamelons et vient sucer le bout de mes seins. Elle s'engouffre dans mon nombril et se glisse le long de mon aine. Il sait comment me rendre folle. Il descend encore et lèche l'intérieur de mes cuisses avant d'aller attacher mes chevilles avec un autre lien de satin. Quand il remonte vers moi, il s'arrête à hauteur de mon sexe et pousse un soupir qui me donne la chair de poule. Il enfonce son beau visage entre mes cuisses et titille mon clitoris gonflé de plaisir. Je voudrais écarter les jambes mais mon entrave m'en empêche. Gabriel accélère ses délicieux coups de langue et chacune de ses mains vient masser mes seins pointant vers le plafond. Il insère sa langue chaude dans mon intimité et mon corps se cabre sous ses va-et-vient trempés. Ses lèvres pulpeuses me gobent, me fouillent, me dévorent et mon bassin ondule au rythme de ses mouvements divins. Je jouis dans un cri qui résonne entre les murs vides. Quand mes soubresauts cessent, Gabriel se relève : « Je crois que tu es prête. Il n'y a rien de plus beau qu'une femme après un orgasme. »

À peine remise de mes émotions, je me laisse manipuler comme un pantin. Il me roule sur le ventre, lisse mes cheveux et me place comme il veut. Il s'éloigne et revient avec un autre ruban rouge qu'il déroule entre mes omoplates jusqu'à la naissance de mes fesses. Il vient poser délicatement trois bouteilles de vin en équilibre au creux de mes reins et rejoint son appareil. « Regarde-moi. » Je lui souris tendrement, repue de plaisir, et vois le flash crépiter dans la pièce. Il vient ajouter d'autres bouteilles en pyramide sur ma cambrure et reprend ses photos.

– Tu es magnifique, Amande, ne bouge pas.
– J'ai froid.
– Je vais m'occuper de ça.

Gabriel revient vers moi, me libère de mes poids, récupère le ruban de satin sur mon dos et le noue autour de ma tête pour me bander les yeux. Je suis allongée sur le ventre, pieds et poings liés, plongée dans le noir et incapable de bouger, mes autres sens sont décuplés. J'entends le froissement des vêtements qu'il enlève, ses lourdes chaussures qui tombent sur le sol, le bruit d'un emballage de préservatif qu'on déchire. Je crève de ne pas pouvoir le voir, le toucher. Il m'a privé sciemment des deux choses que j'aime le plus au monde. Et pourtant, l'attente et l'ignorance m'excitent au plus haut point. Que va-t-il faire de moi ?

Gabriel couche son corps nu contre le mien. Ses

jambes mêlées aux miennes, son torse chaud allongé sur mon dos, ses hanches qui épousent mes fesses, je sens nos peaux s'aimanter. Mon amant invisible se dresse sur un bras et, sans prévenir, introduit son sexe entre mes cuisses serrées. Je l'accueille malgré moi et me délecte de ces sensations nouvelles. À en croire ses soupirs, cette position semble aussi le combler. Il m'attrape par les cheveux et me redresse la tête en donnant un grand coup de rein dans mon intimité. Je hurle de plaisir et me cambre pour en redemander. Je suis à sa merci. Ses allées et venues profondes dans ma fente, ma frustration de ne pas pouvoir bouger et sa domination absolue me font perdre la tête. J'atteins un orgasme renversant et le sens trembler dans mon corps de longues secondes. Il m'arrache le ruban rouge des yeux pour que je le regarde jouir.

12
LE PASSAGER

Ce vendredi soir, je suis rentrée chez moi et me suis écroulée sur mon lit. J'ai dormi douze heures d'affilée, d'un sommeil de plomb, comme ça ne m'était pas arrivé depuis longtemps. En me réveillant ce samedi matin, j'ai les yeux dans le vague, la tête vide, mon corps flotte, encore imprégné des foudres de Gabriel. Incapable de penser ou d'agir, j'erre dans mon appartement, revivant encore et encore la scène de la veille. Jamais jusque-là je n'avais fait l'amour attachée, les yeux bandés. Jamais je n'ai laissé un homme me dominer avec tant de plaisir. Jamais je n'ai connu d'orgasmes aussi fulgurants. L'emprise qu'il a sur moi me fait presque peur. Jusqu'où serais-je capable d'aller pour lui ? Mais nos moments passés ensemble sont d'une telle intensité que j'ai l'impression d'être une privilégiée. Qui a la chance de vivre ce que je vis ?

Un coup de fil de Marion me fait sursauter et sortir de ma léthargie. Sa voix guillerette au téléphone me fatigue d'avance. Elle me propose un ciné dans l'après-midi ou une soirée chez un ancien copain de fac que j'aimais bien, pour me changer les idées.

— Redescends un peu de ton nuage, Amandine, il faut que tu te reconnectes à la réalité !

Voilà son conseil de meilleure amie.

— Pour quoi faire ? je lui réponds en soupirant.
— Parce qu'avant, avant lui, on aimait bien nos vies. T'es en train de changer et tu t'en rends même pas compte. Mais si ça t'amuse, reste enfermée chez toi à l'attendre, continue cette histoire bizarre qui te mènera nulle part, continue à penser que t'es au-dessus de tout, au-dessus de moi et tu me rappelleras quand il t'aura encore larguée après t'avoir sautée. Y a pas si longtemps, tu te serais moquée de n'importe quelle fille qui aurait agi comme ça. Je ne te reconnais pas. Fais-moi signe quand tu seras redevenue Amandine.
— T'as fini ?

Elle me raccroche au nez et je regrette un peu cette réponse de garce. Mais je n'ai vraiment envie de rien. Seulement me rouler en boule et ne pas bouger, juste penser, rêver, fantasmer, profiter de cette sensation bizarre et délicieuse qui m'habite. Et me languir de la suite…

Heureusement que j'ai un week-end entier avant de retourner affronter Éric et lui raconter la séance photos.

J'aime l'idée de partager avec Gabriel ce secret charnel, mais j'ai de plus en plus de mal à maîtriser ma gêne ou mon émoi devant les autres. Et je me rends bien compte que mon amant a le don de me rendre imprudente, de me faire perdre la raison et le contrôle de ma vie. Quoiqu'il fasse ou ne fasse pas, il me hante. Je ne sais pas ce qui m'attend, mais j'ai envie d'attendre. Qu'il m'entraîne encore dans son monde, me subjugue, me renverse, qu'il teste mes limites. Je·sais d'avance que je n'y opposerai pas la moindre résistance. Marion a sans doute raison. Mais à quoi bon ? Je veux encore qu'il me possède. Être tout à lui et qui sait, un jour, qu'il soit tout à moi…

En début de soirée, je me lève enfin du canapé pour aller prendre une douche rapide. J'enfile un long T-shirt propre dans lequel j'aime bien traîner. J'hésite à me préparer à dîner mais je suis vite découragée par la montagne de vaisselle sale dans l'évier. Mon appartement est sens dessus dessous mais j'ai une immense flemme de ranger. Demain. Je décide d'envoyer un texto d'excuses à Marion en lui souhaitant une bonne soirée, et me glisse sous la couette avec un bouquin.

Dimanche, 6 heures du matin, je suis réveillée par le bruit de ma sonnette. On frappe à ma porte avec insistance et je finis par m'extirper de la chaleur de mon lit en râlant. Le froid de janvier s'infiltre partout dans mon appartement, je frissonne. Tout en criant « J'arrive ! » en direction de la porte, j'enfile un sweat à capuche sur le T-shirt jaune délavé qui me sert de chemise de nuit et deux grosses chaussettes roses, les plus chaudes que j'ai. J'ouvre la porte, encore ensommeillée, et dégage les cheveux qui me tombent sur les yeux pour réaliser qui se tient sur mon seuil. Chaussures en daim pointues, jean brut, long manteau noir en laine ouvert sur un pull à col roulé gris foncé, gants en cuir noir tenant un sachet de croissants qui embaument mon entrée. Je relève la tête pour apercevoir une barbe de deux jours, des lèvres charnues découvrant de belles dents blanches en un léger sourire et des prunelles bleues qui s'amusent de mon look du matin. Gabriel. Dieu qu'il est beau. Le parquet se dérobe sous mes pieds. Je meurs de honte qu'il me trouve dans cette affreuse tenue improvisée. Je tire sur mon T-shirt trop court qui ne me couvre même pas entièrement les fesses. Pourquoi, mais pourquoi je ne l'ai pas accueilli en nuisette satinée ? Peut-être parce que je n'en ai pas.

– Sexy, la minijupe ! J'adore les chaussettes, aussi. On reste plantés là ou tu m'offres un café ?
– Entre, ne fais pas attention au désordre.

Son grand corps pénètre chez moi dans un courant d'air froid et mon appartement paraît encore plus minuscule en sa présence. J'embrasse rapidement la pièce du regard : livres qui jonchent le sol, vêtements éparpillés sur le canapé, table basse remplie de magazines cornés et de courrier abandonné. Il ne pouvait pas arriver au pire moment. Tout en me recoiffant comme je peux, je cours derrière le comptoir de ma cuisine pour préparer du café frais. Je reviens vers lui pour débarrasser le canapé et lui faire une place pendant qu'il défait son manteau et le jette sur le dossier d'une chaise.

– Le café coule. Assieds-toi, je vais me refaire une beauté.

J'essaie d'avoir l'air détendu et me précipite vers la salle de bains. Gabriel me rattrape au vol, saisit ma main, s'assied sur le canapé et m'attire à lui, caressant ma cuisse nue.

– Ne change rien.

Il m'assied sur ses genoux, de profil, et la température grimpe instantanément dans la pièce. Je tente de le faire parler.

– Qu'est-ce qui me vaut cette visite ?
– Je dois rentrer à Angoulême dans la matinée. Mon avion est dans deux heures mais j'avais envie d'un petit déjeuner. On m'a dit que c'était les meilleurs croissants de Paris.

Il mord dans une viennoiserie encore tiède et en découpe un morceau avec ses doigts, qu'il me glisse entre les lèvres. Il m'enlève une miette au coin de la bouche et m'embrasse juste à cet endroit-là. Est-ce que je suis en train de rêver ? Je n'arrive pas à croire à la scène qui se joue sous mes yeux. Gabriel, dans mon monde à moi.

– J'avais aussi quelque chose à te montrer. Mais pas avant un café.

Je me décolle difficilement de lui pour aller verser le chaud liquide noir, sans doute pas assez corsé, dans deux mugs dépareillés. Il boit une gorgée de café brûlant puis sort une enveloppe blanche de la poche intérieure de son manteau. Il fixe ma table basse, me regarde et tout en disant « Je peux ? » balaie de son avant-bras tout ce qui se trouvait dessus et jonche désormais le sol. Il aligne soigneusement sur la table des clichés en noir et blanc. Seuls des rubans rouges brillants ressortent en couleurs sur les photos. Je reconnais mon visage. Ces bras, ce dos, ces seins et ces fesses sont aussi à moi. Je viens m'asseoir à côté de lui sur le bras du canapé, les yeux écarquillés.

– Superbes, tu ne trouves pas ? Mais j'aime encore mieux celles-là.

Par-dessus les images où je me souviens avoir « posé », il éparpille d'autres clichés. Le corps nu de Gabriel allongé sur le mien. Sa tête enfouie entre mes cuisses et mes mains liées qui lui décoiffent les cheveux. Puis ses mains à lui qui agrippent ma chevelure alors que je suis sur le ventre, le corps arqué, un bandeau pourpre sur les yeux. Nos jambes tendues superposées, son bassin plaqué contre mes fesses et mes dents qui se mordent les lèvres. Mon cou tendu de profil, mes ongles griffant le sol et ma bouche déformée en un cri qui semble déchirant. Son visage à lui, indéchiffrable, lèvres humides à peine entrouvertes. Puis ma tête dévissée vers lui, mes yeux hagards plongés dans les siens, quand il m'a arraché le ruban pour que j'assiste à son orgasme délirant.

– La dernière est ma préférée.

Pendant que Gabriel prononce ces mots, il me soulève sous les cuisses pour m'installer à califourchon face à lui. Ses mains s'immiscent sous mon T-shirt, me caressent le ventre et remontent jusqu'à mes seins. Deux doigts viennent pincer mes tétons durcis dans un mélange de douleur et de plaisir. Il ne me quitte pas du regard pendant qu'une main remonte dans mon dos et attrape ma nuque pour approcher mon visage du sien. Ses dents viennent mordre délicatement ma lèvre inférieure puis sa langue s'enfonce dans ma bouche. Je lui rends son baiser et me rue sur lui, enlaçant mes bras autour de son cou et me collant à lui. Il m'embrasse fougueusement et je sens mon sexe se gonfler d'impatience. Je lui retire son pull et en profite pour me déshabiller, aussi langoureusement que possible malgré l'urgence de mon désir. Gabriel empoigne mes seins et les porte à sa bouche pour les dévorer littéralement. Puis il se met à mordiller mes épaules, mon cou et me fait défaillir en me suçant le lobe de l'oreille. Je l'entends haleter pendant que mes doigts se battent avec la boucle de sa ceinture. Je libère son sexe prisonnier et le caresse, pressant son gland turgescent contre mon ventre. Il sort un préservatif de la poche arrière de son jean et me le tend, je déchire l'emballage avec les dents et le glisse sur son membre dressé. Je me trempe à l'idée qu'il va bientôt me pénétrer avec la force que je lui connais.

Gabriel se redresse d'un bond, en m'empoignant les fesses et me plaque au mur opposé, mes jambes ceinturées autour de ses reins. Dans ses bras, j'ai l'air d'être légère comme une plume. Il ne me tient que d'une main désormais et l'autre saisit son sexe tendu pour le guider vers ma fente avide. Il joue d'abord avec mon clitoris prêt à exploser et s'introduit profondément en moi. La violence de ses coups de rein me donne le vertige et mes étagères pleines de livres s'écrasent avec fracas sur le sol. Je hurle de plaisir, oubliant mes voisins, et lui griffe le dos jusqu'au sang pendant qu'il me prend, fort et loin, jusqu'à me faire jouir dans un cri étranglé. Il continue ses percées contre le mur et tout son corps se raidit jusqu'à ce grognement bestial que je n'oublierai jamais de ma vie.

Par la fenêtre du troisième, je vois Gabriel s'éloigner, son long manteau noir flottant dans le vent glacé. Il remonte son col et disparaît au coin de ma rue. Je me retourne pour observer le chaos de mon appartement. Gabriel s'est infiltré chez moi comme une tornade et le voilà déjà reparti dans sa vie. Il me laisse seule dans la mienne, nue et encore toute tremblante, sa tasse de café et nos photos éparpillées comme seuls souvenirs de son passage.

III

LA FLAMME

13
L'AUTRE QUE MOI

« Descends, je t'attends ». Mon portable affiche le prénom de Gabriel. Je ne comprends pas ce message qui a pourtant l'air très clair. Il est 8 h 40, je suis encore en train de me sécher les cheveux et je dois être partie dans moins d'une minute si je ne veux pas être en retard au bureau. Je me précipite à la fenêtre de mon appartement en me faisant un chignon rapide et du haut du troisième étage et je découvre Gabriel, sur le trottoir, adossé à une énorme moto noire rutilante. En levant la tête vers ma fenêtre, il aperçoit mon visage et, de cet air indifférent qui m'agace autant qu'il me fascine, tend un casque gris métallisé dans ma direction. Je comprends encore moins. J'enfile mes boots aussi vite que possible en me posant mille questions, attrape mon manteau et ma besace, perds quinze secondes à retrouver mes clés et dévale les escaliers qui me mènent jusqu'à lui. Ce fou. Cet homme imprévisible que j'ai dans la peau depuis deux mois. Ce milliardaire du monde du vin, homme d'affaires redoutable et photographe de talent, qui sait tout faire et fait tout brillamment. Ce grand blond au physique de surfeur californien qui arrive à être élégant, sauvage, ténébreux, brûlant, adorable et horripilant. J'ignore encore pourquoi il s'intéresse à moi, la petite stagiaire de 22 ans à la vie toute simple, mais je sais que pour rien au monde je ne laisserais ma place à une autre. Et elles doivent être nombreuses à le convoiter. Mais avec combien d'entre elles s'envoie-t-il en l'air ? Combien de femmes vient-il renverser sur le bureau de leur patron ou plaquer contre le mur de son appartement quand ça lui prend ? Repousse-t-il ces limites obscènes avec une seule autre que moi ? Toutes ces questions me tenaillent depuis des semaines mais ne m'empêchent pas de céder à la tentation chaque fois qu'il me l'apporte sur un plateau d'argent…

Apparemment, je n'aurai pas non plus d'explication à sa présence dans ma rue ce matin de février. Gabriel me dépose une bise froide sur la joue, défait mon chignon de ses mains habiles et enfonce le casque sur mes yeux. Pendant qu'il me l'attache sous le menton, et que le contact de ses doigts sur ma peau me fait frissonner, il plonge son regard bleu glacé dans le mien.

– Tu ne travailles pas aujourd'hui. J'ai vu ça avec Éric. Ou plutôt, tu travailles pour moi. Tu es déjà montée sur une moto ? Colle-toi à moi et épouse mes mouvements.

Il marque une pause. Et ajoute, avec un clin d'œil coquin qui me décolle du sol.

– Je sais que tu fais ça très bien.

Huit petits mots seulement et huit mille papillons volettent au creux de mon ventre. Il se détourne, enfile son casque, chevauche son engin et me tend la main pour m'aider à monter derrière lui. Je glisse timidement mes mains sur son blouson de cuir noir pendant qu'il fait vrombir le moteur. Je peux ressentir les vibrations de mes orteils à la racine de mes cheveux. Gabriel démarre en trombe et je suis propulsée vers l'arrière. Il attrape l'une de mes mains et resserre mon étreinte autour de sa taille jusqu'à ce que je me retrouve couchée contre son dos. Je regarde le paysage défiler alors que l'on traverse Paris sur les boulevards des Maréchaux et j'essaie de deviner notre destination, en vain. Je finis par fermer les yeux, me laissant rapidement griser par la vitesse et la présence de mon amant que je déshabillerais bien sur-le-champ.

Quand Gabriel pose enfin le pied à terre, je ne sais toujours pas où il m'emmène. Il retire mon casque, recoiffe délicatement mes cheveux en fixant mes lèvres intensément, au point que je crois qu'il va m'embrasser. Mais sa main lourde se pose sur ma nuque et me guide à l'intérieur d'un immeuble moderne fait uniquement de baies vitrées. Dans l'ascenseur, il s'explique enfin :

– J'ai beaucoup aimé te photographier. Je voudrais te faire vivre une autre expérience. Je suis certain que tu vas adorer.

– Mais… Non ! Gabriel, je suis à peine maquillée, et regarde comment je suis habillée !

– Tu n'auras besoin de rien.

Je me raidis. Mi-excitée, mi-agacée.

– J'aimerais quand même bien, juste une fois, pouvoir me préparer, pouvoir décider.

– Surtout pas. Tu n'es jamais plus belle que quand tu es prise au dépourvu. Tu penses que je ne te connais pas mais là, par exemple, je suis sûr que tu es en colère, que tu as envie de bouder comme une petite fille et de partir en courant. Mais je sais aussi que tu as envie de moi…

Avant de me laisser le temps de répondre, il m'entoure de son bras et plaque sa main contre mes fesses en m'attirant à lui. Nos souffles se mélangent, je crève d'envie qu'il m'embrasse mais il ne bouge pas. Un feu s'allume entre mes jambes et j'approche mon visage pour aller lui arracher ce baiser. Il se recule mais ne desserre pas sa prise. Sa main libre s'insinue devant, dans mon jean puis sous le tissu de ma culotte, et je sens son majeur glisser entre mes lèvres. Il agace mon clitoris en me fixant toujours, en ne m'embrassant toujours pas et continue ses caresses divines. Je commence à haleter, surprise de la fulgurance de mon plaisir, m'accroche à son cou et jouis dans sa main plaquée sur mon sexe palpitant.

– Maintenant on peut y aller.

Gabriel débloque l'ascenseur et sort devant moi. Mes jambes en coton ont du mal à suivre ses grandes enjambées en arpentant le long couloir qui nous mène à une pièce blanche du sol au plafond.

— Déshabille-toi s'il te plaît.

Je lui jette un regard noir, prête à lui sauter à la gorge. Devant mon silence et mon air outré, il se radoucit.

— Je vais t'aider. Je ne veux juste pas perdre une seconde de ce regard. La jouissance crée une lumière unique dans les yeux des femmes.

Il s'approche de moi et vient coller son front contre le mien. Il continue en chuchotant.

— Je voudrais avoir le privilège de te photographier après t'avoir fait jouir. Amande, ce serait un grand honneur pour moi. Et quand je regarderai ces clichés de toi, je serai le seul à savoir ce qui t'habitait à ce moment-là. Fais-moi ce cadeau, Amandine. Je te le rendrai d'une façon que tu n'imagines même pas.

Je bois ses paroles et la sensualité de sa voix prononçant mon prénom m'hypnotise. Je le laisse me déshabiller comme une poupée de chiffon. Dans la plus grande délicatesse, il défait mon manteau, passe mon pull et mon T-shirt au-dessus ma tête, s'accroupit pour me libérer de mes bottines et de mes chaussettes, déboutonne mon jean et le fait glisser en même temps que ma culotte le long de mes jambes. Je me retrouve nue dans cette grande pièce vide et froide, et la chair de poule me durcit les tétons. Gabriel les embrasse un par un et me prend par la main pour me guider devant un arrière-plan blanc.

Il se glisse alors dans la peau du photographe qui force mon admiration. Il installe, manipule, déplace, enclenche son matériel et son visage affiche les tics de concentration qui me font fondre. Sourcils froncés et yeux plissés qui lui dessinent des pattes d'oie tellement séduisantes, bouche entrouverte qui laisse apparaître sa langue rose et humide dont je connais si bien les talents… Contrairement à nos habituelles entrevues tourbillonnantes, j'ai enfin tout mon temps pour admirer mon amant. Ses cheveux blonds bien coupés qui contrastent avec sa peau bronzée, son grand front intelligent qui domine deux prunelles au bleu intense, son nez droit et élégant, ses larges mâchoires viriles entourant des lèvres pleines et joliment ourlées, presque féminines. Son visage est une œuvre d'art. Et son corps d'Apollon, mon dieu, ce corps. Sous son pull mauve en cashmere, je devine ses larges épaules, ses biceps solides, ses pectoraux dessinés et sa taille fine. Son pantalon gris anthracite souligne ses cuisses musclées et son cul rebondi que je ne me lasse pas d'admirer. C'est une force de la nature autant qu'une gravure de mode. J'ai beau chercher partout, je ne lui trouve aucun défaut. Il a relevé ses manches et des veines gonflent sur ses avant-bras, je trouve ça diablement sexy. Il porte une montre luxueuse au poignet gauche et ses puissantes mains dorées se finissent par de longs doigts délicats aux ongles manucurés. Ses gestes sont tranquilles, assurés, pleins de grâce. Je ne l'ai jamais vu faire la moindre faute de goût. Son aura me transperce à distance. Il transpire le charisme et la sensualité. Même à dix mètres de moi, sans me parler ni même me regarder, il attise mon désir. Moi qui ai toujours été mesurée, raisonnable, il m'a rendue gourmande, excessive, insatiable.

Ce que j'ai cru un instant être des heures n'a pas duré plus de quelques minutes. Gabriel en a fini avec son installation et une machine, tout au fond de la pièce, se met à projeter sur mon corps des courbes, des spirales, des arabesques de couleur différentes. Je tends les bras pour admirer ces reflets qui enveloppent ma peau comme des volutes de fumée. L'expérience est saisissante. Il ne m'avait pas menti. Nue face à l'objectif, je me sens comme habillée des idées de Gabriel. Il me mitraille, se déplace, s'approche. L'incroyable silence qui règne dans la pièce n'est brisé que par le rythme de ses cliquetis effrénés. À mesure qu'il réduit la distance qui nous sépare, des effluves de son parfum ambré me parviennent. Cet homme a le don de m'envoûter. Il rejoint un immense écran que je n'avais pas vu en arrivant et me fait signe d'approcher. Il s'assoit sur un large fauteuil en cuir brun et fait apparaître instantanément des images de moi. Je ne me reconnais pas. C'est bien mon visage, mon corps que je vois, mais rien d'autre ne me ressemble. Nue, je m'agenouille à ses côtés pour approcher mes yeux de l'écran. C'est stupéfiant.

Gabriel, le regard fier et l'air ravi, me retourne vers lui. Il me caresse lentement les cheveux, passe un doigt le long de mon front, sur l'arête de mon nez et s'arrête sur mes lèvres fermées. Il les entrouvre de son index que je me mets à sucer spontanément. Il saisit l'une de mes mains et vient la poser sur la bosse qui déforme son pantalon. Une excitation soudaine me brûle à l'intérieur. Je défais la boucle de sa ceinture avec précipitation et me penche pour libérer son érection. Je prends dans ma bouche son sexe dur et soyeux et je l'entends lâcher un premier soupir. Il me caresse tendrement la joue et je replonge sur lui, le titillant de ma langue, l'enserrant entre mes lèvres au rythme de ses gémissements. J'accompagne mes mouvements de la main et essaie d'attraper son regard qui profite du spectacle de ma bouche. Je suis trempée de désir et plus effrontée que je ne l'ai sans doute jamais été. J'avale goulûment son sexe pendant que Gabriel glisse sa main sous ma nuque pour cadencer mes va-et-vient. Il halète de plus en plus fort et je le suce en gémissant, mon plaisir accompagnant le sien. Son sexe se tend dans ma bouche, je l'engloutis encore et encore et le regarde jouir, la tête renversée en arrière. À quoi, à qui, a-t-il pensé en savourant ce moment ? À moi, Amandine, ou à l'autre, celle qu'il a photographiée en me transformant ?

14

SENS DESSUS DESSOUS

Tu parles d'un cadeau. Je suis Gabriel dans Paris au petit matin sans demander d'explications, j'accepte de jouer le jeu et le laisse me photographier, nue, en me grimant virtuellement avec ses projections colorées, je participe à son délire d'artiste qui m'échappe complètement, je m'abandonne à lui sans retenue, il promet de me le « rendre » au centuple… Et voilà que je me retrouve à genoux devant lui, confortablement installé dans son fauteuil luxueux, à le dévorer, à le combler, à lui donner, encore et encore, pendant que Monsieur atteint l'orgasme en regardant ailleurs, comme si je n'existais pas. J'ai eu envie de ramasser mes affaires et lui claquer la porte au nez. Mais je ne l'ai pas fait. Impossible de dire pourquoi. Quand il m'a ramenée chez moi en moto, qu'il m'a déposé un bisou sur le front en parlant d'un « dédommagement » pour ma journée de travail ratée, je n'ai même pas explosé. Je crois même que j'ai ri :

– Comme ça, les choses sont claires. Il n'y a plus de doute sur le rôle que je joue dans ta vie. Tu m'emmènes, tu fais ce que tu veux de moi, tu me ramènes et tu payes. Classique.

– Amande, ne commence pas. On a passé un moment agréable, non ?

– Apparemment, il l'était pour toi. Tu sais, je ne t'ai jamais rien demandé. Jamais harcelé comme une amoureuse transie. J'ai pris ce que tu me donnais sans rien réclamer, sans attendre plus.

– Je n'ai rien à t'offrir. Juste moi… Parfois.

– Alors garde tes millions. Un peu de respect me suffira.

– Tu es encore plus belle, outrée. Et tu as été divine aujourd'hui. Je n'ai pas oublié ma promesse, tu sais…

Alors qu'il se rapproche en souriant, je sens que je vais bientôt perdre de ma superbe (qui me surprend moi-même !) et décide de rentrer.

– Je vais y aller, on verra la prochaine fois…

– Demain ! Demain soir. Tu peux me rejoindre à cette adresse à 19 heures. C'est une vente privée. J'aimerais que tu essaies des robes de soirée pour le gala où tu m'accompagneras.

Alors que j'avais commencé à tourner les talons, je reviens vers lui pour prendre le carton d'invitation. Mon cœur bat la chamade. Je ne sais pas si c'est l'idée des robes de princesse, la perspective d'aller à un « gala » à son bras ou simplement sa proposition de faire du shopping avec moi. Tous les deux, ensemble, dans un lieu public, à la verticale et avec des vêtements sur nos peaux. Comme un couple normal. Ce que nous ne sommes absolument pas. Mais j'aurai plaisir à l'imaginer le temps d'une soirée…

À 19 h 15, j'arrive avenue Marceau et tombe sur la boutique d'une grande maison de couture française. Rien que les cinq lettres dorées de la marque me donnent le tournis. Je vérifie l'adresse sur le carton pour la cinquième fois. Je m'étais dit que le quart d'heure de retard « ferait bien », pour ne pas avoir l'air d'une groupie hystérique à l'idée d'essayer des tenues qu'elle ne pourra jamais porter. Ça laissait aussi le temps à Gabriel d'arriver avant moi. Pour les deux, c'est raté. Il n'est pas là et je reste plantée devant le grand bâtiment d'un blanc pur, incapable de décoller mon nez de la vitrine. Deux mains glacées viennent se poser sur mes yeux, je me retourne et me retiens de lui sauter au cou, ivre de bonheur. Il me détaille de la tête aux pieds et son clin d'œil satisfait m'indique que je ne me suis pas trompée. Heureusement, parce que j'ai passé trois heures à vider mon armoire la veille au soir pour finir par choisir une robe en maille écrue, ceinturée d'une fine lanière en cuir camel assortie à mes bottines à talons. Très naturel, Gabriel me précède et m'ouvre la porte de la boutique.

Une hauteur de plafond à couper le souffle, des lumières scintillantes qui se reflètent sur un sol blanc verni dans lequel je peux me voir, un décor contemporain dans un camaïeu de gris qui contraste avec les moulures anciennes sur les murs. Je n'ai jamais vu autant de luxe. J'essaie d'assurer ma démarche en me souvenant des conseils de ma mère (« tout est dans le port de tête, Amandine ! ») pendant que nous traversons une succession de salons plus éblouissants les uns que les autres. Nous arrivons enfin dans la pièce immense consacrée à la collection d'un célèbre couturier que j'ai vu en photo dans les magazines de mode. J'ai du mal à m'empêcher de pousser des petits cris d'excitation. Si Marion était là (et que personne ne nous regardait), on sauterait sur place comme deux folles. Le long d'un mur, des portants argentés présentent une dizaine de robes somptueuses comme je n'en ai jamais vu de ma vie.

Gabriel lance les hostilités.

– J'aime voir tes yeux briller. Laquelle te plairait ?
Je lui réponds en chuchotant.
– J'en sais rien, toutes. Je n'oserai jamais les essayer.
– Je pourrais toutes les acheter pour que tu rentres les essayer seule dans ta minuscule salle de bains, mais ça gâcherait tout mon plaisir. Je ne veux pas rater une seconde de ton effeuillage.

Il a aussi baissé la voix en prononçant cette dernière phrase qui me donne du courage. Un vendeur très élégant, au type latin, vient nous aider dans notre choix et nous guide vers un salon d'essayage qui fait au moins deux fois mon appartement. Gabriel s'installe avec nonchalance dans un fauteuil qui a l'air tout droit sorti du XVIIIe siècle et je me retrouve dans une cabine gigantesque en compagnie du jeune éphèbe prénommé Pablo, qui se dit à ma disposition. Il m'aide à enfiler une robe couleur chair aux fines bretelles et au tutu opulent sur laquelle j'ai complètement craqué. Il soulève le rideau et je sors, pieds nus et cheveux en bataille, sous le regard amusé de Gabriel. Mauvais choix. Je m'aperçois dans le grand miroir et me mets aussi à rire tellement j'ai l'air bête. Un petit rat maladroit arrivant à son premier cours de danse classique. Gabriel fait signe à Pablo de passer à la suivante. Mon « essayeur » ne prend même pas la peine de fermer le rideau et fait tomber en un clin d'œil la robe à mes pieds. Je me retrouve en petite tenue avec un inconnu et je vois Gabriel pencher la tête pour profiter du spectacle en souriant.

Deux autres robes plus tard, je commence à m'impatienter. Je pourrais pourtant m'amuser à ces essayages toute une journée mais le regard désapprobateur de Gabriel et la familiarité de Pablo finissent par me peser. Je n'imaginais pas les vendeurs de haute couture aussi tactiles. Je me doute qu'il a l'habitude de déshabiller et rhabiller des dizaines de mannequins à moitié nus pendant les défilés, mais je suis un peu plus pudique que ça. Je voudrais qu'il s'en aille et laisse les mains de Gabriel opérer. Mais les essayages continuent et Pablo revient avec une « suggestion » qu'il aimerait me voir passer. Son charmant accent espagnol égrène des arguments qui se veulent convaincants : « Une longue robe fourreau qui me grandira et marquera ma taille, la couleur bleu nuit qui amincit et va à ravir aux peaux aussi pâles que la mienne. » Je le fusille du regard.

– Si je peux me permettre, Mademoiselle, le bustier ne tolère pas le soutien-gorge.
– Oui oui, je baisserai mes bretelles.
– Je me permets d'insister, cela va casser toute la ligne de la création.

Je capitule en soupirant et me contorsionne pour dégrafer mon soutien-gorge. L'agrafe résiste sous mes doigts tremblants de nervosité et Pablo me fait sursauter en venant m'aider par-derrière. J'essaie d'attraper le regard de Gabriel pour qu'il vienne à mon secours mais ce que je lis dans ces yeux ressemble plutôt à un désir fiévreux que je lui connais bien. Il hoche la tête pour m'inviter à me laisser faire.

Le Pablo en question dégage mes cheveux d'un côté de ma nuque, défait mon soutien-gorge et le laisse glisser le long de mes bras. Puis il vient s'agenouiller devant moi, le visage à hauteur de mon pubis, pour me faire enfiler la robe étroite. Mon malaise grandit pendant qu'il la remonte lentement le long de mes cuisses. Je sens ses doigts caresser ma peau avec un peu trop de zèle. Et sa sensualité me fait un peu trop d'effet. Les jambes enserrées dans le fourreau, je manque de vaciller et dois me retenir en m'agrippant à ses épaules. Il me fixe avec un demi-sourire fripon et je détourne immédiatement le regard pour tomber sur les yeux de Gabriel. Vitreux. Sourcils légèrement froncés. Tête légèrement inclinée, entre la curiosité et l'irritation. Peut-être même une pointe de jalousie. Qui me transporte. Je voudrais arracher ma robe et lui sauter dessus dans l'instant. Mais Pablo continue son manège et se place derrière moi pour ajuster la robe sur ma poitrine. Il me remonte délicatement chacun de mes seins pour les faire déborder juste ce qu'il faut du bustier. Je sens l'impatience de Gabriel, il croise et décroise les jambes sur son fauteuil, ses doigts jouant sur les larges accoudoirs. Je lui fais face pour qu'il admire le résultat mais déjà il ne me regarde plus du tout dans les yeux. Pablo indique mes fesses du menton et frôle du doigt l'élastique marquant ma hanche :

– Il me semble que ces coutures sont également de trop.

Gabriel se lève d'un bond et fonce droit sur moi, en lançant pour Pablo :

– Je m'en occupe. On prend celle-ci.

Puis il s'adresse à moi, fiévreusement :

– Tu devrais l'enlever, Amande. Avant qu'elle ne soit plus mettable.

Alors qu'il promène ses doigts sur mon décolleté rebondi, je sens la main experte de Pablo descendre la fermeture le long de mes côtes. Je suis prise dans un étau entre ces deux hommes sublimes, un inconnu, brun *caliente* qui me glace le sang, et mon amant, blond glacial qui attise un désir brûlant au plus profond de moi. Quand le tissu bleu nuit finit par tomber à mes pieds, Gabriel a ses deux mains plaquées sur mes seins et je sens Pablo descendre lentement ma culotte le long de mes jambes. Je ne suis pas certaine d'apprécier ce jeu à quatre mains que je n'ai pas vraiment accepté, mais pour rien au monde je ne voudrais freiner l'élan de Gabriel qui semble me désirer comme jamais. Pablo disparaît du décor dans un tourbillon emportant ma précieuse robe et je découvre, ébahie, l'érection puissante de Gabriel que je n'ai même pas vu se dévêtir. Ses mains viennent écarter mes fesses et il me porte pour me plaquer contre le mur de la cabine d'essayage, dont le rideau est resté grand ouvert. Il me soulève très haut et plonge son visage entre mes seins tendus avant d'enfoncer son sexe dur en moi. Cette délicieuse brûlure me fait pousser un cri étouffé et je me trempe de plaisir. En haletant, il coulisse dans mon intimité plus vite et plus fort qu'il ne l'a jamais fait et je sens une vague puissante déferler dans tout mon être. Sa propre jouissance me surprend et il me pénètre encore par à-coups saccadés et brutaux en grognant. Sa virilité me transperce de toute part et un orgasme puissant fait trembler mon corps enroulé autour du sien. Gabriel se dégage rapidement et me laisse retomber au sol en soufflant de sa voix rauque :

— Voilà ce qu'il t'arrivera à chaque fois que tu laisseras un autre homme poser ses mains sur toi.

15
LA PRISONNIÈRE

La luxueuse robe bleu nuit est suspendue à la porte de mon armoire. Assise sur mon lit, sourire béat et jambes ballantes, je la regarde depuis de longues minutes. Je vais finir par connaître par cœur les moindres plis et replis du tissu satiné. Je me demande encore comment je vais pouvoir y glisser mon corps maladroit et m'y mouvoir avec la grâce nécessaire à ce fameux gala. Je me demande encore comment Pablo a pu me l'enlever aussi prestement pour me laisser seule avec Gabriel. Je me demande encore dans quelle fraction de seconde cette séance d'essayage a viré à l'ébat torride contre un mur. Je me demande encore comment j'ai pu le laisser me faire l'amour dans la cabine d'une maison de haute couture, rideau grand ouvert. Je revois encore et encore dans ma tête les cinq chiffres sur la facture que le vendeur a tendue à Gabriel. Sans virgule. Un chiffre suivi de quatre zéros, j'en suis certaine. Toutes ces questions en amènent une autre : à quel moment ma vie a-t-elle basculé de la stagiaire consciencieuse payée au lance-pierres à la fille qui couche pour se faire offrir une robe à plus de 10 000 euros ? Quelle que soit la réponse à cette question, je ne crois pas que j'aurai jamais la force de mettre fin à cette histoire passionnelle avec Gabriel. Cette pensée me donne le vertige et je m'étends en arrière sur mon lit. Les yeux rivés sur le plafond et l'estomac noué, je m'avoue secrètement que je l'ai dans la peau. Il a fait de moi son otage en étant le plus doux des bourreaux. Le vibreur de mon portable me sort de ma torpeur.

Un texto. Je pense à Marion qui va encore me faire la morale. Ou à ma mère qui me demandera quand je passe les voir. « Le vernissage a lieu samedi soir. Je serai déjà sur place, mon chauffeur viendra te chercher pour te conduire. Impatient de te voir dans ta robe. Et sans. » Mon pouls s'accélère. C'est sans doute le message le plus long que Gabriel m'ait jamais écrit. Et le plus gentil. Mais comme toujours avec lui, le brouillard s'épaissit. Je croyais qu'on se rendait à un gala. Un vernissage ? Mais de quoi ? Et surtout, je pensais qu'on s'y rendait ensemble. Pourquoi m'offrir cette robe hors de prix si c'est pour ne pas s'afficher avec moi ? Je suis excitée mais déçue. Je devrais m'y être habituée, Gabriel ne tient jamais tout à fait ses promesses. Il a le don de cultiver le mystère et, pire encore, de changer les règles en cours de jeu. Cette soirée au bras de mon amant aurait pu se révéler fabuleuse et risque de tourner au fiasco. Je vais encore me retrouver seule au milieu d'inconnus, à devoir faire bonne figure à une exposition dont je ne sais rien et à voir Gabriel briller devant sa cour. Puis il se décidera à arrêter de m'ignorer et me culbutera quand l'envie lui prendra. Dans un long soupir blasé, je décide de ne plus y penser avant samedi… et avant d'avoir trouvé la bonne attitude à adopter.

Ce n'est pas un vulgaire taxi que Gabriel m'a envoyé. C'est une petite limousine noire qui m'emporte dans les rues de Paris et le chauffeur essaie tant bien que mal de me mettre à l'aise. Quand il me dépose devant la galerie, déjà bondée, une centaine de paires d'yeux se braquent instantanément sur moi. J'essaie de réunir tout mon courage mais je ne trouve pas la force de sortir de la luxueuse voiture. Je m'imagine déjà me tordre une cheville sur mes talons trop hauts, tomber de tout mon long sur le trottoir en déchirant ma belle robe moulée sur mes fesses et avoir la honte de ma vie. Sans parler du regard méprisant que Gabriel me lancera. Mais je le vois s'approcher et ouvrir la portière. Il me tend la main pour m'aider à sortir et son sourire fier me remplit de bonheur. Il est vêtu d'un costume bleu sombre assorti à ma robe, avec une fine cravate et une pochette en soie de la même couleur qui donnent à ses yeux un bleu profond, presque noir. Il m'impressionne comme si je le voyais pour la première fois. Après un rapide baisemain qui me fait bondir le cœur, il me guide à l'intérieur et reprend sa conversation là où il l'avait laissée. Les autres invités l'imitent et je peux me glisser un peu plus discrètement dans la foule.

Une coupe de champagne à la main pour me donner un peu de contenance, je découvre enfin le sujet de l'exposition. Moi. Encadrée, sous verre, dans tous les sens et toutes les positions, sur des photos aux dimensions effarantes. Des gros plans de mon visage, mon corps nu en pied, dos ou face à l'objectif, puis allongé sur le ventre, fesses apparentes, des zooms sur mes seins pointant de profil, impudique comme je ne l'ai jamais été. Ma nudité à peine dissimulée par les images que Gabriel avait projetées sur mon corps pendant le shooting. J'arpente les allées de la galerie, effarée, furieuse, rougissante, un peu plus paniquée à chaque nouveau cliché. Je croise les regards de certains invités qui me paraissent au choix compatissants ou gênés. Morte de honte, je vide ma coupe d'un trait et remonte vers l'entrée de la galerie à la recherche de Gabriel, percutant quelques épaules au passage sans penser à m'excuser. Je le trouve en pleine conversation avec trois femmes mûres et trop maquillées qui le touchent dès qu'elles le peuvent en riant à gorge déployée. Je fulmine et me plante en face de lui, tournant le dos aux vieilles peaux. Elles se décalent toutes d'un cran et poursuivent leur petit jeu de séduction en me contournant. Gabriel me jette un regard noir puis m'ignore superbement. Je sens la rage m'envahir et le champagne me donner un courage que je ne me connais pas. Je le saisis par le coude et l'entraîne à l'extérieur avec un dernier sourire forcé pour ses interlocutrices, outrées.

– Tu te fous de moi ? C'est quoi, tout ça ?

– C'est la première et la dernière fois que tu te conduis ainsi, Amande. C'était parfaitement déplacé. Ces gens sont venus pour moi.

– Déplacé ? Mais je rêve ! Et me prendre en photo à poils pour m'exposer à ton vernissage sans jamais me demander mon avis, tu appelles ça comment ? Tu as vu comment ces gens me regardent ?

– Amandine, tu es sublime sur ces photos, certes, mais je crois que ta notoriété s'arrête là. Personne ne sait que c'est toi. Regarde, tu es méconnaissable ! C'est mon travail qu'ils sont venus admirer, pas mon modèle. Et si tu as fini ta petite crise, je vais retourner faire ce qu'ils attendent de moi.

– Et moi Gabriel ? Moi ? Est-ce que tu t'es demandé une seule fois ce que j'attendais de toi ? Est-ce que ça t'a traversé l'esprit de me prévenir, de me demander si j'étais d'accord ?

– Tu ne l'aurais jamais été. Ils m'attendent, je vais rentrer. Et tu devrais aller t'excuser.

– Va te faire foutre.

Il s'approche et saisit mon visage entre son pouce et ses doigts serrés. La force de sa prise contraste avec la douceur de sa voix.

– Avec plaisir. Entre et monte au deuxième étage. Je te suivrai de loin. Ne te retourne pas, ne me parle pas, ne me regarde pas. Attends-moi là.

La brutalité de ses gestes et de ses ordres m'a pétrifiée

sur place. Et a allumé une flamme au creux de mon ventre. Je ne porte rien sous ma robe, sur les conseils du fameux Pablo, et je sens mon sexe s'humidifier entre mes cuisses. J'entre comme un zombie dans la galerie, ne voyant plus ni les photos ni les invités, entendant à peine Gabriel s'excuser auprès de ses invités, et me dirige droit vers le fond. J'emprunte un large escalier marbré, montant chaque marche prudemment en m'aidant de la rampe et tenant ma robe de l'autre main. Je débouche dans un grand bureau d'une centaine de mètres carrés et rejoins l'immense baie vitrée légèrement penchée sur la rue. J'entends les pas de Gabriel approcher et le vois se diriger vers un bureau en bois massif dont il sort un ou deux objets. Je ne distingue pas ce que c'est, j'aperçois seulement un reflet argenté et un tintement métallique. Il avance vers moi avec un regard de fou. Mon excitation se mêle à la peur, j'ai du mal à déglutir. Mon dangereux amant glisse une paire de ciseaux glacés entre ma robe et ma peau. Il découpe le tissu entre mes seins et jusqu'à mon nombril puis achève son travail en déchirant ma robe de ses mains viriles. Des milliers d'euros réduits à néant en même temps que ma dignité. Nue et humiliée, j'attends la suite avec autant d'appréhension que d'impatience. Gabriel empoigne ma main, la plaque sur mon sexe trempé puis la porte à sa bouche. Tout en l'embrassant, il enserre mon poignet dans une première menotte et attache la seconde au montant d'un haut radiateur. Je le laisse faire sans réagir. L'idée d'être sa prisonnière fait bouillir mon désir et je me rends compte que je suis essoufflée sans même avoir bougé.

Gabriel fait un pas en arrière pour admirer sa prise. Il glisse la petite clé des menottes dans la poche intérieure de sa veste et défait la boucle de sa ceinture en me défiant du regard. Il déchire un emballage de préservatif avec ses dents et en crache un petit morceau par terre sans me quitter des yeux. Les miens dérivent vers son énorme sexe, rose et tendu, bientôt recouvert de sa fine pellicule de latex. Plus rien ne l'empêche désormais de me pénétrer et ma voix se fait suppliante :

– Viens, prends-moi.
– Je n'entends pas.
– Prends-moi. S'il te plaît, prends-moi.
– Fais un effort, je ne comprends pas.
– Baise-moi !

Je lui ai hurlé mon désir au visage, inconsciente de la vulgarité de ces deux mots que je n'avais encore jamais prononcés. Mais bien consciente de l'effet qu'ils ont produit sur mon amant. Il s'humecte les lèvres, écarte mes cuisses nues de son genou, saisit son sexe dans une main et vient écraser son gland sur mon clitoris douloureusement gonflé. Mes gémissements de plaisir se transforment en cris sauvages quand il s'enfonce en moi sans prévenir.

Puis Gabriel déverrouille la menotte qui me retenait au radiateur, me retourne, menottant cette fois mes deux mains derrière mon dos et m'écrase contre la vitre froide, son corps étalé sur le mien. La baie vitrée inclinée m'offre une vue plongeante sur la rue, sur les allées et venues des badauds sur le trottoir et les invités du vernissage que j'avais presque oubliés. Je réalise qu'il leur suffirait de lever la tête pour découvrir le spectacle de mon corps nu sursautant sous les élans de mon amant. Au deuxième étage de sa luxueuse galerie d'art, Gabriel m'offre en pâture aux passants. Les deux mains posées sur la vitre, de chaque côté de mon visage, il me pénètre par-derrière, intensément, et je ferme les yeux, perdant pied sous la puissance de ses coups de reins. Il me saisit soudain par les cheveux et me lance :

– Regarde devant toi. Tu voulais te donner en spectacle ? Toute la rue va te regarder jouir !

Il repart à l'assaut de mon corps et ses va-et-vient brûlants couplés à mes mains menottées me ravagent jusqu'à me faire atteindre un orgasme plein de rage.

16
EN APESANTEUR

Roulée en boule dans mon lit, je renifle comme une idiote, encore enveloppée de l'odeur et de la veste de costume de Gabriel. C'est le seul vêtement que je portais quand son chauffeur m'a ramenée chez moi au milieu de la nuit. Son ultime geste de galanterie après m'avoir déshabillée en mettant d'un coup de ciseaux ma belle robe en lambeaux. J'ai encore la trace de la menotte tatouée dans la chair de mon poignet et je peux encore sentir le contact froid de la vitre contre la peau de mon ventre, de mes seins. Plus que tout autre chose, mon corps a conservé un souvenir indélébile des grandes mains puissantes saisissant mes cheveux, agrippant mes épaules, rythmant mes hanches. Et mon intimité endolorie a gardé la trace du passage de Gabriel, viril, sauvage, bestial. Les larmes qui me roulent sur les joues ont le goût amer de l'humiliation… et du plaisir que j'y ai pris.

Je revis ce troublant morceau de nuit et passe en revue

les dernières semaines de ma vie. Je ne sais pas si je m'en délecte ou si je me dégoûte. Est-ce possible que ce soit un peu des deux ? La fatigue m'empêche de réfléchir. Mais un étrange malaise m'empêche aussi de dormir. J'aurais pu, j'aurais dû être flattée de cette exposition qui m'était entièrement consacrée, apprécier sa surprise et ses œuvres d'art apparemment très réussies, me vanter d'être la muse d'un brillant milliardaire, photographe de talent à ses heures perdues. À la place, j'ai réagi avec excès et spontanéité, me sentant violée, trompée. Et c'est d'avoir été moi-même, enfin, que Gabriel m'a punie. Il n'a pas aimé me voir entière, immature, emportée, exigeant des explications, si ce n'est des excuses. Peut-être que je suis allée trop loin, que j'ai parlé sans réfléchir, que je lui ai fait une scène au plus mauvais moment. Mais cet homme sans défaut ne supporte pas ceux des autres. Lui qui maîtrise toujours parfaitement ses émotions déteste perdre le contrôle de la situation. Et ne peut tolérer qu'on lui tienne tête. Il n'a pas trouvé meilleure punition que de m'attacher et faire de moi son objet sexuel. Et j'ai accepté sans sourciller. J'en ai même redemandé. Si je passe mon dimanche à pleurer, ce n'est pas de honte, de remords ou de colère contre lui, c'est de peur de l'avoir perdu.

Et dire que je pensais être une jeune femme libre et indépendante, qui ne serait jamais à la botte d'un homme, comme mes parents me l'ont inculquée pendant 22 ans. Toutes mes thèses féministes sont parties en fumée. Et la seule explication que je trouve à ça, la plus stupide et la plus clichée qui soit, c'est qu'avec lui, c'est différent. Je me retourne sur le ventre et plonge ma tête sous l'oreiller pour oublier que je viens de penser une chose pareille. Mais bien vite, les relents de son parfum imprégné sur sa veste détournent mon attention, les souvenirs de son corps imprégnés dans ma chair m'emmènent ailleurs. Je me shoote à son odeur, à cette envie d'encore. Je plane complètement. Ma rêverie n'est perturbée que par un concert de klaxons qui filtre à travers mes trop minces fenêtres. Un abruti doit encore bloquer la rue sans se soucier des autres et trois ronchons coincés doivent exprimer bêtement leur irritation, cachés derrière leur volant. Ce déferlement d'égoïsme et de lâcheté me rend dingue. L'exigence de Gabriel doit déteindre sur moi. Je me lève d'un bond et cours à la fenêtre pousser mon coup de gueule. Ça ne fera que deux en deux jours. En me penchant sur le garde-corps, je ne vois qu'une seule voiture dans la rue, un imposant 4x4 noir, et une main gantée pianotant sur le montant de la vitre ouverte.

Gabriel sort la tête et, après les cheveux blonds soyeux, son beau visage m'apparaît, serein, souriant. Sans crier, sa voix grave porte jusqu'au troisième étage :

– Je te réveille ? Peux-tu t'habiller un peu plus et être en bas dans cinq minutes ? Je t'emmène quelque part.

J'ouvre de grands yeux et oublie de fermer la bouche, avant de me regarder, nue sous sa veste ouverte et bien trop grande pour moi.

169

– Donne-m'en dix !
– N'oublie pas ma veste. Et ton passeport.

Je cours partout dans mon appartement, trouve un grand sac en lin, y fourre un pull, trois culottes, cours dans la salle de bains chercher ma brosse à dents, ouvre l'eau de la douche, me ravise, puis finis par m'y glisser pour un lavage-rasage express, me sèche, enfile un shorty et un jean en me frottant les cheveux avec une serviette. Je sautille en essayant d'enfiler une chaussette tout en me brossant les dents. Je m'empare d'un T-shirt propre que je mets sans soutien-gorge. J'en ajoute deux autres dans le sac, un pull de plus et un troisième sur moi. J'attrape un mascara et une brosse au vol dans la salle de bains, fais un nouvel aller-retour inutile dans ma chambre, enfile mes bottines en trébuchant et m'emmêle les bras en essayant de mettre mon manteau et mon sac à main en même temps. Une touche de parfum plus tard, je claque la porte de mon appartement et profite de la descente des escaliers pour vérifier que mon passeport est bien dans mon portefeuille. Je grimpe dans le 4x4 côté passager et m'assois à côté de Gabriel, joues rosies et cheveux dégoulinants, en claquant la portière un peu trop fort dans mon élan. Je m'excuse en minaudant et lui saute au cou pour l'embrasser sur la bouche. Son rire franc et son regard attendri me font tomber à la renverse. Il démarre en posant son immense main sur ma cuisse et je passe le reste du trajet les doigts emmêlés dans les cheveux fins de sa nuque. Peu importe où nous allons, mon bonheur est total.

– Tu as déjà pris l'avion ?

– S'il te plaît. Je suis une gamine qui n'a rien vu, rien fait, mais quand même pas à ce point-là.

– D'accord, d'accord. Tu as déjà pris l'avion seule ?

– Non, mon papa chéri m'accompagne toujours. Et il me tient la main quand j'ai peur. D'ailleurs, il m'interdit de parler à des inconnus dans des voitures.

Gabriel rit de bon cœur.

– J'avais oublié que tu pouvais être de bonne humeur.

– Gnagnagna. La faute à qui ?

– Je veux dire, tu as déjà pris un avion dans lequel tu es la seule passagère ?

– Quoi, un jet privé ? ! Juste toi et moi ?

– Et un peu de personnel à bord. Et puis un pilote, ça vaut mieux pour nous deux.

J'étouffe un petit cri de joie contre mes poings serrés et tape des pieds sur le sol de la voiture.

– On va où ?

– Je t'en ai déjà trop dit. Mais si tu veux savoir, tu ne travailles pas cette semaine. Éric pense que tu mérites largement une semaine de vacances.

– C'est vrai que je bosse dur pour son plus gros client !

– On ne parle pas affaires pendant les sept prochains jours. Juste du plaisir.

Je me jette à nouveau sur lui, l'embrasse partout, sur

la joue, dans le cou et ma main téméraire vient se poser sur son sexe.

En montant à bord du petit avion, je découvre de larges fauteuils en cuir crème, du mobilier brillant en ronce de noyer, et deux hôtesses en tailleur au sourire parfait. J'ai l'impression d'être une rock star. Après le décollage, on me sert une coupe de champagne et je ne sais plus où regarder. Vers Gabriel et sa beauté flamboyante, son naturel qui me ferait presque oublier le jet privé, ou par le hublot pour profiter du ciel et des nuages avec mes yeux de petite fille. Gabriel attire mon attention avec un dressing monté sur roulettes qu'il amène à lui.

– Je ne suis pas fier du sort que j'ai réservé à ta robe de soirée. Mais j'ai de quoi me faire pardonner. Un 38, ça t'ira ?

Il déballe des pantalons de ski, des pulls fins en Lycra, des doudounes et des anoraks colorés, des moon-boots et des bonnets, avec un air très concentré.

– Plutôt blanc ou bleu ? Ah, il y a du fuchsia aussi. Qu'est-ce que tu préfères ?

– Tu me refais le coup des essayages ?

– Hmm… tu peux garder tes vêtements parisiens si tu veux. Mais tu risques d'avoir froid. Il y a une cabine fermée juste derrière.

– Pas besoin.

J'avale une gorgée de champagne, me lève et viens me planter devant son fauteuil. J'ai une folle envie de lui. Je me déshabille lentement pendant qu'il renvoie les hôtesses d'un claquement de doigts. La température à bord de l'avion fait pointer mes seins et ma chair de poule crée un cocktail explosif avec la chaleur dans mon ventre.

– Si tu ne m'aides pas, je vais vraiment prendre froid.
– Toi, tu es en train de me donner très chaud. Viens par là.

Je m'approche de Gabriel, toujours assis dans son fauteuil, qui passe son pull par-dessus sa tête. Je n'ai jamais vu un homme aussi sexy avec les cheveux décoiffés. Il prend mes mains et les pose sur sa braguette, dont je défais les boutons un à un. Il décolle ses fesses pour m'aider à lui enlever son pantalon et je me mets à genoux pour délacer ses chaussures et le déshabiller complètement. Il saisit mes hanches et se penche vers moi, m'embrassant doucement le bas du ventre, puis l'aine, avant de glisser sa langue entre mes lèvres humides. Mon bassin ondule pour en redemander mais il quitte mon sexe pour lécher mon ventre, remonter sur mes seins, dans mon cou, sur ma bouche. Son baiser au goût de mon intimité m'excite encore plus.

Gabriel m'attire à lui et je m'assois à califourchon sur ses jambes nues pendant qu'il continue à m'embrasser goulûment. L'une de ses mains s'emmêle dans mes cheveux, l'autre vient titiller mes tétons durcis. Nos deux

sexes à proximité décuplent mon désir et mes gémissements. Je le caresse doucement, résistant à l'envie de
l'enfouir en moi immédiatement. Gabriel me pénètre du
majeur et son pouce appuie en rythme sur mon clitoris
gonflé et douloureux. Ces sensations couplées aux vibrations de l'avion sont purement divines. Nos mains et nos
caresses se mélangent dans un fouillis de plaisir et de
halètements. En bougeant contre ses doigts habiles, je
jouis une première fois, presque silencieusement, et ce
fulgurant orgasme clitoridien accroît mon appétit intérieur. Je bous littéralement. Gabriel répond à ce désir
urgent en me soulevant par les fesses pour me planter
profondément sur son membre dressé. Il pousse lui aussi
un long soupir de soulagement et empoigne mes fesses
pour rythmer mes mouvements. Je roule du bassin autour
de son sexe et vois Gabriel baisser les yeux vers nos corps
emboîtés pour profiter du spectacle. L'avion tombe dans
un trou d'air et le soubresaut de l'appareil enfonce Gabriel
encore plus profondément en moi. Un cri m'échappe,
mon amant haletant en profite pour accélérer la cadence
de mes hanches. Je resserre mes jambes autour de lui et
atteins le septième ciel dans un grand tremblement. Il
coulisse encore dans mes profondeurs et me serre très
fort entre ses bras virils avant de jouir en moi dans un
râle puissant qui couvre le bruit assourdissant de l'avion.
Nous nous écroulons dans le fauteuil en cuir, repus et
transpirants, nos deux corps en apesanteur.

17

SOUFFLER LE CHAUD ET LE FROID

Quand l'avion privé s'est posé, je n'avais pas la moindre idée d'où nous étions et Gabriel s'amusait à entretenir le mystère. Je craignais un peu le ridicule avec la tenue que j'avais choisie dans le dressing aérien, pantalon de ski blanc, anorak fuchsia cintré et moonboots en fausse fourrure rose pastel, mais je ne dénote finalement pas du tout dans ce village de montagne très chic. En arpentant les jolies rues piétonnes, je comprends aux devantures des magasins que nous nous sommes posées sur le tarmac de station de ski huppée de Gstaad, en Suisse. Je m'attends à croiser des célébrités à tout moment. Mais le froid de février et les routes enneigées ont dû les dissuader. Je suis presque déçue. J'essaie de suivre sans glisser les grandes enjambées de Gabriel qui ne m'attend pas vraiment et glisse ma main dans sa poche puis à l'intérieur de son gant pour retrouver sa chaleur. Comment peut-on être aussi viril et avoir une peau de bébé aussi douce ? Il emmêle ses doigts aux miens, sans me regarder, et je lève des yeux admiratifs vers son port de tête altier, ses mâchoires serrées par le froid, la vapeur qui sort de ses lèvres ourlées, le profil parfait de son nez et les pattes d'oie si sexy que font ses yeux bleus plissés regardant droit devant lui. Je n'imaginais pas qu'un être si délicat puisse se cacher sous cette impressionnante carcasse. Et son goût du luxe, des belles choses et des lieux magiques, si éloigné de mon monde, me laisse de moins en moins indifférente.

Nous arrivons devant un gigantesque chalet en bois aux balcons fleuris. Gabriel fait comme chez lui. C'est d'ailleurs sans doute le cas. Au premier étage, de grandes portes-fenêtres mènent à une vaste terrasse donnant directement sur les montagnes blanches perçant dans le ciel bleu. La vue est magnifique. J'inspire profondément cet air pur dont je n'ai pas l'habitude et Gabriel, si souvent blasé ou renfrogné, me paraît lui aussi apaisé, comme ressourcé. Il me demande si le voyage m'a donné faim et m'annonce qu'une table de restaurant nous attend pour le dîner. Je me renseigne sur la tenue appropriée, pour éviter encore une fois le faux pas, et n'obtiens qu'un haussement d'épaules pour réponse. J'imagine que je peux rester comme ça. Avant de partir, Gabriel dépose devant moi une boîte rectangulaire en cuir vert foncé. Je l'ouvre, aussi angoissée qu'excitée, et découvre une somptueuse montre féminine, mélange d'acier et d'or rose, signée d'une célèbre marque suisse hors de prix.

– Je ne savais pas si tu préférais l'or ou l'argent. Mais j'aime bien l'alliance des deux.

– Elle est parfaite. Sublime, vraiment.

– Tant mieux si elle te plaît. Il y a un autre petit cadeau dessous. Plutôt pour nous deux.

Je soulève le coussin en velours et découvre un petit objet étrange, rose et lisse, en forme de fusée, dont j'hésite à comprendre l'utilité.

– Ils appellent ça un « œuf ». Étonnant, hein ? Je n'aime pas le nom mais j'adore le concept.

Gabriel sort de sa poche une petite télécommande, rose elle aussi, il appuie sur un bouton en me souriant et la petite fusée vibre instantanément entre mes doigts. Il s'approche sensuellement de moi et me chuchote :

– Mon Amande, tu as envie de t'amuser un peu avec moi ?

J'acquiesce d'un sourire coquin et Gabriel s'agenouille, baisse la fermeture éclair de mon pantalon, glisse sa main dans ma culotte et me caresse doucement. Je m'agrippe à ses cheveux en gémissant pendant qu'il me prend l'objet de la main. Il introduit un doigt en moi puis mon intimité humide accueille l'œuf fuselé que mon amant actionne. Je suis agréablement surprise par ces vibrations chatouilleuses au creux de mon ventre et Gabriel semble très fier de son nouveau jouet.

Un chauffeur nous emmène à travers Gstaad dans une luxueuse voiture gris foncé que je n'avais encore jamais vue (et je me demande si ce n'est pas la dixième dans laquelle je monte depuis que je connais Gabriel). Sur le trajet, il me fait sursauter à deux reprises en faisant vibrer le sex-toy au beau milieu d'une conversation. L'ambiance se réchauffe malgré la froide soirée de février. Notre dîner au restaurant est plus que fastueux. On ne m'apporte même pas de menu, mais une sélection de suggestions du chef que nous picorons à deux. Pour la première fois de ma courte vie, je goûte à un caviar noir et luisant au goût divin. Tous les mets sont exquis, d'une finesse inouïe. Gabriel s'amuse à ponctuer chacun de mes plaisirs culinaires d'une délicieuse vibration qui me surprend à chaque fois. Nous finissons la soirée sur un dessert chocolaté que je savoure jusqu'à la dernière miette. Je dois me retenir de me lécher les doigts. Et mon amant malicieux, sans me quitter des yeux, en profite pour actionner encore son joujou, plus longtemps cette fois… assez en tout cas pour que je sois la première à réclamer que l'on s'en aille.

De retour dans la voiture, Gabriel appuie sur un bouton qui remonte une vitre opaque entre nous et son chauffeur. Puis il me renverse sur la banquette en cuir en m'embrassant fougueusement. Il glisse sa main gelée sous mes couches d'anorak et de pulls pour venir pétrir mon sein. Un feu embrase mon sexe et je ne sais pas par quelle tour de force son autre main fait vibrer mon intimité quand je m'y attends le moins. Je me mords les lèvres pour contenir mes gémissements de plaisir, n'ayant pas tout à fait oublié le chauffeur de l'autre côté de la vitre. Gabriel enfouit sa tête dans mes cheveux, m'embrasse, me lèche, me mordille la zone extrêmement sensible entre le cou et l'épaule. Il me rend folle. Il continue à jouer avec son gadget depuis la télécommande cachée dans sa poche. Je le vois observer l'effet que son petit jeu a sur moi et les ondulations incontrôlées de mon bassin ont l'air de le contenter. Je suis toujours entièrement habillée mais plus excitée que jamais, avide de caresses. Je crois que Gabriel a décidé de me faire jouir sans me toucher. Et malgré mon intense frustration, il a l'air bien parti pour relever le défi. Ses baisers conjugués à la petite fusée qui tremble au creux de moi sont en train de me faire perdre la tête. Je ne peux plus réprimer soupirs et halètements et, au moment où l'orgasme me submerge, Gabriel se rassoit d'un bond, appuie sur le bouton actionnant la vitre intérieure qui descend et fait apparaître à nouveau le chauffeur dans le décor. Je me redresse aussi, au bord de l'implosion mais coupée dans mon élan de jouissance. Plus frustrée que je ne l'ai jamais été.

En descendant de voiture, Gabriel est venu m'ouvrir la porte mais mes jambes chancelantes ont du mal à me tenir debout. Il me prend dans ses bras comme une future mariée, entre dans le chalet et me porte à l'étage. Il ouvre la porte-fenêtre du pied et me dépose délicatement sur l'une des chaises longues matelassées disposées sous la tonnelle de la terrasse. Cinq centimètres de neige se sont amassés sur les balcons en fleurs et des stalactites glacées descendent des garde-corps ajourés. La nuit est tombée sur Gstaad mais la chaude lumière qui filtre de l'intérieur du chalet éclaire faiblement la terrasse. Un chauffage suspendu grésille et rougit au-dessus de nous. Le mélange de ce souffle chaud et de l'air glacial, les jeux d'ombre et l'imposant silence qui règne sur les montagnes m'effraient et me transcendent. Seule la présence de Gabriel me ramène à la réalité. J'ai l'impression que nous sommes seuls au monde, que le temps s'est arrêté. Ses gestes empreints de douceur et de bienveillance me rassurent mais la détermination que je lis dans ses yeux, la lueur bestiale qui vient de s'y allumer me font me sentir en danger. Mon amant fripon et gourmand du dîner s'est transformé en prédateur implacable que rien ne peut arrêter. Debout face à moi, allongée, grelottante et vulnérable, il me domine de toute sa hauteur, m'écrase de son charisme et m'excite au plus haut point.

Gabriel défait son manteau qu'il laisse tomber dans la neige, s'approche de ma chaise longue et s'accroupit pour me déshabiller. En quelques minutes, je me retrouve entièrement nue, les seins tendus par le froid, la peau rosie par le puissant chauffage, l'intimité brûlante et les lèvres expirant une fumée tiède dans l'atmosphère glaciale. Gabriel se dévêtit à son tour, lentement, me laissant découvrir sa puissante érection. Je n'ai jamais vu de sexe d'homme aussi beau que le sien. Il s'assoit près de moi, ramasse une poignée de neige fraîche et en parsème ma poitrine. Sa langue chaude vient lécher la neige fondue sur mes tétons durcis. Il attrape une stalactite accrochée au balcon et balade la pointe glacée sur mes lèvres avant de l'enfoncer doucement dans ma bouche. J'y enroule ma langue, suçote et avale les gouttes de glace fondue, bien consciente de la métaphore que nous avons tous les deux à l'esprit. La stalactite poursuit sa promenade sur ma peau, dans mon cou, entre mes seins, le long de mon ventre et jusqu'à la fente de mes lèvres. Le glaçon anesthésie mon clitoris gonflé de désir. Gabriel remplace bientôt son instrument par ses doigts agiles qui rallument le feu en moi. Il me libère de l'œuf inséré dans mon intimité et ce vide soudain me paraît insupportable. Je voudrais qu'il m'emplisse. Je ne pourrais pas revivre deux fois la frustration de la banquette arrière. J'ai besoin de son corps, du contact de sa peau sur la mienne, de ses muscles bandés en action, de sa chair sous mes ongles, de son sexe aspirant le mien. À ce moment-ci, je n'ai pas seulement envie de lui, c'est une question de survie.

– Tu sais être patiente, parfois.
– Non, je ne peux plus.
– Tu es sûre ?
– Je t'en supplie.
– Tu m'attendras ?
– Oui.
– Comment tu feras ?
– J'essaierai.
– Ce n'est pas assez.
– Je t'attendrai !
– Promets-le-moi.
– C'est promis.
– Ne me déçois pas.

Ce dialogue absurde, haleté, n'a fait qu'ajouter à mon impatience, mon urgence. Gabriel daigne enfin me satisfaire et allonge son corps chaud et lourd sur le mien. Il saisit son sexe dans sa main et l'enfonce avec langueur dans ma fente trempée. Nous dégustons ensemble ce premier enlacement et soupirons à l'unisson. Il coulisse en moi plus fort, je soulève mon bassin affamé et entoure sa taille de mes cuisses pour lui faire plus de place. Il me pénètre profondément, avec vigueur, je resserre mon étreinte en croisant mes chevilles sur ses fesses pendant qu'il agrippe le montant en bois de la chaise longue. Parfaitement emboîtés, nos corps en osmose ondulent à un rythme effréné. Je sens l'orgasme m'envahir depuis la pointe des pieds jusqu'à la racine des cheveux. Gabriel m'assène un grand coup de rein et s'immobilise au plus profond de moi.

— Pas encore ! Je te l'interdis.

Il reprend ses va-et-vient furieux qui me mènent à un plaisir encore supérieur et me font hurler dans la nuit silencieuse. Ses râles sonores me répondent en écho et son corps tendu, exalté, convulse dans le mien.

— Maintenant…

Ma jouissance lui obéit instantanément et je m'abandonne à cette extase débridée en pleurant des larmes brûlantes de plaisir.

– Je t'aime.

Dans mes derniers soubresauts, je prie pour qu'il n'ait pas entendu ce que je viens de soupirer. L'air est plus glacial que jamais.

IV

DÉCLINAISON AMOUREUSE

18

AU-DESSUS DE TOUT

Gabriel ne m'a plus adressé la parole depuis que j'ai tout gâché en lui lâchant ces trois horribles mots. Une déclaration d'amour niaise et puérile qui me fait honte rien qu'à y repenser.

Ma pauvre fille, un orgasme et tu lâches un « je t'aime ». Tu ne pouvais pas te contenter d'un « merci » ?

La cruelle petite voix dans ma tête me harcèle. Quant à lui, il ne semble même pas gêné, ni froid ni agacé, juste ailleurs.

Mais comment il fait pour afficher cet air indifférent en toutes circonstances ?

En fait, j'ai l'impression de ne pas le connaître. Hier connectés comme jamais, nous ne sommes plus aujourd'hui que de parfaits étrangers, assis l'un à côté de l'autre. Oublié, le week-end romantique à la montagne. Fini, les balades en amoureux dans les rues de Gstaad. Partie en fumée, la séance de sexe à la belle étoile sur la terrasse enneigée du chalet. Dans cet avion luxueux qui nous ramène à Paris, je ne me sens plus à ma place.

Dis-le, tu te sens moche, nulle, inutile.

Je voudrais disparaître. Ou hurler : « Mais dis quelque chose ! ». À la place, je reste silencieuse et docile, assise sur mon siège comme une idiote. Le corps inerte et l'esprit en ébullition.

Pourquoi il ne parle pas ? Pourquoi il ne fait pas le premier pas ? Il y pense seulement ? Est-ce qu'il s'en fout complètement ? Oui, certainement...

Il doit forcément sentir mon malaise mais ça lui importe peu, ça ne le touche même pas. Gabriel Diamonds est tellement au-dessus de tout ça. Il doit se dire que la partie est terminée, que les jeux sont faits.

« Oust, Amandine, à la suivante ! »

Ces mots traversent mon esprit et, sans que je puisse les contrôler, les larmes se mettent à couler. Ce « je t'aime » imbécile et spontané, que je ne suis même pas sûre de penser, est tombé comme un couperet sur notre histoire. Fin de non-recevoir. C'était la limite à ne pas franchir. L'une de ses règles du jeu, parmi toutes celles qu'il est le seul à connaître. Gabriel peut avoir qui il veut quand il veut. OK pour s'amuser de temps en temps avec le corps d'une petite Parisienne inexpérimentée, mais il a autre chose à faire que subir ses élans énamourés. Il a dû me trouver grotesque, pathétique. Je pleure de plus belle en rejouant la scène dans ma tête.

Tant pis. J'inspire profondément pour reprendre mes esprits. Tourne la tête vers le hublot pour me cacher de lui et sécher rapidement mes larmes. En essuyant les paumes de mes mains sur mon jean, j'essaie de ne pas paniquer en pensant à l'inexorable prochaine étape. Je vais reprendre le cours de ma vie. Ça ne peut pas être aussi terrible. J'allais très bien avant lui. Heureuse, c'est peut-être un grand mot, mais j'étais sereine. Je faisais un stage intéressant, j'avais une meilleure copine du tonnerre, je m'entendais bien avec mes parents, j'aimais mon minuscule et douillet appartement, je me contentais de peu et m'émerveillais de tout. Voilà ce qu'il me faut. De la simplicité, du peu mais du bien, du vrai. Pendant que je prends ces bonnes résolutions (forcées) dans ma tête, le vol me paraît interminable. Et ce silence tellement pesant.

Je tente un regard furtif sur le côté. Gabriel est à deux sièges de moi, immobile, les yeux fermés. Je ne sais pas s'il dort ou s'il cherche à éviter cette conversation qui pourrait mal tourner... Je profite qu'il ne me voit pas pour poser sans doute mes derniers regards sur lui.

Ça devrait être interdit d'être aussi beau.

Je ne sais pas ce qui va le plus me manquer. Son indescriptible beauté. Sa peau. Ses baisers. Son implacable dureté. Sa folle et sauvage sensualité. Des souvenirs de nos ébats me reviennent en pleine tête.

Comment cet homme peut-il me faire autant de bien et de mal à la fois ?

Je crois que ce dont j'aurai le plus de mal à me passer, ce sont les défis qu'il me lançait. Me faire violence. Lutter contre lui, contre moi-même. Repousser mes limites, retenir mes colères, oser, tenter, regretter, recommencer. Ce divin cercle vicieux me donne le tournis.

Et s'il était là, devant moi, mon ultime défi ? Et si c'était la meilleure façon de me faire pardonner ? Ma seule chance de le rattraper ?

J'essaie de me lever discrètement, mais mon corps semble peser des tonnes. Mon cœur bat la chamade, mes jambes tremblent, je tente de maîtriser ma respiration. Finalement, au prix d'un effort surhumain, je parviens à m'asseoir à ses côtés. Son visage est à quelques centimètres du mien, mais il ne réagit pas. Maintenant j'en suis sûre : mon bel amant est profondément endormi.

Ou alors il fait très bien semblant, le salaud.

Je respire son parfum mêlé à l'odeur de sa peau, je m'enivre de lui comme si c'était la dernière fois. Je voudrais le toucher, passer mes mains dans ses cheveux, tracer les courbes de son visage du bout de l'index, j'hésite. Sa chemise entrouverte laisse apparaître le haut de son torse. D'instinct, mes doigts viennent frôler ces quelques centimètres de peau. Je le caresse lentement, presque malgré moi, et ce contact m'électrise. J'essaie de toutes mes forces de ne pas le réveiller mais je suis comme aimantée, incapable de m'arrêter. Je déboutonne sa chemise avec précaution, les petits boutons cédant un à un pour me donner le champ libre. Ce que j'aperçois m'assomme littéralement, comme à chaque fois.

Je ne m'y habituerai décidément jamais.

Ses pectoraux bien dessinés, son ventre plat et bronzé, sa peau fraîche et tendue sur ses abdominaux, je sens mon désir monter en flèche. Du bout du doigt, je suis la ligne de sa pomme d'Adam à son nombril. Ces frôlements sensuels ne réveillent pas mon bel endormi, et dans son sommeil innocent, il me laisse redécouvrir son corps comme jamais auparavant.

Cet homme qui aime tant me dominer, me malmener, me paraît si inoffensif, tout à coup. Et pourtant, je suis plus que jamais à sa merci et je veux plus que jamais le combler. Sans lâcher Gabriel du regard, je me mets à genoux, entre ses jambes. Toujours aucune réaction. D'une main tremblante, je déboutonne son jean et descends doucement sa braguette. Pas de caleçon, ça me facilite la tache mais mon cœur fait un bond dans ma poitrine. Ce que je découvre me remplit de désir et de fierté. C'est la première fois que je vois le sexe de Gabriel d'aussi près. Il est gigantesque ! Et lui ne semble pas du tout endormi.

Il ne se repose donc jamais ?!

C'en est trop, mon bas-ventre est en feu et réclame urgemment de l'action. Mais ma raison lutte furieusement contre mon désir.

Qu'est-ce que je suis en train de faire ? Pourquoi je ne m'arrête pas immédiatement ?

Aussi délicatement que possible, je poursuis ma folle entreprise, saisis son sexe et le caresse, surprise et presque honteuse de cette dangereuse prise d'initiative. Et s'il réagissait mal ? S'il se levait d'un bond et m'envoyait valser parce que je ne lui ai pas demandé la permission ? S'il ne comprenait pas que je veux seulement le rattraper, que je ne supporte pas son silence, sa distance ? Qu'à l'idée de le perdre, je suis prête à tout pour le satisfaire ?

Après quelques doux va-et-vient, son corps se tend. Je vois son torse se soulever, sa respiration s'accélérer, il est sur le point de se réveiller. Je panique, je m'affole, je sais que je devrais tout arrêter. La timide Amandine d'avant l'aurait fait depuis longtemps. Mais mon désespoir m'en empêche… et le sexe grandissant de Gabriel et le léger sourire sur ses lèvres m'invitent à continuer.

Est-ce qu'il croit qu'il est en train de rêver ?

J'augmente un peu la cadence jusqu'à ce que son membre devienne dur et nervuré. Maintenant, je voudrais que mon amant se réveille et me fasse un signe. Rien qu'un. Tout son corps est tendu et son visage change soudainement d'expression, je sais maintenant qu'il ne dort plus. Mais là encore, il reste impassible, comme s'il me défiait. « Débrouille-toi toute seule ». Ou « Jusqu'à quel point la petite Amande se montrera téméraire ? » ou encore « Pour une fois, va au bout de ton idée ». « Surprends-moi ».

Cet homme va me rendre folle.

Je suis tiraillée entre mon désir pour lui et ma crainte de lui. Mais ce dialogue surréaliste que j'imagine dans ma tête me désinhibe encore un peu. Je m'approche lentement de son sexe et le prends en bouche. Je le lèche, je l'aspire, je le dévore. Je retrouve immédiatement ce goût subtil et savoureux que j'aime tant. Les contours chauds et moelleux de ma bouche semblent être faits pour accueillir sa verge aux proportions divines. Et son bassin à lui se met à onduler presque involontairement, me rassurant dans mon projet fou.

A-t-il oublié que je lui avais bêtement lâché que je l'aimais ? Est-ce sa façon à lui de me pardonner ? Le

plaisir que je lui procure en ce moment va-t-il suf-
fire à effacer ces trois mots de sa mémoire ?

Je continue à me poser mille questions mais il a suffi
d'un mouvement presque imperceptible de mon amant
cruel pour me regonfler de courage et de désir. Je suis
affamée, je le gobe plus loin, plus fort, jusqu'à manquer
de m'étouffer. Son excitation manifeste fait grimper la
mienne… Personne ne m'a touchée mais je me sens partir dans un orgasme transcendant, aérien, à couper le
souffle. Au même moment, le plaisir de Gabriel explose
au fond de ma gorge. Après de longues secondes de
transe, il ouvre enfin les yeux. Il m'adresse ce petit sourire en coin dont il a le secret et murmure :

« Moi aussi… »

Hein ? Quoi ? Qu'est-ce qu'il a dit ? Y a-t-il quelqu'un
dans cet avion qui a entendu la même chose que moi ?
Je voudrais crier « Couper, on la refait ! » à l'imbécile
qui dirige ce film incompréhensible. Je voudrais rem-
bobiner, le faire répéter. Et surtout je voudrais trente
secondes pour me remettre de mon orgasme et com-
prendre ce qui m'arrive. « Moi aussi ». Non mais quoi,
moi aussi ? Moi aussi j'ai joui ? Moi aussi je t'aime mais
je n'ai pas trouvé de moyen plus clair de le dire ? Moi
aussi je t'aime mais je suis un enfoiré de première et
je t'aime seulement quand tu me fais le plaisir de me
sucer ? Moi aussi je t'aime mais je préfère laisser pas-
ser un vol entier de froideur, de silence et

d'incompréhension avant de l'avouer ? Mais c'est quoi ce bordel ?

– Moi aussi je pourrais tomber amoureux de toi. Mais il ne le faut pas. Fuis-moi. Je suis tout sauf ce que tu cherches, Amandine.

– Ah. Et c'est aussi ce que tu pensais pendant que tu jouissais ?

– S'il te plaît…

– Non, ça ne me plaît pas du tout. Tu ne dis rien de tout le vol, je suis dans tous mes états, tu le sais, et tu attends l'orgasme pour me dire tout ça. Alors quoi ? Un dernier petit plaisir avant la rupture ? T'es une ordure, Gabriel !

– C'est exactement ce que je disais.

– Quoi ?!

– Je suis toxique pour toi.

– Oh, arrête ton cinéma, putain. Si tu ne veux pas de moi, dis-le, mais épargne-moi tes clichés. À quoi tu joues, là ? Je ne te reconnais pas.

– Je ne joue pas. Je te veux mais je te fais du mal, et je ne le supporte pas.

– Non mais écoute-toi. Tu voudrais te faire passer pour la victime, en plus ?

– Je n'ai toujours été et ne serai toujours qu'un bourreau. Et je dois cesser avant de faire plus de dégâts.

– Mais arrête ! Pourquoi tu me fais ça ?

– Pour toi, Amandine. Je le fais pour toi.

– Mais je ne t'ai rien demandé ! D'accord, je t'ai dit que je t'aimais. Ça m'a échappé, je n'aurais pas dû. Et je ne sais même pas si je le pense. Tu n'as pas besoin de me répondre. Pas besoin d'avoir peur, de t'inquiéter pour moi. Je suis assez grande pour me défendre du méchant Gabriel Diamonds.

— Amandine, tu ne me connais pas.

— Alors laisse-moi une chance de te connaître. Pas le milliardaire que tout le monde admire. Pas le businessman que tout le monde craint. Pas le don juan que tout le monde s'arrache. Juste toi.

— Tu en as déjà trop vu, trop pris. Crois-moi.

— Et qu'est-ce qui pourrait m'arriver de pire, hein ? Qu'est-ce je pourrais découvrir ?

— Il n'y a pas d'amour autour de moi. Il n'y a que de la tristesse, de la violence, tu ne le mérites pas.

— Mais je ne t'aime pas, Gabriel, voilà. Je ne t'aime pas du tout. Je te déteste.

— Vous mentez très mal, Amande.

Ce vouvoiement soudain me soulève le cœur. Il pourrait mettre de la distance entre nous, mais dans la bouche de Gabriel, il ne met que de la tendresse. Ses traits s'adoucissent légèrement et un infime sourire éclaire son visage. Je m'engouffre dans la brèche en minaudant.

— Je ne vous aime pas. J'aime votre tristesse, votre violence, votre froideur, votre indifférence. Je prends tout.

— Je vous aime beaucoup. Mais cette décision ne vous revient pas. Elle m'appartient.

Et c'est reparti. Le dominateur monomaniaque est

de retour.

— Si cela vous amuse de le croire...

— Je ne vois rien d'amusant dans cette vérité.

— Je crains que vous ne mentiez au moins aussi mal que moi.

— Ne me poussez pas trop, Amande douce.

— Je ne voudrais pas provoquer votre colère, mais vous savez que je sais aussi me faire amère.

— Douce ou amère, je suis lassé de l'amande. Désolé de vous l'apprendre.

Coup de poignard en plein cœur.

Les larmes me montent aux yeux. Je ne sais pas ce qu'il veut. Ce qu'il essaie de me dire, quand il plaisante, quand je dois le croire, ce que je dois comprendre. Il m'épuise, me vide, m'anéantit. Et à sa façon odieuse de jubiler, il semble apprécier l'effet de sa petite phrase assassine.

— Touchée coulée ? Vous n'êtes visiblement pas à la hauteur du jeu que vous initiez.

— Je suis fatiguée de jouer.

— Nous en revenons au début de cette discussion. Tout cela doit cesser.

— Ça y est, t'as fini ? Tu me prends vraiment pour une conne ! Depuis le début !

— C'est pour votre bien que je l'ai décidé. Mais si vous préférez, nous pouvons dire que vous m'avez quitté.

— Va te faire foutre.

— Je ne vous connaissais pas tant de vulgarité. Restons-en là, vous vous en remettrez.

Je me recroqueville sur mon siège pendant que le jet privé amorce lentement sa descente. Gabriel étend ses jambes, repose sa tête sur le dossier en cuir et ferme les yeux, retrouvant sa position initiale. La discussion est close. Je me détourne pour pleurer en silence en attendant que l'avion se pose. Quand je me lève pour quitter l'appareil, guidée par une hôtesse très mal à l'aise, je lui jette un dernier regard. Mon amant, mon ex-amant, reste parfaitement immobile. Superbement indifférent. Les yeux rougis et les jambes en coton, je sors péniblement de l'avion. Je pose enfin le pied sur le tarmac parisien, un chauffeur debout devant une berline noire me fait signe au loin. Le gentleman dictateur avait donc tout prévu, même la voiture qui me ramènerait chez moi. Je m'y dirige lentement, presque à reculons, en reniflant.

— Au revoir, Amandine.

Je me retourne en sursautant. La lourde porte du jet s'est déjà refermée, il est prêt à redécoller. La belle voix grave n'était peut-être que dans ma tête.

19

LES YEUX FERMÉS

– Hein ? Je comprends rien à ce que tu dis, Amandine. Pleure ou parle mais tu peux pas faire les deux en même temps !

– Merci Cam. T'es la meilleure grande sœur de l'univers.

– Oh et écarte le téléphone quand tu renifles, c'est une horreur ! Ou mouche-toi mais fais quelque chose.

– Eh, si j'avais eu envie d'appeler maman, je l'aurais fait hein. Sérieusement, t'as pris vingt ans depuis que t'as eu Oscar.

– Quand t'auras passé six mois à entendre un bébé hurler nuit et jour, on en reparlera.

– Gnagnagna gnagna.

– Allez, arrête de pleurer sœurette. Faut que tu passes à autre chose. Ça fait quoi, deux semaines ?

– Treize jours. Je déteste ce chiffre, il porte malheur.

– Tu t'es fait larguer par le mec que t'aimais. Quel autre malheur tu voudrais qu'il t'arrive ?

– Mais tu comprends rien. J'ai un pressentiment, il y a quelque chose qui ne va pas, je le sens.

– Ça s'appelle un chagrin d'amour, on est toutes passées par là, et je te promets qu'on n'en meurt pas.

– Bon, si t'as pas d'autres phrases toutes faites à me sortir, je vais appeler Marion. Merci quand même.

Je raccroche, me redresse sur mon lit et trouve le nom de ma meilleure amie dans mon répertoire. En attendant qu'elle décroche, j'aperçois mon reflet dans le miroir de ma chambre. J'ai une tête atroce : le teint pâle, les yeux bouffis, le nez rouge, une mèche de cheveux collée par des larmes sur ma joue. J'essuie mon visage de la paume de la main, me recoiffe rapidement et respire un grand coup en me promettant de faire un peu plus attention à moi. Pas tant pour me sentir belle que pour qu'on me laisse tranquille. Au bureau, Émilie n'arrête pas de me demander ce que j'ai. Même Éric, le genre de patron qui ne s'aperçoit jamais de rien, me dit que j'ai mauvaise mine.

– Allô ?

– Salut Marion, je te dérange ?

– Non, mon frère est là mais il squatte mon ordi, le sien est tombé en rade.

– Salut la journaliste, me lance la voix moqueuse de Tristan au loin. Toujours à griffonner sur ton petit site de vins ?

– Salut le grand reporter. Occupe-toi de tes faits divers, je suis sûre que t'as encore déniché une histoire bien glauque à faire pleurer dans les chaumières.

– Bon ça y est les blagues de journaleux ? s'impatiente Marion. Comment ça va toi ?

– Au top ! J'ai pas pleuré depuis au moins dix minutes !

– Je ne vais pas te dire que je te l'avais dit, d'accord ?

– Merci, t'es une vraie amie. Tu vas me prendre pour une folle mais je me demandais… Et s'il lui était arrivé quelque chose ?

– Comme rencontrer une nouvelle nana ? T'oublier ? Continuer sa vie de milliardaire et se foutre du reste ?

– C'est très possible… Mais Éric non plus n'a pas de nouvelles de lui. Ils avaient un rendez-vous d'affaire programmé depuis longtemps, Gabriel ne s'est pas montré, n'a pas décommandé, ne s'est pas excusé, ça ne lui ressemble pas du tout. Et son portable ne sonne même pas !

– Amandine ! T'as essayé de l'appeler ?!

– Ça va, juste deux fois. Non, trois. Et j'avais masqué mon numéro. C'était juste par curiosité.

– Peut-être que ça l'arrange de disparaître. Il change sûrement de ligne à chaque fille pour ne pas être harcelé. Peut-être qu'il s'est expatrié en Patagonie. Peut-être qu'il est en prison pour détournement de fonds. Il y a tellement de possibilités…

– …

– Tristan demande si t'as cherché sur Internet. Comment t'écris son nom de famille ?

– D.I.A.M.O.N.D.S.

– Comment t'as pu te taper un mec qui a un nom de bijou, sérieux ?

– Tu crois vraiment que c'est le moment ?

– Attends, Tristan fait une tête bizarre, je mets le haut-parleur.

– C'est possible qu'il ait un jet privé, ton gars ? Il était à Paris vers la mi-février ? Soit il a un homonyme, soit son avion s'est écrasé. Deux morts et trois blessés, ils disent. Mais l'article date de deux semaines !

Pendant que Tristan égrène ces nouvelles d'une voix monocorde, ma gorge se noue, mon cœur tambourine dans ma poitrine et un torrent de larmes déferle à nouveau sur mes joues. Je raccroche mon téléphone sans dire un mot et me rue sur mon ordinateur. Après quelques recherches, je tombe aussi sur l'article que je relis quatre ou cinq fois, pleurant de plus belle. Mon cerveau passe en pilote automatique et je me retrouve sur le site des pages jaunes, à composer les numéros des hôpitaux de Paris un par un. Au cinquième appel, une standardiste à la lenteur insupportable m'informe qu'un patient de ce nom a bien été admis ici mais qu'il a rapidement été transféré dans une clinique privée.

Pauvre idiote ! Évidemment que Gabriel Diamonds ne se contente pas de l'hôpital public ! Tu as déjà oublié qui il était ?

Au moins, ça signifie qu'il fait partie des survivants. Ou faisait...

À cette simple idée, mon cœur s'emballe à nouveau. Je reprends frénétiquement mes recherches en me concentrant sur les établissements les plus huppés de la capitale. Personne ne veut me renseigner, secret professionnel oblige. Je bous littéralement, au bord de la crise de nerfs. Dans la longue liste de cliniques que j'ai sous les yeux, un nom attire mon attention. L'hôpital américain de Paris. S'il est vivant, il ne peut être que là. Une nouvelle standardiste infecte m'envoie sur les roses. Incapable de tenir en place, j'enfile mon trench accroché au portemanteau de l'entrée, une paire de tennis et je saute dans le premier taxi qui passe. En arrivant sur le parking de l'hôpital, je suis saucée par une grosse averse.

Merci les giboulées de mars !

Ma vieille, même trempée jusqu'aux os, tu ne peux pas être plus moche qu'il y a une demi-heure. Au moins, la pluie te donne une excuse.

Je cours me réfugier sous un abri pour reprendre mes esprits. Je regarde autour de moi et essaie de trouver la meilleure stratégie. J'aperçois à une dizaine de mètres sur ma gauche une silhouette qui m'est étrangement familière. Grand, blond, carré, une allure décontractée et une classe naturelle... Mais un gros doute s'empare de moi.

T'es folle ma fille, tu le vois partout maintenant.

À le regarder de plus près, il semble un peu différent de celui à qui je pense. Il est peut-être un peu trop mince ou pas assez musclé (mais il peut très bien avoir maigri...), ses cheveux sont plus longs (quinze jours d'hospitalisation, ça se tient…), ses vêtements plus cool (mais on ne se met pas sur son 31 en pleine convalescence…), et il tient une cigarette à la main (trop de stress à gérer après le crash, sans doute…).

Tu fais les questions et les réponses maintenant, t'es encore plus folle que je le croyais !

Malgré tout, je sens mon cœur pulser dans mes tempes pendant que je l'observe, et mes pieds se mettent à courir avant même que mon cerveau l'ait décidé. Je me rue vers l'inconnu, qui l'est de moins en moins à mesure que je m'approche de lui. Quand j'ai la certitude qu'il s'agit bien de Gabriel, je me jette à son cou sans dire un mot, le souffle coupé et les larmes aux yeux. Il me rend mon câlin en me serrant dans ses bras puis me repose en me lançant un regard étonné et un grand sourire sincère.

– Enchanté ! J'aime beaucoup les femmes entreprenantes, mais vous êtes vraiment très mouillée ! On se connaît ?
– Ah ah, très drôle !
– J'aime aussi beaucoup les compliments, mais je pense qu'il y a erreur.
– Allez, ça suffit ! J'ai eu tellement peur, Gabriel.
– D'accord, c'est plus clair. Je m'appelle Silas, mais je peux vous conduire jusqu'à lui si vous le souhaitez.

Devant mon air éberlué, le sosie de Gabriel prend les

choses en main et me guide à l'intérieur de l'hôpital en m'expliquant qu'il n'est que la pâle copie, le jumeau raté qui vit dans l'ombre de son frère depuis trente-cinq ans. Je n'en crois tellement pas mes yeux que je continue à le détailler tout en marchant. Il me raconte aussi le crash de l'avion il y a treize jours, la mort du pilote et de l'une des hôtesses, les blessures de Gabriel, miraculeusement vivant mais plongé dans le coma pendant soixante-douze heures, son réveil et son lent rétablissement. Alors que j'essaie d'enregistrer toutes ces informations, je ne peux pas m'empêcher de penser que Gabriel n'a pas daigné m'appeler depuis dix jours qu'il est réveillé.

Dans quel état je vais le trouver ? Est-ce qu'il a seulement envie de me voir à son chevet ?

– Gab, t'as de la visite. Et une visiteuse de choix. Un peu dégoulinante mais charmante... Et très chaleureuse, si tu veux mon avis.

– Qui est-ce ?

Il n'a fait que grommeler mais je reconnaîtrais sa voix virile entre mille. Mon pouls s'emballe à nouveau. Je suis restée sur le seuil et Silas me fait signe d'approcher. Je me faufile à pas de loups dans la luxueuse chambre d'hôpital et découvre Gabriel allongé, un avant-bras plâtré, de multiples plaies sur le visage et ailleurs, les joues creusées et la mâchoire crispée par la douleur. Cette vision me déchire le cœur. Il est méconnaissable. Mais même du fond de son lit, salement amoché, il arrive à rester impressionnant, ténébreux, terriblement sexy.

– Connais pas. Je suis fatigué, laissez-moi.
– Gabriel, c'est moi. Amande.

Ma voix s'est faite presque suppliante, pathétique. Une jeune infirmière blonde interrompt ce dialogue de sourd en entrant dans la pièce. Silas la détaille de la tête aux pieds et lui lance un regard de séducteur expérimenté avant de se tourner vers moi.

– Bon, je t'offre un café ? Et peut-être de quoi te sécher. Ça ne te dérange pas si on se tutoie ? Viens, on va laisser ce grognon se faire cajoler et moi je vais m'occuper de toi s'il est assez bête pour ne pas vouloir le faire.

Cette scène est surréaliste. J'hésite entre fondre en pleurs et partir en courant. À la place, je me retrouve assise à une table de cafétéria à faire la causette avec un inconnu que j'ai pris pour mon amant quelques minutes auparavant, amant qui m'a virée de sa chambre après un rapide et cruel coup d'œil. J'en viens à envier l'infirmière qui doit être en train de poser ses mains sur lui et à qui il doit réserver ses mots les plus doux, son ton le plus suave, son regard le plus profond. Je meurs de jalousie. Pendant ce temps-là, Silas me drague ouvertement, tout en sourires, en clins d'œil et petites blagues taquines, essayant de détendre l'atmosphère. Il est plutôt doué, sympa et franchement drôle.

L'exact opposé de son frère. Pourquoi je tombe toujours sur le mauvais numéro ?

Je chasse cette idée de ma tête et essaie de ne pas jouer au jeu des sept différences au moment où je remarque enfin le charme de Silas. Il n'a pas la même aura que son frère mais ses beaux traits fins et son naturel le rendent très séduisant. Il a en tout cas la délicatesse de ne pas demander qui je suis ni d'explications sur ma présence ici. Il se contente de me réconforter, de me conseiller d'être patiente et de prendre la défense de son frère, qui revient de loin.

C'est vraiment un type bien.

Ne commence pas, cœur d'artichaut.

De retour dans la chambre, on trouve Gabriel profondément endormi, ses pansements changés et son visage plus serein. Silas s'amuse à dragouiller l'infirmière et je suis presque déçue qu'il ne réserve pas ce traitement de faveur qu'à moi. La jolie blonde y est clairement sensible et après un nouvel échange de sourires et de regards explicites, la pièce devient soudain trop exiguë pour nous trois. Aucun doute, l'intruse est bien moi. Le petit couple électrique s'éclipse, emportant la tension sexuelle ambiante et me laissant seule avec le sommeil glacial et silencieux de Gabriel.

Je reste un long moment figée dans la même position, incapable de bouger, mes yeux rivés sur le grand accidenté. Une bouffée de tendresse m'envahit. Je voudrais grimper tout doucement sur ce lit, me lover contre lui et ne plus bouger jusqu'à ce que tout ça soit fini. Des souvenirs de nos lits partagés et de nos corps emboîtés dans toutes les positions défilent devant mes yeux sans que je puisse les contrôler. Malgré notre violente rupture, cet insupportable silence de treize jours et son odieuse réponse quand il m'a aperçue dans sa chambre, je suis toujours aimantée à lui.

Tu avais des doutes ? Maintenant tu le sais, tu l'as dans la peau. Sujet clos.

Après avoir cru le perdre, j'ai passé des nuits et des jours entiers à me morfondre. Après l'avoir cru mort, je me suis débattue comme une lionne pour retrouver sa trace. Mais comme toujours avec Gabriel, ça ne suffit pas. Cet homme est un éternel combat. Il me tuera. Alors que j'ai toujours aimé le regarder dormir, son sommeil convalescent est une torture. Je me décide enfin à bouger et contourne son lit pour venir m'asseoir à côté de lui. J'en meurs d'envie mais je ne me sens pas le droit ni le courage de le toucher. J'approche simplement mon visage du sien pour percevoir un peu de son odeur. La chaleur de son corps m'inonde. Ses lèvres pleines mais très pâles et ses longs cils recourbés me bouleversent. Je regarde son torse se soulever au rythme de ses lentes respirations et finis par lui murmurer au creux de l'oreille la première chose qui me vient à l'esprit.

– Tu m'as tellement manqué.

Je me redresse, espérant secrètement qu'il ne m'ait pas entendue et aperçois à travers la vitre face à moi un Silas en pleine démonstration de séduction. Dans la chambre voisine, il continue son petit numéro avec la jolie infirmière qui fait semblant de lui résister. Les stores sont à demi fermés mais surtout à demi ouverts : je devine aisément leur rapprochement. Je détourne les yeux quand il l'embrasse passionnément en la plaquant contre lui. Je ne peux m'empêcher de regarder à nouveau quand les mains manucurées soulèvent le T-shirt et dévoilent une peau dorée que je connais bien, sur des muscles secs et plus allongés mais tout aussi bien dessinés.

Ils sont gâtés dans la famille !

La jolie blonde minaude pendant que Silas glisse ses longues mains gracieuses sous sa blouse blanche. Je le vois soupeser son sein rond et lourd et lui mordiller le cou en même temps. Sous ses caresses, elle se pâme en souriant niaisement, ce qui m'agace au plus haut point. Lui se penche pour retrousser sa robe et faire glisser un string noir jusqu'à ses chevilles. Ils continuent à sourire de toutes leurs dents comme deux adolescents. Mon regard alterne entre le beau visage endormi de Gabriel, son corps inerte et la scène bien vivante de l'autre côté de la vitre. Je ne sais pas pourquoi je m'inflige ce spectacle mais ma curiosité l'emporte. Silas empoigne son infirmière par les fesses, elle remonte sa cuisse le long de sa jambe en l'aguichant jusqu'à ce qu'il la soulève du sol et l'emboîte autour de sa taille. J'ai une désagréable sensation de déjà-vu. La blonde s'occupe de sa ceinture et le pantalon de Silas tombe légèrement, découvrant une paire de fesses à tomber.

Pff, il fait chaud, non ?

Après quelques contorsions et de grands éclats de rire, ils se mettent à faire l'amour debout dans un coin de la pièce, appuyés contre le rebord d'une table, comme si c'était la chose la plus normale du monde. Leurs gémissements amusés parviennent jusqu'à moi. Cette histoire de gémellité est dérangeante, j'ai l'impression d'assister à un remake de mes ébats, mais sans moi. En les regardant, je ne peux pas m'empêcher de penser à toutes les choses que mon fol amant ne me fera peut-être plus jamais. Je ne peux pas imaginer le perdre. Troublée, je les laisse à leur plaisir et retourne à ma contemplation. Je tombe sur le regard de Gabriel. Ses yeux azur sont grand ouverts.

– Encore vous ! Mais vous êtes qui ? Sortez d'ici !

20

L'EXAMEN DE PASSAGE

– Amandine, attends !

La voix grave de Silas résonne dans les couloirs vides de la clinique pendant que je cours vers la sortie après avoir claqué la porte de la chambre. Je ne pouvais pas rester une seconde de plus auprès de Gabriel. J'ai reconnu son regard noir et son ton dur quand il m'a demandé de sortir. Non négociable. Lui en revanche ne reconnaît rien de moi. Et c'est plus que ce je peux supporter.

Les pas accélèrent dans mon dos et le jumeau débraillé se plante devant moi.

– Où tu vas comme ça ?
– Je ne sais pas, ailleurs qu'ici.
– Après tout ce que tu as fait pour le retrouver ? Tu ne devrais pas baisser les bras si vite, il n'aimerait pas ça. Et te voir pleurer non plus.

– Tu parles, il ne sait même pas qui je suis.

– Il revient de très loin, laisse-lui un peu de temps.

– Je ne fais que ça, l'attendre. Depuis des mois.

– Je sais que mon frère n'est pas commode. Il a dû t'en faire voir de belles… Mais si tu es encore là, c'est que le jeu en vaut la chandelle. Je me trompe ?

– Tu ne sais rien de moi. Je veux juste que ça s'arrête. Merci d'avoir essayé mais tu peux aller rejoindre ton infirmière.

– Ça va, merci, j'ai fait ce que j'avais à faire.

– Trouves-en une autre alors. Et laisse-moi partir.

– Hmm… Pleurnicheuse, jalouse, voyeuse, tu n'as que des qualités en fait, je suis charmé !

– Baratineur, collant, exhibitionniste, je te retourne les compliments. Et ton T-shirt est à l'envers. C'est très moyen, le numéro de charme avec l'étiquette sous le menton.

– Ah ah. Tu sais, il suffirait que tu me l'enlèves pour arranger ça.

– Sans façon, les Diamonds, j'ai déjà donné. Je peux y aller ?

Je fais un pas de côté, il me barre le chemin de son grand corps gracieux, je pars sur la droite, il me suit, sur la gauche, il recommence, avec un grand sourire et un air tout fier de lui. Je soupire en essayant de réprimer un sourire.

– C'est complètement nul comme technique de drague.

– Oui mais tu souris.

– Pas du tout.

– Au moins tu ne pleures plus.

– Silaaaas, tu m'agaces !

– Ça rime. Allez, j'arrête de t'embêter et tu arrêtes de pleurer.

Il s'approche de moi, passe son bras autour de mes épaules et me frotte doucement le dos pour me réconforter. Je résiste un peu et finis par me laisser aller, épuisée. En dragueur invétéré, il est lourd, mais en grand frère consolateur, il se débrouille pas mal. Toujours lovée dans ses bras, je le sens redresser la tête et lancer derrière moi :

– Ah vous êtes là ! Quand elle m'aura lâchée je pourrai vous la présenter, mais vous savez ce que c'est…

Je me recule en lui donnant une tape sur le bras. Je vois approcher un couple très chic à qui j'ai du mal à donner un âge. Jeunes quinquas bourgeois ou petite soixantaine très bien conservée… Elle, brushing blond impeccable, peau de pêche et lèvres rosées, perles aux oreilles et autour du cou, pull fin bleu pâle sur un pantalon blanc, silhouette longiligne et visage très doux, elle pourrait jouer dans une publicité pour un anti-âge révolutionnaire. Lui, cheveux blancs et teint hâlé, yeux gris et pattes d'oie rieuses à la Paul Newman, vêtu d'un polo jaune Ralph Lauren rentré dans un pantalon à pinces beige, une veste en tweed soigneusement pliée sur l'avant-bras. Des seniors de catalogue.

– Amandine, Prudence et George Diamonds, les plus merveilleux parents de la terre… Même s'ils ont toujours préféré mon frère.

– Encore à faire l'idiot, Silas. Nous sommes très heureux de vous rencontrer, mademoiselle.

La femme me tend une douce main manucurée et je ne peux m'empêcher d'apercevoir l'énorme bague en or et diamants à son annulaire droit.

– Bonsoir madame. Monsieur.

L'homme me gratifie d'un sourire éclatant et d'une chaleureuse poignée de main en lançant avec un léger accent américain :

– Enchanté. Appelez-moi George.

Je me décompose, comme envoûtée par leur classe, pétrifiée par tant de perfection. Voilà donc d'où Gabriel et Silas tiennent leur pouvoir de séduction. Ils sont allés à bonne école. Je ne peux pas m'empêcher de penser à mes parents, modestes enseignants au moins aussi timides que moi, qui ne se seraient jamais présentés avec tant d'assurance. Et à mon petit frère Simon, qui a hérité de l'humour douteux de papa et de son côté maladroit. Les chiens ne font pas des chats.

Raison de plus pour fuir, ma fille, regarde le fossé entre vos deux familles. Tu ne feras jamais partie du clan Diamonds.

Chacun leur tour, les parents modèles serrent longuement leur fils dans leurs bras et j'entrevois le clin d'œil du père à Silas. Je réalise qu'ils me prennent pour sa nouvelle petite amie mais je n'ai pas le courage de démentir. Avec ma tenue du dimanche et mes cheveux aplatis par la pluie, je fais clairement tâche dans ce tableau idyllique, je préfère me faire toute petite. Au moins, ils ont eu l'élégance de ne pas me faire sentir le décalage. Silas rompt le silence qui commençait à devenir gênant.

— Gab est moitié endormi moitié infecte mais vous pouvez tenter votre chance. J'allais sortir fumer une cigarette, on vous rejoint tout à l'heure.

— Tu m'avais promis d'arrêter. J'ai déjà failli perdre un fils, ça ne te suffit pas ?

— Prudence, please.

D'une main délicate sur ses reins, le mari invite son épouse à avancer devant lui et Silas et moi gagnons le préau de la clinique. L'air frais me fait un bien fou.

— Tu peux respirer, Amandine. Ils ont l'air impressionnants comme ça mais ils sont cool. Et tu as vu, eux aussi pensent qu'on devrait être ensemble.

— Ouais... t'as pas fait grand-chose pour les convaincre du contraire.

— Maman aurait été trop déçue. Et pour lui faire vraiment plaisir, il faudrait aussi qu'on fasse un enfant. Mais on peut s'entraîner un peu d'abord, si tu veux.

— Bah voyons !

– Alors, qu'est-ce que tu veux faire, la fuyarde ? me lance Silas en écrasant son mégot de cigarette dans le grand cendrier métallique.

– Je rêve d'une douche.

– Très bien, ça me va. Faisons ça.

– Tu ne t'arrêtes jamais, hein ? Je rêve d'une douche, seule, chez moi.

– J'arrête, j'arrête. Mais mes parents ont réservé tout l'étage d'un hôtel juste à côté. Deux minutes à pieds. Des salles de bains libres, il n'y a que ça ! Et la douche à jets est vraiment sympa. Je resterai sagement dans ma chambre à t'attendre, je promets.

– C'est tentant mais je n'ai pas de fringues de rechange. Je paierais cher pour des chaussettes sèches et un pull plus chaud.

– S'il n'y a que ça... Allez viens, on mangera un morceau sur le chemin. Je paierais cher pour un steak tartare !

Après une courte marche, je me retrouve dans une luxueuse chambre d'hôtel que Silas ouvre pour moi, me guidant jusqu'à la salle de bains et me jetant au visage, comme un gamin, une serviette éponge moelleuse, blanche au liseré doré. Je lui claque la porte au nez et l'entends me demander en riant :

– Des chaussettes en 44, un pull double XL et quoi d'autre ? Les sous-vêtements, c'est bon, ou je m'en occupe aussi ? Ah et un tartare, ça te va ?

– Tout ce que tu veux mais casse-toi, je lui crie depuis

la douche brûlante qui coule déjà.

— OK, je fais monter tout ça dans la chambre. Je t'attends dans celle d'à côté. Et pas dix mille ans, hein !

Nous dînons tous les deux assis en tailleur sur l'immense lit, moi réchauffée par la paire de chaussettes neuves et le pull noir en laine angora qu'il a dégotés je ne sais où. Il m'explique le plus naturellement du monde que le luxe l'oppresse parfois, mais que c'est bien pratique de pouvoir demander ce qu'on veut quand on veut et de l'obtenir dans la minute. Il me raconte aussi qu'il est le vilain petit canard de la famille, le fils fainéant et sans ambition qui ne fait rien de sa vie à part profiter de la fortune de ses parents. Que la vie à Los Angeles est sympa mais qu'on s'ennuie vite quand on n'a à se battre pour rien. Sa lucidité et ses petites révélations me mettent en confiance quand il me demande de parler de moi. Sur le ton de la confidence, je finis par lui avouer que je tiens beaucoup à Gabriel et que je le tuerais s'il répétait ça à qui que ce soit. Il a l'air sincèrement surpris.

— Il ne t'a jamais parlé de moi, hein ?

— Mais si ! Ta couleur préférée est le bleu, ta chanteuse Britney Spears et tu conduis une Mini.

— Presque. Le rouge, plutôt Adele et je n'ai pas de voiture.

Il rit de bon cœur et ajoute, la bouche pleine et l'air blasé :

— Si ça peut te rassurer, il ne parle jamais de personne. Mon frère est le plus grand des mystères, même pour moi. On y retourne ? Pour une fois que c'est Gabriel qui inquiète mes parents, je ne vais pas rater ces précieux moments !

Quand nous débarquons dans la chambre d'hôpital, tout le clan Diamonds est réuni. Ils discutent dans un mélange de français et d'anglais, un peu difficile à suivre, de l'enquête de police qui a conclu à l'incident mécanique et non au sabotage comme ils le craignaient. À un moment, j'ai la vague impression qu'ils parlent de moi.

Ça y est, la parano te reprend.

Les choses se précisent quand Silas se met à prendre ma défense en haussant le ton.

– Oui, maman, elle était dans cet avion juste avant le crash, non, elle n'est pas louche et oui, c'est normal que tu ne comprennes rien. Non, ce n'est pas ma nouvelle copine, dommage pour moi, non je ne suis pas gay et oui c'est avec Gabriel qu'elle est !

Euh… pardon ?

Je traduis dans ma tête la dernière phrase de M. Diamonds, qui demande dans un soupir désespéré pourquoi ses fils ont tant de problèmes avec les femmes…

Attends, ils m'accusent de quoi, là… ?

Ils se rendent compte que je suis dans la même pièce qu'eux ou pas ?

Je tente d'une toute petite voix mal assurée :

— Je crois que je vais y aller.
— Oui mademoiselle, vous devriez nous laisser en famille.

Vlan. Merci au revoir.

Si « prudence est mère de sûreté », Prudence Diamonds est une mère poule acariâtre.

— Et moi je crois que tu devrais aller te reposer, maman. Tu y verras plus clair demain. Et vous arrêterez peut-être d'en vouloir à la terre entière dès qu'il arrive un truc à votre fils adoré. C'est la vie. Bonne nuit.

Silas dépose un bisou sur le front soucieux de sa mère, donne une accolade à son père et le couple Diamonds se retire un silence, sans un regard pour moi, toujours comme si je n'existais pas. La nuit est tombée sur l'hôpital américain, ajoutant encore un peu de mystère et de lourdeur à la situation. Je me retrouve seule au milieu des deux frères, l'un paisiblement endormi, l'autre passablement énervé.

— Merci de m'avoir défendue. T'étais pas obligé.
— J'essaie juste de leur rappeler de temps en temps que tout leur fric ne les autorise pas à dire n'importe quoi.

Ils se croient un peu tout permis parfois. Mais ils ont des cœurs en or. Faut juste gratter un peu.

— Tiens, ça me rappelle quelqu'un…

— Ah la la, l'ange Gabriel et ses vieux démons. Il n'était pas comme ça, avant.

— Avant quoi ?

— Avant d'être abîmé par la vie. Je donnerais tout pour retrouver mon frère, moi aussi. Lui prendre un peu de sa souffrance, alléger son fardeau. Il ne méritait pas ça. Je ne sais pas pourquoi le sort s'acharne toujours sur les mêmes. C'est dégueulasse. Moi je n'ai pas fait grand-chose de bien dans ma vie et je suis toujours passé entre les gouttes. Lui, tout lui réussit, il transforme en or tout ce qu'il touche, et il le paye au prix fort. C'est comme ça depuis toujours. La rançon de la gloire, dit mon père. Tu parles. Ça fait plus de dix ans qu'on ne l'a pas vu heureux, serein. Moi je n'ai pas réussi à lui redonner le goût de la vie. Je ne sais pas qui le fera. Peut-être toi.

Les yeux embués, Silas a l'air de se parler à lui-même plus qu'à moi. Je n'ose pas l'interrompre pour le questionner davantage. De lourdes larmes roulent sur ses joues quand il pose un regard tendre sur son frère. Il enfouit son beau visage dans le creux de son bras comme un enfant. Ça m'émeut terriblement.

Je m'approche tout doucement de lui, dégage sa tête de son bras et essuie ses larmes de mes deux mains. Ses yeux rougis sont emplis d'une tristesse infinie.

– Si tu veux mon avis, c'est toi qui es un ange.
– Tu es bien la seule à penser ça.
– Pourquoi on chuchote ?
– Pour ne pas réveiller le démon là-bas.

Ses larmes se mêlent à nos rires étouffés et je réalise que je tiens toujours son visage entre mes mains. Le silence qui suit dure trop longtemps. Silas se penche lentement vers moi en regardant ma bouche.

Il va t'embrasser, il va t'embrasser, réagis, IL VA T'EMBRASSER !

Je le laisse approcher bien trop près avant de reculer brusquement.

– Je vais y aller, je bosse demain.
– Ne pars pas, s'il te plaît.

– DEHORS !

La voix tonitruante de Gabriel nous a fait sursauter tous les deux.

– Silas, sors. Toi tu restes.

Le jumeau s'exécute, les yeux écarquillés et l'air penaud, me laissant seule face au dragon mal réveillé.

– Le regarder baiser ne t'a pas suffi. Tu voulais aussi y

passer ?

– Gabriel… Tu me reconnais ?

– Je pensais te connaître, Amandine.

– Mais à quoi tu joues ? Pourquoi tu ne le dis que maintenant ?

– Assez ! Ce n'est pas toi qui poses les questions. Alors, tu allais t'envoyer en l'air avec mon frère sous mon nez ? Après avoir raconté à tout le monde combien tu tenais à moi ?

– Mais c'est quoi, ça, tu me testes ?

– Réponds !

– Non, je consolais ton frère qui t'aime plus que tout et qui me soutient quand tu me traites comme une moins que rien.

– Qu'est-ce que tu es de plus ?

– Je suis la pauvre conne qui te cherche partout depuis des jours. Qui a appelé tous les hôpitaux en te croyant mort. Qui débarque ici et essaie de survivre face au clan Diamonds. Qui lutte contre vents et marées pour ne pas te perdre, encore.

Alerte rouge : ne lui dis pas les trois mots qui fâchent. Pas de « Je t'aime », Amandine, sois forte !

– La pauvre conne qui fait tout ce qu'elle peut pour ne pas t'aimer.

Raté.

Gabriel me saisit violemment par le poignet et m'attire

à lui. Puis sa main puissante m'enserre la nuque et bloque mon visage à quelques centimètres du sien.

– Vous avez failli échouer, Amande douce.

Il m'embrasse furieusement, dans ce qui ressemble plus à une morsure qu'à un baiser. J'essaie de me débattre et de reculer, surprise par sa brutalité, puis le contact de sa langue sur la mienne me fait baisser les armes. Mes sentiments les plus confus ne peuvent rien contre cette alchimie retrouvée, intacte, vertigineuse. J'en suis tout étourdie. De son bras valide, Gabriel m'entoure la taille et me hisse doucement sur son lit d'hôpital. Je me fais une toute petite place à côté de lui en continuant à me noyer sous ses baisers. Son goût m'avait tellement manqué. Sa peau, aussi, que je cherche à tâtons sous son T-shirt fluide gris chiné. Avec son unique main, habile, il parcourt ma colonne vertébrale à m'en donner des frissons jusque dans la nuque et dégrafe mon soutien-gorge presque sans que je m'en aperçoive. Mes doigts courent sur son ventre et j'atteins la ceinture élastique de son pantalon de pyjama à carreaux gris et bleus. Comment fait-il pour être aussi excitant même dans cette tenue ? Je plonge ma main et caresse son sexe tendu qui n'a rien perdu de sa vigueur malgré l'étendue de ses blessures et le masque de douleur qu'il affiche parfois. Je voudrais me ruer sur lui et je ne sais même pas comment le toucher sans lui faire mal. Son corps meurtri, son bras plâtré et ses côtes cassées font barrage entre nos désirs impérieux. Il pousse de longs soupirs de plaisir autant que de frustration, avant de me murmurer :

– Mon Amande, cette fois je ne vais pas pouvoir vous déshabiller. Voulez-vous le faire pour moi ?

Son regard fiévreux et son sourire coquin me font fondre. Je me hisse sur mes pieds, me plante face à lui à l'autre bout du lit, et laisse tomber mon trench par terre tout en enlevant mes tennis du bout des orteils.

– Doucement. Laissez-moi en profiter…

Est-ce qu'il me demande vraiment de lui faire un strip-tease, là maintenant ?

Mais comment on fait ça ?

Dans la pénombre de la chambre, je commence à m'effeuiller, fébrile, retirant lentement mon pull angora qui emporte avec lui mon soutien-gorge défait. J'essaie de soutenir son regard affamé en m'attaquant aux boutons de mon jean, un par un. Je marque un temps d'hésitation quand il ne me reste plus que ma culotte à enlever.

– Retournez-vous. Je veux voir vos adorables fesses rebondies s'offrir à moi.

Dos à lui, je fais glisser ma culotte trempée le long de mes hanches, puis de mes cuisses, me penchant en avant pour lui laisser entrevoir le clou du spectacle.

– Je veux vous sentir contre moi. Je vous veux sur moi. Autour de moi.

Toujours sans prononcer le moindre mot, je me retourne pour grimper sur le lit et m'asseoir à califourchon sur mon grand blessé. Il semble avoir tout oublié de ses douleurs. Sa main vient s'écraser contre mon sein qu'il masse sans ménagement. Pendant qu'il fait rouler mon téton entre ses doigts, je libère son sexe, encore plus gigantesque de désir et le presse contre mon clitoris prêt à exploser. D'un geste brusque, il saisit à son tour son membre dur pour le glisser dans ma fente, m'arrachant un long râle de plaisir, et je m'y enfonce complètement, ne pouvant me retenir plus longtemps. Nous gémissons à l'unisson. Gabriel m'attrape par une fesse et rythme mes ondulations autour de son sexe, sans jamais me quitter du regard. J'écarte un peu plus les jambes pour l'accueillir tout au fond de moi et roule lentement du bassin, essayant de maîtriser le feu au fond de mon ventre. Mais l'orgasme me submerge quand mon amant se met à donner des coups de reins rapides et puissants, faisant tanguer le lit d'hôpital sous nos corps impatients. Il jouit en moi dans de longs à-coups profonds et je m'abandonne à mon propre plaisir en venant écraser ma bouche hurlante contre son torse brûlant.

Nous restons un long moment imbriqués l'un dans l'autre, mon corps étendu, repu, sur le sien, enfin détendu. Ses doigts caressent délicatement mon dos, dessinant un motif improbable sur ma peau. J'enfouis un peu plus mon

visage dans son cou pour profiter de ce moment de tendresse rare et son grand bras finit par m'envelopper en
me ceinturant les côtes. Il me serre très fort, presque
trop fort en me chuchotant :

– Maintenant tu ne vas nulle part.

Cent facettes de Mr. Diamonds

21

CONCURRENCE DÉLOYALE

De : Marion Aubrac
A : Amandine Baumann
Objet : Cherche copine désespérément

Amandine, t'as passé tous les soirs de la semaine à l'hosto, tu peux bien me consacrer une seule soirée ! C'est bon, tu l'as retrouvé ton milliardaire, il ne va pas s'envoler !
On est vendredi, on sort, c'est obligé !

De : Amandine Baumann
A : Marion Aubrac
Objet : RE : Cherche copine désespérément

Je peux pas Marionnette ! Gabriel doit sortir de l'hôpital ce week-end. Il faut absolument que j'y sois ce soir. S'il décide de rentrer chez lui à Los Angeles, je ne sais même pas quand je vais pouvoir le revoir. J'en ai mal au ventre d'avance.

De : Marion Aubrac
A : Amandine Baumann
Objet : RE : RE : Cherche copine désespérément

T'es chiante, je te parle de nous deux et tu me parles de lui. Je crois que je préférais encore quand vous vous engueuliez, au moins t'avais envie de me voir et j'étais pas obligée de te supplier. Bonne soirée !

---

17 heures, je déconnecte ma messagerie perso, éteins l'ordinateur, ramasse ma veste et mon sac et quitte le bureau sur la pointe des pieds, en espérant ne pas croiser Éric qui doit encore avoir le nez dans ses dossiers. C'est Émilie qui me tombe dessus dans le couloir et qui me demande si j'ai pris mon après-midi.

Très drôle ! J'adore la vie de bureau...

Une tape sur l'épaule et un clin d'œil plus tard, ma collègue me souhaite un bon week-end et surtout un bon rencard ce soir en détaillant ma tenue avec un sourire entendu.

Quoi ? J'en ai trop fait ?

Dans l'ascenseur, je jette un œil à mon reflet : petite veste de tailleur noire cintrée, top gris clair très décolleté, slim noir et escarpins assortis, j'aime !

Bon OK, j'ai un peu l'air déguisée en working girl…

Mais il faut bien ça pour rivaliser avec toute la famille Diamonds réunie !

Je retrousse rapidement les manches de ma veste en larges ourlets négligés pour avoir l'air plus décontracté et me refais une queue-de-cheval un peu moins sévère tout en courant attraper mon métro. Je profite du trajet pour essayer de me refaire une beauté mais je n'arrive toujours pas à comprendre comment font ces filles qui se maquillent tous les matins dans un miroir minuscule entre deux soubresauts du train. Je laisse tomber et je m'occupe plutôt d'observer les gens dans mon wagon… et de les imaginer au lit avec leur moitié. C'est mon jeu préféré pour me déstresser.

J'approche de l'hôpital le cœur léger et la démarche assurée, apercevant Silas en train de fumer sous le préau.

Il me siffle quand j'arrive à sa hauteur, me prend la main pour me faire tourner sur moi-même, plante de grands yeux écarquillés sur mon décolleté plongeant, sans même chercher à se cacher, et me lance :

— Fallait pas te faire aussi belle pour moi, j'ai l'air d'un con à côté.

— Je te rassure, tu en as l'air même quand je ne suis pas là.

Je lui dépose un bisou guilleret sur la joue en guise de bonjour et lui redresse le menton d'un doigt pour qu'il me regarde enfin dans les yeux.

— Ce n'est pas ce que dirait la petite aide-soignante chinoise qui fait les gardes de nuits...

— Minh ? Elle est vietnamienne ! Et je la croyais mariée !

— Ce que tu peux être coincée parfois Amandine ! On dirait ma mère... Et Linh est une personne très ouverte.

— Sûrement, mais elle s'appelle toujours Minh. Même moi je le sais.

— Ah ! Elle t'a tapé dans l'œil à toi aussi ?!

— Continue et je vais te taper ailleurs que dans l'œil, moi...

— Il est grand temps que je rentre à LA je crois.

— Tu pars quand ?

— On a un vol demain dans la soirée.

— C'est qui « on » ?

— Papa, maman, Ching et moi.

— Minh ! Gabriel ne part pas ?

– Il dit qu'il a des affaires à régler ici. Je me demande si ça n'a pas un rapport avec une brunette en tailleur noir. Jolie mais un peu pénible. Enfin ce que j'en dis… Et ma mère est en ce moment même en train d'essayer de le convaincre de rentrer avec nous.

– Ah. Très bien, très bien… Par hasard, tu n'aurais pas envie de lui annoncer que t'es homo pour faire diversion ?

– Gab t'aime bien, tu sais. Enfin, il t'aime plus que bien, je crois. Ça fait longtemps que je n'ai pas vu mon frère comme ça. Il tourne en rond toute la journée, il est scotché à son portable comme un ado attardé…

– Oui, il s'ennuie ici. Il faut que les affaires reprennent.

– Et il sourit dès que tu débarques dans sa chambre alors que ça fait des heures que j'essaie de blaguer pour le dérider.

– Vu ton sens de l'humour, on ne peut pas trop lui en vouloir…

– Mais quelle ingrate ! Tu fais ta peste alors que je te dis des trucs gentils.

– J'ai pas besoin de ta gentillesse, Silas. Juste la vérité. C'est tellement dur de savoir ce qu'il pense…

– Il ne m'a rien dit. Mais je sais que ça fait bien longtemps aussi qu'il n'a pas laissé quelqu'un s'occuper de lui. Tous les jours. Sans se lasser, sans déguerpir. Enfin je ne sais pas ce que tu lui fais mais je suis content pour lui. Et un peu jaloux aussi.

– Ne commence pas… Merci pour tout ce que tu me dis. Ça me fait du bien.

– Silas le bon samaritain, pour vous servir. Bon, je sais

que je parle trop et que tu n'attends que ça, alors va le rejoindre avant que ma mère le kidnappe. Moi je vais voir si je trouve pas Bing dans le coin.

— À cette heure-là, MINH prend son premier café dans la salle de repos.

Je lui lance un clin d'œil et pars à grandes enjambées en direction de la chambre de Gabriel. J'ai essayé de ne pas le lui montrer mais les confidences de Silas m'ont mis des papillons plein le ventre. Mon énigmatique milliardaire serait-il en train de s'ouvrir ? Rien qu'un tout petit peu ? Quand je toque à la porte, la voix de Prudence m'invite à entrer d'un ton froid et exaspéré, qui me donnerait plutôt envie de m'en aller. Je passe discrètement la tête par l'embrasure et Gabriel m'accueille, tout sourire. Il me fait chavirer.

— Amande. Mes parents allaient justement partir.

George me salue chaleureusement et Prudence m'adresse un bref signe de tête avant de s'éclipser.

— Comment vas-tu ?
— Mal. Embrassez-moi.

Ah, donc le vouvoiement est de rigueur ce soir...

Je m'exécute et viens l'embrasser tout doucement sur la bouche en posant chacune de mes mains sur ses joues. Le contact de sa peau toute chaude et de ses lèvres si douces m'empêche de me relever. Je pourrais passer des heures dans cette position. Mais Gabriel fuit mon trop long baiser en se redressant et me regarde intensément.

Vouvoiement + regard noir : l'heure est grave.

— J'aime beaucoup cette tenue.

Ah ben quand même...

— Très classe. Vous aviez un rendez-vous important aujourd'hui ?
— Jaloux ?
— Avec qui ?
— Un homme d'affaires grognon. Légèrement possessif. Et qui, bizarrement, me reçoit en pyjama rayé. Moins classe.
— Je n'ai pas la tête à rire, Amande amère. J'ai une proposition à vous faire.

Je ne sais pas pourquoi, mais je le sens pas...

— Je quitte définitivement cette clinique demain matin. Je dois rester à Paris pour affaires mais j'ai beaucoup de retard à rattraper. J'ai besoin d'une secrétaire, d'une assistante, d'une infirmière. J'ai besoin de vous.
— Et malheureusement, je n'ai qu'une formation de journaliste.
— Je vous formerai. Je veux que vous travailliez pour

moi. Dès demain matin.

– Mais j'ai déjà un travail.

– Ce n'est qu'un stage. Je vous paierai. Dix fois ce que vous gagnez actuellement.

Et c'est reparti. Monsieur aligne les billets et n'oublie pas de m'humilier au passage.

– Mr Diamonds, vous pouvez vous payer tout ce que vous désirez. Mais vous ne pouvez pas acheter ma liberté.

– C'est une excellente réponse. Aussi excellente que décevante. Vous n'avez rien à ajouter ?

Il capitule si vite ? Ou c'est le calme avant la tempête ? Mets de l'eau dans ton vin, Amandine !

– Je préfère surtout ne pas mélanger business et vie privée. Et je connais mes priorités. Je suis certaine que vous me suivez…

– C'est entendu. Vous pouvez disposer.

De retour dans le métro, je me sens grotesque dans mon déguisement de femme d'affaires, j'ai envie de tout arracher. Et les passagers de ma rame ont tous l'air de fixer mes yeux pleins de larmes. Il faut que je sorte d'ici ! J'hésite à appeler quelqu'un pour venir me sauver. Marion ? C'est la meilleure dans ce genre de situations. Mais pour lui dire quoi ? « Je t'ai posé un lapin ce soir mais je viens de me faire jeter, on peut se voir ? » Silas ? « Ton abruti de frère vient de me congédier, oublie ton infirmière, on va boire un verre ! » Émilie ? « J'ai quitté le bureau à 17 heures comme une voleuse mais je ne sais pas quoi faire de ma vie jusqu'à lundi matin…» Camille ? « T'as un mari nul, un bébé pénible, qu'est-ce que tu dirais d'une petite sœur débile en plus ? » Mes parents ? « Je ne viens pas souvent vous voir mais là, j'ai envie d'avoir 4 ans à nouveau, que vous me fassiez des câlins et que vous ne me posiez pas de questions ».

Je finis dans ma tête la liste des gens qui me sont les plus proches et je me sens terriblement seule.

C'est toi qui as fait le vide autour de toi, Amandine. Pour les beaux yeux de Gabriel. Et tu n'as plus que les tiens pour pleurer.

Je rentre chez moi en traînant les pieds et m'installe devant la télé. Je ne la regarde même pas mais le son des voix humaines et les images qui éclairent mon salon me font un peu de compagnie. J'allume machinalement mon ordinateur portable qui traîne sur la table basse sans trop savoir ce que je vais y faire. M'occuper, c'est tout. Ma boîte mail affiche six messages non lus. Tous de Gabriel. Je les reprends dans l'ordre chronologique.

De : Gabriel Diamonds
A : Amandine Baumann

Objet : Mission

Mademoiselle Baumann,

Vous avez décliné mon offre sans la moindre hésitation. Vous serez donc à même de remplir parfaitement cette dernière et unique mission : je vous laisse la primeur de choisir, avec la même détermination, celle qui vous remplacera à ce poste.

Je vous transmets à cet effet les cinq candidatures que j'ai retenues. Il me faut votre décision finale demain matin à la première heure.

Cordialement,

G.D.

« Cordialement ? » « Dernière et unique mission ? » « À la première heure » ? Mais il se fiche de moi !

Tout en rageant et en préparant dans ma tête une réponse assassine à la hauteur de sa proposition vicieuse, je clique par curiosité sur les cinq mails suivants. Je m'effondre encore un peu plus en découvrant les CV de Solveig, l'immense Danoise blonde parlant cinq langues ; Abigael, l'Américaine vulgaire à gros seins, grosses lèvres et mini-expérience ; Diane, la petite Française BCBG surdiplômée qui plairait tant à ses parents ; Eve, la Londonienne couverte de tatouages, piercings et qui

insiste sur sa grande ouverture d'esprit ; et Paloma, la
bomba latina venue d'Uruguay qui a ajouté « massages »
à ses hobbies. Je crois rêver. Je ne peux pas imaginer une
de ces prédatrices en assistante personnelle de Gabriel,
24 heures sur 24, c'est au-dessus de mes forces. Je raye
d'entrée la tactile Paloma, puis Abigael qui vient du même
pays que lui et Diane qui me ressemble trop (en bien
mieux). Il me reste la froide beauté nordique (je sais qu'il
n'aime pas les blondes) et la petite punk à cheveux rouges
(qui ne lui fera ni chaud ni froid, je crois). Sur le papier,
la première est plus compétente mais en tapant leurs
noms sur Google, la seconde apparaît comme une mili-
tante de la communauté gay de Londres. Et d'après les
photos, elle ne fait pas que militer… Mon choix est fait.

C'est un piège, Amandine, réfléchis !

Tant pis. J'envoie une réponse lacunaire par mail à
Gabriel en lui recommandant la candidature d'Eve Miller,
sans plus d'arguments. Il me répond presque instantanément qu'il n'est pas surpris de mon choix. Il ajoute
l'adresse d'un appartement situé dans le quartier du
Marais, qu'il a loué pour s'occuper de ses affaires, et me
précise que je peux y passer pour la partie « vie privée »
si le cœur m'en dit. Je le maudis. Je passe le week-end à
lire et relire sa réponse, à l'imaginer rencontrer sa nouvelle assistante, à tourner en rond et à ruminer, à me préparer pour y aller et à renoncer sur le pas de ma porte…
C'est une vraie torture. Je ne veux pas rentrer dans son
jeu, je ne veux pas céder et débarquer comme une fleur

après le coup qu'il m'a fait. Mais ça me tue de ne rien voir, rien savoir. Je crève de jalousie à l'idée de lui avoir apporté une proie sur un plateau, une Anglaise déjantée qui va forcément succomber à son charme envoûtant et peut-être lui montrer ses tatouages les plus cachés ou ses piercings les plus improbables.

Mais quelle idiote ! La Danoise aurait été mieux élevée, plus pudique, moins « ouverte »...

Le lundi, je termine ma journée de travail tant bien que mal et, à bout de nerfs, me dirige droit dans le Marais pour assouvir ma curiosité : rencontrer ma rivale, d'abord et, surtout, observer l'attitude de Gabriel face à elle. J'ai l'impression de foncer tête baissée dans un guet-apens, je vais forcément détester ce que je vais voir. En arrivant dans l'arrière-cour d'un immeuble, je tombe sur un ancien atelier rénové en loft contemporain sous d'immenses verrières. C'est la fameuse Eve qui vient m'ouvrir et je me prends de plein fouet son sourire carnassier, son charmant accent british, sa jolie coupe garçonne teinte en rouge flamboyant, son marcel blanc sans soutien-gorge qui dévoile ses tétons par transparence, et un labyrinthe de tatouages rouges et noirs envahissant ses petits bras musclés et le bas de son ventre découvert par un jean taille basse. Dernier détail qui m'achève : elle marche pieds nus sur le sol en béton ciré, comme si elle m'accueillait chez elle et habitait là depuis toujours. À son tour, Gabriel s'avance vers moi très lentement, pieds nus lui aussi dans un pantalon en lin couleur taupe et un

T-shirt blanc décontracté. Il est beau comme le jour, souriant, détendu. Il lance à Eve une blague en anglais qui m'échappe, elle lui répond et part dans un fou rire forcé et très bruyant, horripilant. La tête penchée sur le côté, elle me touche longuement le bras en continuant de rire, sans que je comprenne pourquoi, et finit par aller s'asseoir en tailleur par terre, entre le grand canapé d'angle beige et la table basse, reprenant son travail sur un ordinateur portable dernier cri. Gabriel propose de me faire visiter les lieux en montant sur la grande mezzanine du loft, tout en amorçant la discussion :

– Très bon choix.

– Je vois ça.

– Eve est très fraîche, pleine de bonne volonté et de joie de vivre. J'en suis pleinement satisfait.

– Heureuse de l'entendre. Elle vit ici ?

– C'est plus simple. J'ai besoin de l'avoir sous la main à tout moment.

– Et alors, tu l'as trouvée comment sous tes mains ? Aussi satisfaisante ?

– Il faut vraiment que tu améliores ton anglais, ma petite Amande. Elle t'a trouvée très à son goût, elle l'a dit tout à l'heure. Et ça sautait aux yeux, il me semble.

– Ah, donc elle est…

– Bisexuelle, d'après ce qu'elle m'a raconté.

Et merde !

– Je n'ai pas compris non plus ce que toi tu lui as dit

en anglais.

– Que je ne lui avais pas menti : que tu allais arriver en boudant et que tu étais à croquer.

En prononçant ces mots, Gabriel s'approche de moi et fait mine de me manger le bout du nez, puis me pousse d'un doigt entre les seins. Je tombe à la renverse sur l'immense lit posé à même le sol. Il s'allonge délicatement à côté de moi et commence à défaire les boutons de mon chemisier un à un, je n'oppose aucune résistance. Toujours sans me parler ni m'embrasser, il fait sauter le bouton de mon pantalon et fait glisser la braguette. En me regardant droit dans les yeux, il engouffre son majeur dans sa bouche et le suce lentement. Sa sensualité me cloue sur place. Puis il enfonce son doigt trempé dans ma culotte qui l'est tout autant. Il caresse mon clitoris emprisonné sous mes vêtements et je soupire à défaut de pouvoir gémir, me rappelant la présence de l'intruse juste sous la mezzanine. Gabriel porte à nouveau son majeur à ses lèvres et lèche le fruit de mon désir avec gourmandise.

– Vous êtes très à mon goût aussi, douce Amande.
– Eve est juste en dessous de nous. Elle peut tout entendre.
– Je veux vous voir jouir en silence.

Il replonge sa main dans ma culotte et glisse son doigt jusqu'à l'entrée de mon intimité. Il reste là, juste au bord, pendant que son pouce s'attaque à nouveau à mon clitoris gonflé. Ses mouvements circulaires sont un pur délice et déjà mon corps se cambre sous le plaisir inouï qu'il me prodigue. Mes soupirs sont de plus en plus bruyants à mesure que l'orgasme approche. Gabriel vient plaquer sa main libre sur ma bouche et son autre main, tout entière maintenant, fait vibrer mon sexe brûlant, prêt à exploser. Mes mains agrippent les draps mais ça ne suffit pas à me calmer, c'est dans le dos de mon amant que je plante mes ongles pour me retenir de crier en jouissant. Au moment ultime, Gabriel enfonce brusquement un doigt dans mon intimité et un autre entre mes lèvres. Je le mords férocement, au sommet de mon plaisir, et je l'entends rugir.

– Gabriel, are you OK ?

C'est Eve qui vient aux nouvelles, un sourire dans la voix, pas dupe de ce que nous sommes en train de faire presque sous son nez. Il la rassure en riant aussi. Depuis l'étage du bas, elle continue, en français cette fois :

– Nos billets d'avion sont bookés pour demain matin. Départ 8 heures, arrivée 19 heures 30.
– Parfait, merci Eve.

J'essaie de reprendre mon souffle et m'incruste dans la conversation :
– Vous allez où ?
– À la maison. Los Angeles. J'ai un gros contrat qui m'attend là-bas. Eve m'aidera.
– Tu te fiches de moi ? Et ça, c'était mon cadeau

d'adieu ?

– Ça, c'était un avant-goût. Tu viens avec nous. Ton patron veut un reportage sur les vins californiens. Et mon frère dit que tu lui manques.

Je me jette au cou de Gabriel en criant et roule enlacée à lui sur le grand lit. Il m'arrête et m'embrasse langoureusement, comme je l'attendais depuis si longtemps.

Eve apparaît sur le seuil de la mezzanine, un sourire coquin toujours greffé à son joli visage :

– Je peux me joindre à vous ?

22

UN AIR DE FAMILLE

À seulement vingt minutes de LA, la maison familiale est située à Manhattan Beach, un quartier huppé du comté de Los Angeles. J'en prends déjà plein les yeux. C'est peu après 20 heures que nous pénétrons, Gabriel, Eve et moi, sur la somptueuse propriété. Avant cela, je n'imaginais pas une seule seconde que tant de grandeur, de luxe et de splendeur pouvaient seulement exister.

Mon Dieu...

Je tombe instantanément sous le charme indécent de la villa Diamonds. Depuis l'immense terrasse aménagée en salon d'été par laquelle Gabriel et Eve accèdent à l'entrée principale, je suis happée par la vue paradisiaque qui s'étend face à moi. L'océan... à perte de vue. Je hume les effluves divins de l'eau cristalline et savoure le vent tiède qui vient caresser mon visage. Devant ce spectacle irréel, je reste immobile, accaparée par tant de beauté. Au bout de quelques minutes, mon amant vient se nicher dans mon cou et me murmure quelques mots d'une tendresse infinie...

– Viens mon Amande, nous aurons tout le temps de nous enivrer des vapeurs marines...

Gabriel me colle un léger baiser derrière l'oreille et m'emporte avec lui en agrippant ses mains sur mes hanches. Impossible de résister, je le suis docilement, encore troublée par l'intensité et la douceur que j'ai perçues dans sa voix. De l'autre côté de l'impressionnante double porte en bronze, je découvre avec stupéfaction l'œuvre du célèbre architecte Wallace Tutt. Eve, l'assistante-je-sais-tout, avait bien fait ses recherches et ne s'était pas privée de m'en faire part dans l'avion.

– C'est le génie qui a construit la maison de Gianni Versace !

Information capitale... Merci tattoo girl !

En foulant le sol en marbre clair, je pénètre dans un temple de raffinement. La douce luminosité du début de soirée éclaire les larges murs et les colonnes sculptées de l'entrée qui doit avoisiner les cent mètres carrés. Le plafond haut de quatre mètres fait résonner nos pas et me donne littéralement le vertige. J'avance malgré tout, soutenue par l'emprise ferme de mon Apollon. En descendant quelques marches, je me retrouve dans un gigantesque salon art déco, aménagé luxueusement. Les sculptures et peintures contemporaines mêlées au mobilier d'exception me rappellent à qui j'ai à faire : le clan Diamonds n'a vraiment rien d'ordinaire… Finalement, mon amant m'emmène jusqu'à l'immense baie vitrée pour me montrer les jardins.

Tu appelles ça un jardin ?!

Sans le moindre effort, il tire la porte-fenêtre qui doit peser une tonne et m'escorte à l'extérieur. Verdure flamboyante, plantes tropicales, luminaires design, fontaines en pierre blanche : j'ai l'impression de fouler le jardin d'Eden… version haut de gamme. Des cris de joie me sortent de ma rêverie : en bas des marches qui mènent à la somptueuse piscine à cascade, une cinquantaine d'invités acclame le retour du héros.

Tous les trois, nous faisons face à la foule en délire. Je m'empresse de prendre le bras de Gabriel, un peu pour me rassurer et beaucoup pour marquer mon territoire et ne pas passer pour la potiche de service. Problème : de l'autre côté, je vois Eve faire exactement la même chose que moi et mon amant ne lui résiste absolument pas.

Mais lâche-le, l'assistante ! C'est moi, l'officielle !

Je le soupçonne même d'apprécier ce triangle amoureux ou en tout cas l'image qu'il renvoie, en arrivant triomphant avec deux jolies femmes à son bras. Parmi les invités, dont beaucoup sont habillés en blanc (une coutume nocturne à Los Angeles ?), je cherche des visages familiers. L'élégante Prudence se rue sur son fils et le serre contre son cœur pendant que George lui assène de grandes tapes paternalistes dans le dos. Silas vient aussi à sa rencontre, vêtu d'un bermuda bleu électrique et d'un polo vert pétant.

Toujours à contre-courant... Ça n'a pas dû plaire à maman !

Il soulève son frère jumeau du sol et le secoue comme un rugbyman fêtant une victoire avec son coéquipier. Ses côtes cassées le font encore souffrir, je le vois dans son regard, mais Gabriel affiche malgré tout un grand sourire serein, sincèrement heureux d'être parmi les siens. Une sublime femme noire, grande et élancée, s'avance à son tour, vêtue d'une longue robe blanche haute couture à couper le souffle. Un bustier lui rehausse joliment les seins et laisse apparaître une peau caramel parfaite, illuminant sa poitrine et ses bras. La robe fendue très haut dévoile aussi une jambe fuselée, musclée, plus longue et plus dessinée que je n'en ai jamais vue. Elle arbore une coupe courte et sophistiquée, absolument aucun bijou, mais elle déborde de féminité, d'élégance, de poigne et de sensualité. Son port de tête altier, sa démarche assurée et son regard intense me confirment qu'elle appartient au monde de Gabriel. Et même à son cercle proche, à en croire la tendre et longue accolade qu'ils se donnent, les yeux fermés et le visage enfoui dans le cou l'un de l'autre.

Son ex, manquait plus que ça...

Eve a elle aussi remarqué leur complicité et j'aperçois son visage jovial se crisper.

Je croyais qu'elle en pinçait pour moi ? C'est Halle Berry, qu'elle veut, maintenant ?

George et Prudence poussent gentiment un jeune garçon récalcitrant à saluer Gabriel. Il doit avoir dans les 12 ou 13 ans, des cheveux blonds façon surfeur qui lui recouvrent les oreilles et le front, des traits fins et d'adorables taches de rousseur qui contrastent avec son air rebelle. Gabriel lui passe tendrement la main dans les cheveux et le gamin ronchonne en regardant ailleurs. Sûrement un neveu ou un petit-cousin en pleine crise d'adolescence. J'observe ce spectacle touchant un peu en retrait et vois Gabriel disparaître dans la foule, accaparé par d'autres invités.

OK, je ne vais pas le revoir de sitôt...

Je décide de me diriger vers l'appétissant buffet multicolore que j'aperçois près du pool house. Des serveurs hawaïens m'accueillent en me glissant un collier de fleurs autour du cou et en me proposant une sorte de punch orange vif très rafraîchissant. Je picore sur un plateau que l'on me présente des gambas à l'ananas et au gingembre qui sont à tomber par terre ! Trois musiciens jouent du ukulélé un peu à l'écart et je m'assieds sur un joli banc de pierres pour profiter du mini-concert. Il règne une atmosphère légère, un bonheur presque insolent. Je suis dans une autre dimension. Un peu seule, peut-être, mais émerveillée.

Eve vient me rejoindre, l'air à peu près aussi enjoué que l'ado de tout à l'heure, et lève les yeux au ciel à mon attention, au cas où je n'aurais pas compris qu'elle s'ennuie. Elle s'assied à côté de moi sur le banc, se lance dans un monologue mi-anglais mi-français sur les vertus aphrodisiaques du gingembre et je lui tourne légèrement le dos pour me replonger dans l'envoûtante musique. Eve ne se décourage pas et se met à tracer du bout de l'index les reliefs de ma colonne vertébrale.

– Qu'est-ce que tu fais ?
– J'essaie de m'occuper…
– En dessinant sur mon dos ?
– J'avais d'autres idées, chérie.
– Tu devrais lever le pied sur le punch… chérie !
– Je ne suis pas saoule, j'ai envie de m'amuser. On s'ennuie ici.

Elle chouine, maintenant ?

– Viens, on va se baigner !
– Oui, Eve, grande idée ! Tu n'as pas de maillot et moi

non plus.

– Pour quoi faire ? J'ai très envie de te voir nue.

– Personne ne se met nu, personne ne va se baigner.

– Tu étais moins pudique hier soir, chérie. Allez, viens, elle est bonne !

Elle vient d'enlever une de ses chaussures, trempe son pied dans l'eau de la piscine et finit par m'arroser en riant. Quelques invités tournent des yeux étonnés vers nous et mon chemisier bleu ciel mouillé par endroits me colle à la peau en laissant apparaître mon soutien-gorge à pois.

Génial !

Je vais la noyer…

Eve revient vers moi, les yeux rivés sur mes seins et son sourire carnassier aux lèvres. Elle approche sa main de mon premier bouton en chuchotant :

– Tu peux l'enlever maintenant. J'ai envie de t'embrasser, ça va tous les dérider. J'ai envie de fun…

– Non, tu as envie d'attirer l'attention. Et je ne vais sûrement pas te servir d'alibi.

Je me lève pour m'éloigner de la folle aux cheveux rouges, pas sûre que ce soit très bon pour mon image de marque. Ma dernière remarque un peu sèche l'a vexée, elle me regarde froidement avec un air de garce qui prépare sa vengeance…

– J'ai envie de sexe, Amandine !

Cette fois, Eve a prononcé cette phrase un ton au-dessus, presque en criant, et ce n'est pas passé inaperçu. Le silence se fait autour de nous. Elle plaque sa main sur sa bouche comme une petite fille faussement désolée de sa bêtise… Et reprend ses provocations en me passant un bras autour du cou et en m'embrassant sur la joue pour faire de moi sa complice. Je sens des dizaines de regards braqués sur nous, je ne sais plus où me mettre. Au moment où je me dégage de son emprise, je vois Silas, Gabriel et son ex foncer droit sur nous, suivis de près par l'ado boudeur.

– Vous vous amusez bien les filles ? lance le premier.

La sublime liane noire nous adresse un regard plein de reproches tandis que celui de Gabriel semble plutôt curieux et intéressé par notre nouvelle complicité.

Si tu t'imagines un plan à trois, tu te fourvoies, Diamonds !

– Je te présente Eve Miller, mon assistante, et Amandine Baumann, dont je t'ai parlé.

J'ai bien entendu ? Il a parlé de moi à son ex ?

Elle nous adresse son plus beau sourire forcé en glissant son long bras gracile autour de la taille de Gabriel puis se pelotonne contre son corps en feignant d'avoir froid. Il doit faire encore dix-huit degrés malgré la nuit qui tombe sur Los Angeles.

J'ai compris le message, c'est chasse gardée !

Tout devient confus dans mon esprit : Eve qui me saute à moitié dessus, Gabriel qui a l'air d'apprécier son petit jeu de séduction, l'ex tactile qui semble encore bien accrochée, Silas qui s'amuse de la situation et le jeune garçon qui nous fixe d'un air bizarre... Je ne sais pas si on peut faire plus malsain. Mon amant remarque mon trouble et décide de venir enfin à mon secours.

— Amande, je te présente ma sœur, Céleste.

Sa QUOI ?

— Ah, et lui, c'est Virgile. Mais ce petit sauvage ne se laisse pas facilement approcher.

Gabriel pose sa main au sommet du crâne du petit blond, qui esquive et s'enfuit en courant.

Charmant enfant...

Après un blanc interminable, Céleste reprend la main en croyant utile de me faire un dessin :

— Ça va aller ? Oui, mes frères sont blancs, je suis noire,

après déduction, je suis donc leur sœur adoptive. Mais je leur ressemble bien plus que vous le croyez.

— La diplomatie, on a ça dans le sang dans la famille, s'amuse Silas.

— Enchantée de vous connaître.

Je n'ai rien trouvé de mieux à répondre à tant de mépris et d'agressivité. Gabriel change de sujet et s'adresse directement à Eve, étrangement silencieuse et qui le dévore des yeux.

— Mademoiselle Miller. Je pense que votre présence parmi nous n'est plus nécessaire.

— Excuse me ?

— Vous avez eu un comportement parfaitement inapproprié. Vous nous quittez ce soir. Définitivement. Je vais vous faire raccompagner.

Sur ces bonnes paroles, Gabriel me prend par la main, embrasse tendrement sa sœur sur la joue et me guide à l'intérieur de la villa. Je suis abasourdie par tout ce que je viens d'entendre. Il me propose d'aller nous promener sur la plage et je lui demande si je peux d'abord me changer, pour ôter mon chemisier mouillé et surtout souffler cinq minutes, seule, dans l'intimité d'une chambre. Avant de me laisser partir, il me glisse dans la main un polaroïd qu'il sort de la poche de sa chemise. J'ignore quand la photo a été prise, sûrement à notre arrivée dans le jardin. Nous sommes tous les deux côte à côte, très proches, les yeux dans les yeux et nos sourires se répondant l'un à l'autre. Elle est magnifique. Je la range précieusement dans le petit coffre à bijoux en bois, gravé à mon prénom, que j'emmène partout avec moi depuis que ma mère me l'a offert.

Ma petite robe blanche vaporeuse a allumé une étincelle dans les yeux de Gabriel. Il ne cesse de me regarder pendant que nous marchons lentement sur le sable doux. L'obscurité, le clapotis des vagues et le parfum marin nous a tous les deux apaisés. De sa voix chaude et timbrée, il me raconte le coup de foudre de ses parents à Paris, leur installation aux États-Unis où son père a fait fortune dans les affaires, leur malheur de ne pas pouvoir avoir d'enfants, leur longue attente avant de pouvoir adopter ces deux petits jumeaux maigrelets dans une pouponnière de l'Amérique profonde, puis l'adoption de Céleste dans un orphelinat d'Éthiopie. Il m'explique pourquoi ils ont tous les trois reçus des prénoms si symboliques et pourquoi Prudence est une mère si protectrice. Je l'ignorais, mais Gabriel voue une grande admiration à ses parents et un amour profond à ses frère et sœur.

Il a donc un cœur.

Sans doute un peu troublé par ses propres confidences, et par l'émotion qui me gagne, Gabriel s'arrête subitement de marcher, me soulève du sol et me porte dans ses bras en direction de la mer, m'annonçant que c'est l'heure du bain de minuit. Il me dépose dans les vagues tièdes, toujours accrochée à son cou, et m'embrasse langoureusement pendant que nous nous enfonçons sous l'eau salée. Nous virevoltons, enlacés, dans l'océan qui semble nous avoir été réservé pour la nuit. Quand le désir nous assaille tous les deux, il me porte à nouveau pour m'allonger sur le sable. À genoux devant mon corps étendu, il enlève son T-shirt trempé de la façon la plus virile qui soit et vient se plaquer contre moi. Je bous déjà. Il remonte sur mes hanches la petite robe blanche devenue transparente, collée contre ma peau, et déchire mon string en dentelle blanche d'un geste violent. Je n'ai jamais été aussi excitée. Il attise encore mon désir par de longs baisers mouillés, féroces et salés qui me font perdre pied.

Mon amant sait me faire languir jusqu'à ce que je le supplie mais j'ai une telle faim de lui que je me retourne d'un bond pour me retrouver à califourchon sur l'énorme bosse de son pantalon. Surpris par ma témérité, il se laisse faire, et c'est bien trop rare pour que je ne profite pas de la situation. Je défais son bouton, descends sa braguette pendant qu'il fait glisser les bretelles de ma robe et m'empoigne les seins. Son sexe magistral, enfin libéré, se dresse droit vers moi et réclame mon emprise. Mon bas-ventre brûlant n'attend que ça. Je pose mes mains de part et d'autre de son visage, soulève légèrement les fesses et sens son érection me chercher. Il me conquiert enfin. Je le laisse s'enfouir dans mon intimité avec délectation, lui arrachant un grognement bestial. Notre corps à corps s'anime sur la plage déserte, nous ondulons à l'unisson dans une sensualité infinie. Soudain, ses mains sur mes seins se font plus pressantes, il me pétrit pendant que je le chevauche à une allure démente. Ses doigts quittent mes tétons durcis par ses caresses torrides et viennent se planter dans la chair de mes hanches. C'est lui qui mène la danse, désormais, et je m'abandonne au rythme infernal de ses assauts passionnés, de plus en plus débridés. L'orgasme sauvage de Gabriel explose au plus profond de moi, agitant tout mon corps de tremblements furieux. L'extase me gagne et je laisse mes cris exaltés briser le silence de la nuit noire.

La lune éclaire le torse ruisselant de Gabriel et pendant que je lâche mes derniers soupirs de plaisir, j'aperçois sur son beau visage un sourire empreint de fierté. Je souris à mon tour, repue, comblée, m'apprêtant à venir me lover dans ses bras. Je suis coupée dans cet élan de tendresse par une voix féminine, menaçante, surgissant de l'obscurité :

– C'est elle ou moi.

V

LE MESSAGER MYSTÈRE

23

LA GLACE ET LE FEU

*« C'est elle ou moi ? » Qu'est-ce qu'elle raconte ?
Et qu'est-ce qu'elle fout là ?!*

Je reconnais immédiatement la voix un peu nasillarde
et agaçante d'Eve. Mais cette fois, elle est empreinte
d'une émotion que je ne lui connaissais pas et qui fait
froid dans le dos. Qu'est-ce qui m'a pris de dire à Gabriel
d'embaucher cette fille ? Après nous avoir fait des avances
à tous les deux, elle n'a pas dû apprécier de se faire virer.
Et maintenant elle nous traque en pleine nuit, sur une
plage déserte ?

Depuis le début, je ne la sentais pas...

Quelques secondes à peine après cet orgasme iodé qui
m'a donné l'impression de couler à pic sous une vague
de plaisir, je n'ai pas totalement recouvré mes esprits. Ce
n'est qu'en croisant le regard paniqué de Gabriel que je
réalise que quelque chose ne va pas. J'ai envie de tourner

la tête pour découvrir ce à quoi je vais devoir faire face, mais la peur m'en empêche. À en croire l'expression de mon amant, Eve n'est pas venue nous faire une visite de courtoisie. Cette hypothèse se confirme au moment où l'assistante reprend la parole en collant quelque chose contre ma tempe. C'est froid. Dur. En métal.

Pitié, faites que ce ne soit pas ce à quoi je pense...

– Relevez-vous lentement. Pas de geste héroïque ou je tire !

Et merde...

J'interroge Gabriel du regard, il m'encourage à obéir. Je ne l'ai jamais vu comme ça, il a vraiment l'air effrayé. Plus pour moi que pour lui, j'en suis sûre. En prenant appui sur mes mains posées dans le sable de part et d'autre de son corps tendu, je commence à me relever. Trop vite au goût de notre agresseur qui appuie plus fortement contre ma tempe.

– J'ai dit lentement, t'as compris ou je dois te faire un dessin ?

Je suis prise de violents tremblements, je suis courbaturée de partout, j'ai froid et je sais qu'à tout moment, cette hystérique peut m'exploser la cervelle. Ma robe blanche est trempée et laisse entrevoir la pointe de mes seins. Dans un geste de pudeur, très inapproprié vu la situation, je tente de les cacher en croisant les bras. Là encore, Eve trouve à y redire et m'aboie dessus.

– Les bras le long du corps ! Ne me tente pas trop, Amandine, ça pourrait facilement dégénérer...

C'est au tour de Gabriel de se remettre sur ses pieds. Je ne sais pas comment, mais il a réussi à se rhabiller et à retrouver toute sa dignité. Je le regarde se redresser, au ralenti. Je sens une soudaine pointe de chaleur se propager au creux de mes reins.

Il faut croire que désir et terreur font bon mélange...

La voix grave et stoïque du milliardaire fait décamper ma petite voix intérieure.

– Eve, qu'est-ce que vous faites ?

– Je veux renégocier les termes de mon licenciement. J'estime que je mérite une prime.

– Dites-moi votre prix, je peux vous faire transférer la somme dès ce soir.

– Vous et votre argent... Ce n'est pas ça que je veux ! Vous êtes aveugle ou quoi ? C'est vous que je veux, depuis le début ! Il y a trois ans, je me suis offerte à vous, mais vous m'avez rejetée comme une moins que rien. Vous ne vous en souvenez pas, hein ? Avec toutes ces idiotes qui vous tournent autour en permanence, ça ne m'étonne pas... Mais moi, je n'ai rien oublié et aujourd'hui, c'est moi qui décide !

Plus elle s'énerve et plus le revolver s'enfonce dans ma peau. Je réalise qu'Eve n'est qu'une énième victime de Gabriel, de son charme, de son irrésistible aura. Une victime qui, à force de rejets et d'humiliations, a fini par perdre les pédales. Diamonds est un être unique en son genre, un homme flamboyant et, à force de trop s'en approcher, certaines se brûlent les ailes...

Ce sera sûrement mon cas...

Si je meurs aujourd'hui, ce sera à cause de lui.

– Je me souviens très bien de vous, Eve. Si je n'ai pas succombé à vos charmes, c'est qu'à l'époque je n'étais pas célibataire. Je suis l'homme d'une seule femme, quand celle-ci mérite toute mon attention. Quand elle a suffisamment de caractère et d'ambition. Une femme comme vous.

Elle bluffe, elle ne va pas quand même pas tirer, si ?!
...

– Vous me prenez pour une conne, Gabriel. Je vous ai observés, tous les deux, j'ai bien vu que ce n'était pas seulement sexuel entre vous. Je veux qu'elle dégage, qu'elle disparaisse et s'il le faut, je m'en occuperai moi-même...

Fais quelque chose Gabrieeel !

– Mademoiselle Baumann n'est rien pour moi. Seulement une distraction. Croyez-moi, Eve, je serais ravi de la renvoyer à Paris sur-le-champ. Et de vous accorder toute mon attention…

– Je connais ce genre de filles par cœur. Parce qu'elles sont jolies et innocentes, elles arrivent toujours à leur fin. Impossible de s'en débarrasser, à force de pleurnicher, elles finissent par vous convaincre de les reprendre.

– Ce n'est pas une fille comme elle que je veux, c'est une femme qu'il me faut, une vraie. Une femme comme vous, Eve.

– Prouvez-le ! C'est en l'éliminant que je saurai si vous tenez à elle ou pas… Je n'ai pas d'autre choix, elle doit mourir.

QUOI ?!

Alors qu'elle ne m'a pas adressé un regard de toute la conversation, je sens les yeux d'Eve se tourner vers moi. Vers ma tempe, plus précisément. Sa respiration se fait plus forte, je sens son corps se tendre, le métal gagne du terrain. Au moment où je ferme les yeux en craignant la détonation, j'entends le hurlement de Gabriel, si fort, si intense, si désespéré.

Pas de coup de feu. D'un coup, plus rien sur ma tempe. Je m'effondre dans les bras de Gabriel qui s'est jeté sur moi, sans comprendre ce qui vient de se passer. Mes yeux se posent sur une forme inerte, allongée sur le sol. Je reconnais les cheveux rouges de l'assistante. Et puis j'entends une voix féminine, belle, grave, intimidante.

– C'était moins une !

Céleste est là, à un mètre de nous, une bouteille de champagne à la main, enfin… ce qu'il en reste. Mon esprit complètement embrouillé reconstitue le puzzle : la sœur de Gabriel vient d'assommer Eve par-derrière et, par la même occasion, de me sauver la vie ! Mon amant et moi sommes à court de mots, à bout de souffle. Il me serre tellement fort que j'ai du mal à respirer.

– Amandine, putain, j'ai failli te perdre…

– Et moi, je n'existe pas ? Sans mon intervention, ta petite protégée ne serait plus là… Je mérite un peu de gratitude, non ?

Cette femme incroyablement belle ne manque jamais de repartie, même dans les pires situations. Elle a quasiment assisté à ma mise à mort et elle trouve le moyen de nous adresser un sourire triomphal.

Ça doit être de famille…

Gabriel finit par se détacher de moi et prend sa sœur dans ses bras.

– Merci petite peste, tu viens de nous sauver tous les deux.

– Oui, merci Céleste. Si vous n'étiez pas arrivée à temps...

Elle ne me laisse pas finir ma phrase et me rembarre immédiatement.

– De rien, Amandine. Vous devriez vous couvrir ou votre anatomie n'aura bientôt plus de secret pour moi...

Sympa.

Eve est toujours à terre, inconsciente. Céleste ne l'a pas ratée et je lui en suis immensément reconnaissante ! Pendant que le frère et la sœur appellent la police et les secours, j'essaie de lutter contre les sanglots qui me montent à la gorge. Je suis en train de réaliser que j'ai frôlé la mort. Non seulement cet homme me rend folle, de désir, d'incertitude, mais il met, sans le vouloir, ma vie en péril.

Je devrais peut-être m'enfuir, là, tout de suite et ne jamais me retourner...

Sa voix lasse et fatiguée me sort de ma rêverie. Toujours torse nu, sublime, il me tend la main, son regard électrique planté dans le mien.

– Viens, Amandine, rentrons.

Pendant un instant, j'hésite à le suivre. Je suis

complètement perdue, je ne distingue plus le vrai du faux, le bien du mal. Finalement, il saisit ma main et sans me laisser le choix, m'entraîne derrière lui. Le retour jusqu'à la luxueuse villa semble durer une éternité, je n'ai qu'une envie : qu'on m'oublie, qu'on me laisse seule, en paix. Mais Gabriel n'a aucune intention de m'offrir ce moment de solitude. J'ai à peine mis un pied dans ma chambre que les vannes s'ouvrent, se déversent. Je pleure toutes les larmes de mon corps, je suis encore sonnée par cette scène terrifiante et je n'arrive plus à me maîtriser. En bon chevalier servant qu'il est (quand il en a envie), Gabriel m'emprisonne dans ses bras et tente de calmer cette houle qui me submerge. Mais je n'ai pas envie qu'il me touche et encore moins qu'il me console ! Je m'arrache violemment de son corps, pour qu'il me lâche enfin.

— Laisse-moi, je n'ai pas besoin de toi.

Je lis sur son visage que cette phrase l'a blessé. Il ne s'y attendait pas.

Tant mieux.

— Tu m'en veux et tu en as tous les droits.

Sa voix est douce… trop douce. Il s'avance à nouveau vers moi mais je l'évite.

— Ce sont des excuses, ça ?

– Je ne sais pas, mais arrête de me fuir, ça me rend dingue et tu le sais.

– Ça fait longtemps que j'aurais dû te fuir, Gabriel. Si j'avais écouté mon instinct plutôt que mon désir, je ne serais pas passée à deux doigts de la mort.

Je viens de le toucher en plein cœur. Son visage se tord sous le coup d'un millier d'émotions. La culpabilité, la tristesse. La colère, surtout. Tout à coup, il est contre moi, il prend mon visage d'une main et, avec l'autre, il bloque mes bras dans mon dos. Je tente de me dégager, je grogne, mais il tient bon.

– Tu es à moi, tu m'entends ? Et celui qui te fera du mal, je le tuerai ! De mes propres mains…

Ses menaces me font taire, je n'ose rien répondre et de toute façon, il ne m'en laisse pas l'occasion. Ses lèvres avides viennent se poser contre les miennes et à ce simple contact, mon corps s'irradie, s'embrase. Dans ma robe trempée, je meurs de froid et de chaud à la fois. Mes poignets sont toujours prisonniers de ses mains de fer, je ne peux pas échapper à son emprise qui m'insupporte, m'exalte, m'excite. Dans un mouvement sec et brutal, il me retourne face au mur. Alors qu'il se plaque contre mon dos et tyrannise ma nuque de ses lèvres et de ses dents, mes tétons érigés frottent contre le crépi. Cette sensation est douloureuse, délicieuse, j'en ai la respiration coupée.

Sans prendre la peine de déboutonner ma robe, il me déshabille dans un élan bestial. J'entends le tissu se déchirer et avant que je ne puisse protester, il me soulève du sol et m'emmène dans la salle de bains. Malgré son empressement, il me dépose délicatement sous le jet de l'immense douche à l'italienne et ouvre l'eau. Elle est glaciale, je hurle sous la torture mais rapidement, sa bouche vient étouffer mes cris. Sa langue joue avec la mienne, s'immisce partout, caressant l'intérieur de ma bouche. Puis, il déboutonne son pantalon en lin et en quelques secondes, il se retrouve nu face à moi et je ne peux m'empêcher de désirer ce sexe érigé et monumental, de le vouloir au plus profond de moi. Alors qu'il se met à genoux et engouffre son visage dans mon bas-ventre pour dévorer mon intimité, l'eau devient tiède. Je me cambre pour aller à la rencontre de ses caresses divines et lorsque je tente de glisser ma main dans ses cheveux dorés, il l'intercepte et la plaque contre le mur de galets.

Monsieur tyran est à nouveau de retour !

Très vite, je perds totalement pied. La pièce semble tourner autour moi, je ne sais plus où je suis, ni comment je suis arrivée là. Je le supplie d'aller plus loin, plus fort, je gémis, je halète, mon clitoris est en feu, je suis à deux doigts de jouir. Lorsqu'il sent mon orgasme imminent, mon amant infernal se relève, me soulève du sol en plaçant mes cuisses autour de sa taille et m'empale en grognant légèrement. Il coulisse en moi tout doucement, d'abord. L'eau est brûlante maintenant et coule sur nos corps imbriqués comme s'ils ne faisaient qu'un. Son visage vient se placer tout près du mien et il me susurre des mots qui me font perdre la tête. « Tu es si belle », « Ne me résiste plus jamais », « Je veux te faire jouir, encore et encore »...

Vos désirs sont des ordres...

Il accélère progressivement le rythme et, dans mes profondeurs, sa virilité semble s'épanouir à chaque poussée. Ses va-et-vient me donnent le tournis et me font atteindre un plaisir sans précédent. Tout en me pénétrant, ses dents viennent délicieusement se planter dans le creux de mon épaule alors que sa main parcourt mes seins, les soupèse comme s'il les découvrait pour la première fois. Lorsqu'il s'attaque à mes tétons, cette douce persécution m'arrache un gémissement bestial qui déclenche notre jouissance. L'orgasme nous assaille, en même temps, long, chaud, palpitant, renversant. À bout de souffle, Gabriel et moi restons dans cette position pendant de longues secondes, avant qu'il ne vienne déposer un tendre baiser sur mes lèvres et mes pieds sur le sol.

– Je préfère ça, Amande... Allons dormir.

Encore hébétée par tous les événements de la soirée, je le laisse m'emmener jusqu'au lit. Je m'écroule sur le matelas moelleux et m'enveloppe dans les draps, contre le corps encore brûlant de mon amant. J'ai très envie de lui parler, de lui expliquer pourquoi ces mots si durs m'ont échappé, mais le sommeil m'emporte immédiatement.

Quand je sors de mon semi-coma réparateur, il fait grand jour. J'entends des voix au loin, dont celle de Gabriel. J'hésite entre flâner au lit ou aller voir ce qui se passe et finalement, ma curiosité l'emporte. J'attache mes cheveux, j'enfile ma nuisette grise, un gilet blanc et des petites sandales. En sortant de la chambre, je découvre que la mystérieuse conversation a lieu à l'autre bout du couloir. Je m'y rends discrètement, après avoir vérifié que personne n'était dans les parages. Arrivée à la porte en question, j'entends mon nom…

– Tu crois vraiment qu'Amandine est faite pour toi ? Tu te voiles la face, Gabriel !

Céleste. Encore elle…

Elle t'a sauvée, rappelle-toi. Accorde-lui au moins le bénéfice du doute !

Oui, bon…

– Elle me fait du bien.

Du bien ? Qu'est-ce que ça veut dire du bien ? Du bien comment ?

– Si c'est une petite aventure sans lendemain ou même un plan cul, ça va. Si c'est plus, t'es un salaud.

Pardon ? Un plan quoi ?!

— Tu me donnes des leçons maintenant ? Tout ça ne te regarde absolument pas !

— Si, justement, ça me regarde. C'est malsain tout ça, et indigne de toi.

— Arrête avant que je m'énerve. Je sais ce que tu vas dire, ne va pas jusque-là, Céleste…

— Tu ne dois pas l'oublier. Ni la remplacer… Tu as promis.

Mais de qui elle parle ?!

— Félicitations, tu as appuyé là où ça fait mal.

Ça te satisfait, j'imagine ?

— Tu sais que je ne veux que ton bien Gabriel, je suis ta sœur…

— Oui, ma sœur. Et je te prierai de t'en tenir à ce rôle. Tu n'es ni ma mère, ni mon psy.

— Mais…

— Mais rien du tout ! Tu ne crois pas que les derniers jours ont été assez difficiles comme ça ? Arrête avec tes grands discours, fiche-moi la paix Céleste.

La conversation est arrivée à sa fin. Je déguerpis sans faire de bruit et regagne ma chambre. Enfin, notre chambre.

Notre chambre. Mmh, cette idée me plaît…

Tout doux, Amandine. Et c'est qui cette fille dont parlait Céleste ?

Quand Gabriel me rejoint, je suis à nouveau dans le lit, nue comme un ver. Je suis d'humeur câline, je ne veux penser à rien, ni à la scène traumatisante de la plage, ni à cette conversation étrange. Quand il me découvre dans mon plus simple appareil, il esquisse un sourire mutin. Il vient déposer un baiser frais sur mes lèvres, son haleine sent la menthe. Ça me donne des idées, mais lui est ailleurs. Quand il me propose de descendre pour le petit déjeuner, je fais la moue mais il ne remarque rien. Son duel matinal avec sa sœur trotte probablement encore dans son esprit… Au passage, il m'annonce qu'Eve a été internée en hôpital psychiatrique et qu'elle n'est plus autorisée à quitter les États-Unis.

Dans l'avion qui me ramène à Paris, j'ai encore du mal à repenser à tout ça. Je suis confortablement installée en première classe : cette fois je n'ai pas refusé ce cadeau de la part de mon bel et richissime amant. Deux heures plus tôt, Gabriel m'a déposée à l'aéroport et m'a serrée contre lui tendrement, avant de retourner au volant de son 4 X 4 BMW.

Ça va, il ne t'a pas dit « je t'aime » non plus !

Me séparer de lui est de plus en plus dur, mais j'ai hâte de retrouver ma petite vie paisible (où les armes à feu n'ont pas leur place) et de revoir Marion, Camille et Émilie. En cherchant les écouteurs de mon iPod dans mon sac, je tombe sur une petite feuille blanche, pliée en deux. Mon sourire remonte jusqu'à mes oreilles : je suspecte Gabriel de m'avoir fait une surprise… Le message dit : Il ne sera jamais à toi, ne te méprends pas.

24

RÊVES ET DÉSILLUSIONS

Marion est là, au milieu de la foule, au moment où je descends de l'avion. Je ne veux rien lui cacher, je compte tout lui raconter dans les moindres détails. À l'exception de mes ébats, madame fait la prude lorsqu'il s'agit de Gabriel. Pourtant, si mes souvenirs sont bons, c'était bien elle qui m'interrogeait sans cesse sur ma vie sexuelle lorsque je sortais avec Ben… Dans le taxi qui nous ramène dans le 12e, la conversation fait penser au scénario d'un mauvais film.

– Un flingue sur la tempe ?! T'es pas sérieuse ?
– Si. Et sans la sœur de Gabriel, tu serais en route pour mon enterrement.
– Non mais réagis ! Ce mec est toxique !

Tiens tiens, j'ai déjà entendu ça…

– Largue-le, Amandine, ça va mal finir tout ça.

Ce qu'elle marmonne m'agace profondément, Marion est une vraie drama queen, mais elle a l'air sincèrement inquiète donc je garde mes réflexions désobligeantes pour moi.

Pour l'instant en tout cas...

— Et ce mot alors ? Qui l'a écrit à ton avis ?

— Je ne vois qu'une possibilité : Eve. Elle a dû le glisser dans mon sac à main avant son coup de folie sur la plage.

— Ouais, possible. Et tu es sûre qu'elle ne va pas s'échapper de son hôpital psychiatrique, cette tarée ? Je te veux vivante, moi !

— Gabriel a embauché des hommes pour la surveiller. De toute façon, elle va rester à l'asile pendant plusieurs mois, je suis tranquille de ce côté-là.

C'était il y a neuf jours. Depuis, Marion n'a que « Eve », « flingue » et « oublie-le » à la bouche. À certains moments, mes doigts me démangent. Comme une envie de lui arracher la langue ou de lui coudre les lèvres... Je ne suis pas violente, je ne l'ai jamais été, mais ma meilleure amie sait me pousser à bout comme personne. Et son comportement ne m'aide absolument pas à penser à autre chose qu'à cet homme qui m'obsède. Il me hante jour et nuit, quoi que je fasse, il est toujours dans un coin de ma tête.

Besoin d'une lobotomie !

La grisaille parisienne me déprime. Ça fait neuf jours que je suis rentrée de Los Angeles et que je suis en manque de lui, de ses bras, de ses yeux, de sa voix qui me font chavirer. Neuf jours que j'ai atterri sur le sol français, mais qu'une partie de moi est restée là-bas. Après avoir vu la mort de si près, je n'étais pourtant pas fâchée de retrouver mon monde paisible et sécurisant, mes amis normaux, mon stage un peu ennuyeux mais réconfortant. Je pensais avoir plusieurs jours de répit, mais au bout de 24 heures, je n'en pouvais déjà plus d'être loin de lui. Pas un coup de fil, pas un e-mail, pas une lettre… rien. Il faut croire qu'il m'a déjà oubliée. « Amandine, j'en ai fait le tour, à la suivante ! » Il faut dire qu'il ne manque pas de prétendantes prêtes à tout pour ses beaux yeux azur. Tant de beauté, de charisme, de perfection réunis en un seul homme, c'est révoltant !

Je le déteste !

Je l'adore…

À plusieurs reprises, j'ai dû prendre sur moi comme jamais pour m'empêcher de lui envoyer un message. Je ne veux pas faire le premier pas, passer pour quelqu'un de faible, désespéré. Son silence me rend folle, loin de lui, mon esprit s'éparpille, s'embrouille, mon corps bouillonne, se consume à petit feu. Pour me changer les idées, j'essaie de me concentrer sur le dernier dossier que m'a confié Éric. Je suis censée établir le top 10 des vins préférés des Français qui paraîtra dans la prochaine newsletter. Les grands crus fascinent, font voyager, rêver mais ils ne parviennent pas à masquer cette inquiétude qui me ronge. Je crois qu'il est temps que j'arrête de me faire des illusions : je ne suis rien pour lui. Qu'une parmi tant d'autres…

Perdue dans mes pensées, je ne remarque pas tout de suite que ma boîte mail m'indique un message non lu. C'est la voix exaspérée d'Émilie, plantée en face de mon bureau, qui me ramène à la réalité.

– Amandine, qu'est-ce que tu fiches ? Ça fait trois fois que je te demande de me forwarder le dernier mail du boss. C'est urgent !

« S'il te plaît, ma collègue chérie », c'est trop demander ?…

Elle a vraiment l'air en colère, ça ne lui ressemble pas de me crier dessus…

– Désolée, je le fais immédiatement.

Elle m'adresse un petit signe de tête, tourne les talons et s'en va aussi vite qu'elle était arrivée.

Il serait temps de prendre des vacances, mademoiselle Maréchal !

En ouvrant ma boîte électronique, je découvre que j'ai

reçu un courrier d'un expéditeur inconnu. Je refrène ma curiosité et envoie son fichu mail à Émilie, avant qu'elle ne revienne m'aboyer dessus. Une fois cette mission remplie, je clique sur le mystérieux message.

De : Anonyme
A : Amandine Baumann
Objet : …
Tic-tac, Tic-tac, ton temps est compté.

Eve a encore frappé. Ça ne peut être qu'elle ! Même à des milliers de kilomètres et enfermée dans une camisole, cette folle furieuse arrive à me ficher la trouille. Je ne devrais pas rentrer dans son jeu, ça lui ferait trop plaisir, mais c'est plus fort que moi.

Mon temps est compté ? Ça veut dire quoi ? Elle veut à nouveau me tirer une balle dans la tête ?

Après une journée fatigante physiquement et moralement, c'est avec un immense plaisir que je retrouve mon vieux canapé. Ce soir, mon programme est à l'image de mon moral : médiocre. Une douche rapide, une émission de téléréalité débile mais divertissante, une pizza décongelée trop cuite et sans goût et direction mon lit. Ce n'est pas dans mes habitudes de me coucher à 22 heures, mais j'ai hâte que cette satanée journée se termine. Je m'endors rapidement, épuisée par mon immense lassitude. Une fois encore, il est présent dans mes rêves, dominant, ardent, brûlant. Évanescent. À minuit et demi, je suis réveillée par le bip de mon téléphone portable.

Marion ou Camille, à tous les coups. Laissez-moi dormir !

À contrecœur, je saisis mon iPhone et j'ouvre mes SMS. Surprise…

[Je serai à Paris samedi. Je passe te prendre à midi.]

C'est bien lui, pas de doute, je reconnais son éloquence légendaire… Je vais le revoir. Dans deux jours, je l'aurai rien que pour moi. Mon cœur bat la chamade, mon estomac fait des bons, mon bas-ventre palpite.

[Vous m'avez manqué, monsieur Diamonds. J'ai cru que vous m'aviez oubliée.]

[Votre imagination vous joue des tours, Amande douce.]

[Vous m'avez délaissée trop longtemps. En neuf jours, nous sommes devenus des étrangers.]

[Des étrangers ? Vous ne pourriez pas être plus loin de la vérité…]

[Je sais si peu de chose sur toi, Gabriel…]

[Je n'aime pas parler de moi mais j'exige d'en savoir plus sur toi.]

[Ça dépend quoi…]

[Tu connais déjà mes frères et sœurs, tu as une longueur d'avance. Présente-moi l'un des tiens. Samedi.]

[Tu rigoles ? Tu ne sais pas à quoi tu t'exposes…]

[Je suis très sérieux.]

[Je ne peux rien promettre. Deux jours pour tout organiser, c'est court.]

[Bonne nuit, mon Amande. Ne me déçois pas. Je compte sur toi.]

Il a l'art de me mettre la pression…

Et de me rendre insomniaque !

Camille est partante, mon petit frère je n'y pense même pas, je tiens à le laisser en dehors de tout ça. Le rendez-vous est donné au lac Daumesnil pour un pique-nique printanier. Je suis une boule de nerfs. Pas sûr que le courant passe entre mon amant multimilliardaire et ma grande sœur multipersonnalités. Ceci dit leurs multiples facettes et leurs caractères lunatiques leur font au moins un point en commun !

On se rassure comme on peut...

J'ai prévenu ma sœur : interdiction de faire des révélations humiliantes, de parler de ma période hippie, de raconter mes frasques d'adolescente ou mes histoires chaotiques avec mes ex petits copains. Je la connais, elle aura du mal à tenir sa langue, mais elle m'a promis de faire un effort. Venant d'elle, c'est déjà beaucoup ! Heureusement, mon neveu Oscar sera là et son adorable bouille devrait détendre l'atmosphère...

Quand il sonne à l'interphone à midi pile, je suis en train de mettre un point final à ma tenue. On est presque en avril, mais le temps est frisquet. J'ai abandonné l'idée de mettre une robe printanière et ai opté pour une robe-pull couleur taupe, une veste cintrée, des collants chair et des bottines en daim à talons. Peu de maquillage, un bracelet en ivoire hérité de ma grand-mère paternelle, une queue de cheval haute et le tour est joué. Je dévale les marches à toute vitesse pour aller à sa rencontre. Il est là, en jean brut et veste en cuir, adossé à sa voiture, sublime, magistral, hypnotisant. Je marque un temps d'arrêt, soufflée par l'intensité qu'il dégage, puis je fonce sur lui pour me blottir dans ses bras. Il rit de bon cœur en découvrant mon émotion et m'embrasse fougueusement. En sentant sa langue caresser la mienne, je perds totalement le contrôle. Il finit par me repousser, tout aussi renversé que moi par ce baiser.

– Chaque chose en son temps, petite gourmande. Je ne tiens pas à faire attendre ta sœur.

– Dommage…

Il me lance un regard amusé, puis me fait signe de monter dans la Mercedes grise. Je m'exécute. Là, il se penche vers moi, me fixe de ses yeux menaçants, approche son visage du mien comme s'il allait m'embrasser, se mord la lèvre tout près des miennes et quand je plonge pour obtenir ce baiser tant désiré, il s'échappe pour attraper ma ceinture et la boucler. Très fier de lui, il savoure le regard noir que je lui envoie et il fait semblant de s'expliquer.

– La sécurité avant tout, Amande…

Allumeur…

Camille est là, assise sur une couverture à carreaux, Oscar est sur ses genoux. En nous voyant arriver, elle se lève et s'avance dans notre direction, tout sourire. Je remarque que son regard se pose sur Gabriel et ne s'en décroche plus. Impressionnée par la beauté de mon amant, elle perd tous ses moyens au moment de le saluer. La scène est presque comique. Le milliardaire lui dit bonjour poliment, elle lui bredouille quelques mots confus et son fils réclame immédiatement mes bras. Quand Gabriel caresse tendrement la joue du petit garçon, je fonds littéralement. Je ne l'avais jamais vu faire preuve d'autant de douceur. Nous nous installons sur le plaid, tous collés les uns aux autres et je m'étonne que cette proximité soit au goût de monsieur le milliardaire. Pendant que je discute de tout et de rien avec ma sœur, il sort le contenu de son immense panier en osier. Une bouteille de San Pellegrino, une autre de champagne Taittinger, trois flûtes, des petits canapés merveilleusement dressés, des légumes à croquer, des macarons Ladurée et des gariguettes.

Rien que ça !

Camille écarquille les yeux, avant d'accepter la coupe de champagne que lui tend mon amant. Et puis, sans y aller par quatre chemins, elle aborde les sujets qui fâchent en prenant bien soin de mettre les pieds dans le plat...

– Alors Gabriel, qu'est-ce que vous attendez de ma petite sœur ?

Grrr !

Lui, à son habitude, ne se laisse pas démonter. Au contraire, je perçois une petite lueur de plaisir sadique dans son regard.

– C'est une bonne question, Camille. Mais demandez-lui plutôt ce qu'elle attend de moi...

Tous les regards se tournent dans ma direction. Sauf

celui d'Oscar, trop occupé à cueillir des brins d'herbe.

– Ça a l'air délicieux tout ça ! On attaque ?

Ma réponse fait sourire Gabriel. Camille, elle, repart à la charge.

– Vous êtes ensemble ? C'est officiel ?

Camille, tu vas le regretter…

– Arrête avec tes questions, tu es trop curieuse…

Gabriel ne me laisse pas le temps de continuer.

– J'imagine qu'en tant que grande sœur, vous cherchez à protéger Amandine, mais il me semble qu'elle est assez grande et assez indépendante pour le faire elle-même. Cela dit, cette conversation est très amusante. Votre sœur a son petit caractère, elle ne se laisse pas faire mais elle rougit pour un rien et nous en fait actuellement la démonstration.

– Stop ! Je propose qu'on change de sujet de conversation. Camille, comment va Alex ? Il n'a pas pu venir aujourd'hui ? Il bosse ?

Aïe, je crois que je viens de toucher un point sensible…

– Il n'est pas là parce qu'on traverse une sale période et qu'on a besoin de prendre un peu nos distances. Quelle idée on a eu de se marier… C'était bien plus simple avant.

Cette fois, c'est une lueur de compassion qui traverse le regard de mon milliardaire. Camille, elle, semble gênée de s'être confessée de la sorte.

– Je suis d'accord avec vous, Camille. J'espère que dans votre cas, ce n'est qu'une mauvaise passe, mais je suis persuadé que le mariage brise les couples au lieu de les unifier. La plupart, en tout cas. C'est pour ça que je ne compte pas tenter l'expérience. Ni avoir d'enfant, même si le vôtre est absolument craquant.

– Jamais ?

J'ai parlé trop fort, profondément choquée et révoltée par ce que je viens d'entendre.

– Jamais.

De retour dans la Mercedes, j'ai du mal à cacher ma tristesse. À travers les vitres teintées, je vois les rues défiler mais mon esprit est en pause. J'ai tenté de faire bonne figure pendant tout le pique-nique, mais maintenant que Camille et Oscar ne sont plus là, impossible de contenir mes émotions. Gabriel est plein de petites attentions, il sait probablement pourquoi je suis dans cet état, mais apparemment, il n'a aucune envie d'aborder à nouveau le sujet.

– On va chez toi, Amande amère ?

– Pour quoi faire ? Tu n'as pas d'autres gens à voir plutôt que de perdre ton temps avec moi ?

– Arrête tes bêtises, je suis venu à Paris juste pour toi.

– Céleste avait raison, t'es un salaud, je suis juste un plan cul…

Il me dévisage, horrifié par ce qu'il vient d'entendre. Il réalise que ce matin-là, à Los Angeles, je n'ai rien raté de sa dispute avec sa sœur et ça ne lui plaît pas du tout. Ou alors c'est l'histoire du plan cul qui le rend furieux. Il se gare en un mouvement fluide sur une place livraison et éteint le moteur. Son regard est dur, froid, assassin. J'essaie de rester forte mais cette confrontation me fait monter les larmes aux yeux. Au bout de quelques secondes, je renonce à ma dignité, je me décompose, laissant mes larmes couler à flot. Soudain, ses yeux ne me fusillent plus et laissent entrevoir une autre nuance, plus douce, plus tendre.

– Ne pleure pas, Amandine, ça me fait si mal…

Du bout de ses lèvres, il arrête les larmes qui coulent sur mes joues. Il capture mon visage entre ses mains et embrasse mon front, mon nez, mes pommettes, mon menton. Il vient plaquer sa bouche contre la mienne et à l'aide de sa langue, il l'entrouvre délicatement et pénètre à l'intérieur. Je ne peux réprimer un grognement de plaisir et immédiatement, je sens son corps se tendre, son baiser devient plus pressant, plus avide. Je ne sais plus où j'en suis, dois-je me laisser faire ou résister, oublier ou m'imposer ? Quand ses mains me parcourent, remontent le long de mes cuisses, empoignent mes seins, caressent mon cou, je capitule. Je ne me pose plus de question, mon corps devient plus réceptif, je suis entièrement à sa merci.

Mon bas-ventre prend feu, je le veux en moi, là, tout de suite. Peu importe que l'on soit dans une voiture, en pleine rue, que la nuit ne soit pas encore tombée. Tous mes sens sont en émoi, en attente des doux sévices qu'il va m'infliger. Ce baiser est sans fin, la respiration de Gabriel s'accélère, comme moi, il est à bout de souffle. Finalement, ses lèvres s'arrachent aux miennes brutalement. Son regard se noie dans le mien, cette fois dénué de tendresse mais rempli d'un désir fou, menaçant.

– Dis-le.
– Je te veux.
– Plus fort !
– JE TE VEUX !

Avec une aisance et une légèreté incomparables, il se positionne sur moi. En un clic, il baisse mon siège et je me retrouve allongée sous son corps brûlant. Pendant que ses dents s'attaquent à mon épaule, ses mains expertes remontent ma robe et déchirent mon collant au niveau de mon entrejambe.

Pas de doute, il a du métier…

Il fait taire ma petite voix intérieure en écartant mon string et en enfonçant deux doigts dans mon intimité trempée. Alors qu'il entame un va-et-vient qui me fait perdre la tête, je déboutonne son jean et sors son sexe érigé de son boxer. Je le caresse en adoptant le même rythme, jusqu'à ce qu'il s'empare de ma main et la plaque derrière le siège. Puis il retire ses doigts en m'arrachant un cri et vient se planter au plus profond de moi. Mes gémissements sont longs et plaintifs alors qu'il me pénètre sauvagement. Tout son corps est crispé, son sexe dur et immense coulisse en moi, il tient la cadence sans montrer de signes de faiblesse, la tête enfouie dans mon cou. Je sens mon plaisir monter à une vitesse folle, l'orgasme n'est pas loin, je halète, je me mords les lèvres d'impatience, je veux ressentir cette jouissance, je n'en peux plus d'attendre. Tout à coup, un bruit insistant vient interrompre nos ébats passionnés. On frappe contre la vitre.

– Police ! Il y a quelqu'un dans le véhicule ?

25

LES PIEDS DANS L'EAU

– Merci messieurs, bonne fin de journée.

Je n'en reviens pas. Une fois de plus, Gabriel a réussi à retourner la situation à son avantage. Plutôt que lui coller une amende pour stationnement interdit, les deux policiers se sont quasiment prosternés devant lui. Je suis restée dans la voiture pendant que mon amant se rhabillait en quatrième vitesse et sortait pour s'entretenir avec eux, me laissant seule et terriblement frustrée d'avoir été privée de ma jouissance. Cet orgasme qui s'annonçait était plein de promesses...

Alors que mon corps tente de se remettre de ses émotions, notre conversation chaotique me revient à l'esprit.

Une fois de plus, je suis allée trop loin...

Tu t'attendais à quoi ? « Il l'emmena sur son cheval

blanc, l'épousa et lui fit plein d'enfants ?»

Pathétique…

Je n'ai pas le temps de ressasser davantage, mon milliardaire revient s'asseoir à côté de moi dans la Mercedes intérieur cuir. Son regard m'interroge, comme s'il pouvait lire dans mes pensées les plus secrètes. Je lui adresse un petit sourire pour faire bonne figure, il me caresse la joue du revers de la main et démarre la voiture en faisant gronder le moteur. Quinze minutes plus tard, il me dépose en bas de chez moi et après un baiser bien trop léger à mon goût, il s'en va sans demander son reste. Cette journée a pompé toute mon énergie. Avant de descendre, je n'ai pas eu la force de batailler, de lui demander des comptes. Je ne suis vraiment pas d'humeur à me faire envoyer sur les roses… piquantes.

En enlevant mes collants déchirés et ma robe froissée, je me demande combien de temps va s'écouler avant que Gabriel ne daigne m'offrir à nouveau sa compagnie… et son corps. Je l'ai quitté il y a quelques minutes à peine, mais déjà, le manque de lui me pèse douloureusement. Marion se moquerait en disant : « C'est beau, l'amour ! »

Ne t'engage pas sur cette voie, Amandine.

Ces retrouvailles ont été trop courtes, tout est allé trop vite, je n'ai pas pu savourer ces moments si forts. Une fois de plus, j'ai l'impression d'avoir été utilisée, puis laissée sur le bord de la route. Je sais que Gabriel et moi avons encore des milliers de choses à vivre, mais lui, le sait-il ? La peur refait surface, elle n'est jamais loin mais s'arrange toujours pour me surprendre dans les pires moments. J'ai besoin qu'il me rassure. Me donner une preuve d'amour, je sais qu'il en est incapable. Il est trop au-dessus de tout pour se laisser aller à un sentiment si humain, si banal. Je dois me faire une raison : le cœur de cet homme, si tant est qu'il en ait un, ne m'appartiendra jamais. Mes propres pensées sont dures à entendre, mais je n'ai d'autre choix que les accepter. Je suis lasse de trop réfléchir, d'analyser, de disséquer tous les moments passés à ses côtés. Machinalement, j'attrape mon portable posé sur ma table basse et je rédige un SMS franc, direct, sans fioritures.

[Reviens, s'il te plaît.]

J'appuie sur Envoyer sans me poser de questions. Pour une fois, je n'ai pas envie de jouer, pas envie de le provoquer, de le piquer au vif. Je veux qu'il fasse demi-tour, qu'il vienne frapper à ma porte. Je veux m'engouffrer dans ses bras, sentir la chaleur de sa peau et inhaler son parfum musqué. M'endormir contre lui et enfin, trouver la sérénité.

Quatre jours plus tard, mon message est toujours sans réponse. Je réalise que je ne suis rien pour lui, qu'il se fiche royalement de la petite stagiaire transparente que je suis. Depuis quatre mois, Gabriel me fait croire à des choses qui n'existent pas. Je suis anéantie, son silence me blesse, son indifférence me brise le cœur. À choisir, je préférerais être en colère, ressentir de la haine, même. Mais depuis samedi, c'est la tristesse qui m'habite.

Là je touche le fond…

Le fond de quoi, on ne le saura pas…

Mon anniversaire approche mais je n'ai aucune envie de le fêter. Ça fait trois jours que Marion essaie tant bien que mal de me changer les idées, de me redonner le sourire, mais c'est peine perdue. Après une interminable journée de boulot, elle me traîne dans les magasins pour une séance shopping.

— Arrête de t'apitoyer sur ton sort et mets-y du tien, Amandine, il faut qu'on te trouve une robe !
— Pour quoi faire ? Je n'en ai pas besoin !

Attention Marion, je mords…

— J'ai une surprise pour toi. Je comptais la garder plus longtemps, mais vu ton état… T'es prête ?
— Mmh…
— Samedi matin on décolle pour le paradis et on va fêter ton anniversaire au soleil !
— Pardon ?
— Tu n'as pas le choix. J'ai tout réservé, décollage à 9 heures !

– On va où ?

– Mmh, j'hésite à te le dire. J'ai besoin d'un peu plus d'enthousiasme de ta part…

Elle m'agace, elle m'agace, elle m'agace…

– Bon allez, trop de suspense tue le suspense : vamos a Ibiza !

Ibiza… Je dois l'avouer, j'ai toujours rêvé d'y aller. Cette surprise me fait un peu de bien et grâce à Marion, je vais pouvoir fêter mes 23 ans comme il se doit. Niveau excitation, elle est au top et son hilarité commence à me gagner… Heureusement qu'elle est là !

« Les passagers à destination d'Ibiza sont invités à se présenter à la porte C pour un embarquement immédiat. » Ça fait maintenant sept jours que je n'ai plus de nouvelles de Gabriel. Certes, ce n'est pas la première fois qu'il me fait le coup, mais son silence me torture et me détruit un peu plus à chaque fois. En montant dans l'avion low cost au bras de Marion, je tente de me concentrer sur le présent, sur ce magnifique cadeau qu'elle me fait, sur l'amitié sincère qu'elle m'offre depuis des années. Ce soir, après les douze coups de minuit, j'aurai un an de plus et je me réjouis déjà du programme du week-end : séances de bronzage, dégustations de fruits de mer et de cocktails, sortie en boîte et si tout va bien, gueule de bois légère demain matin.

Trois heures et demie plus tard, Marion gare notre

petite voiture de location devant un immense et magnifique portail en fer forgé. Il fait vingt-quatre degrés, douze de plus qu'en France. Après s'être changée rapidement à l'aéroport, on a roulé presque une heure pour s'enfoncer dans l'arrière-pays, digne des plus beaux coins de Méditerranée, lumineux, sauvage et préservé. Très loin du cliché auquel je m'attendais… La pinède s'étend à perte de vue, le dépaysement est total et me permet de décrocher. Depuis que nous avons atterri, Gabriel ne monopolise plus mes pensées.

– Il ressemble à ça ton club de vacances ?
– Heu, finalement on va chez l'habitant. J'ai réussi à louer une petite chambre dans cette propriété haut de gamme.
– Haut de gamme ? On dirait plutôt un palace !
– Si ça ne te convient pas, on peut toujours planter une tente sur les dix hectares de terrain…

Après avoir ouvert le portail, Marion reprend le volant et nous conduit jusqu'à la demeure. Le jardin, ou plutôt le parc, est incroyable. Derrière ma vitre, je vois défiler des centaines d'arbres fruitiers, des cascades artificielles, des statues colossales. Pas de doute, ma meilleure amie m'a sorti le grand jeu ! Au bout du chemin en gravier, je découvre, époustouflée, l'immense maison à la fois contemporaine et, je le devine, inspirée des fincas traditionnelles. Elle est entourée par une somptueuse piscine à plusieurs niveaux qui reflète la blancheur des murs échaulés. En voyant ma tête, Marion éclate de rire.

– Respire un coup, Amandine ! Attends de voir l'autre côté de la maison, avec vue sur mer.

En gravissant les marches qui mènent à la demeure, je me sens revivre. J'ai bien fait de craquer pour cette petite robe corail, plissée et ceinturée à la taille. Le soleil qui tape sur mes épaules et mes jambes nues me procure une délicieuse sensation de bien-être. Je me sens légère, en harmonie avec ce cadre idyllique. En arrivant à la grande porte, Marion me demande de passer devant elle.

– Après vous, mademoiselle Baumann.

La double porte pèse une tonne, je dois m'y reprendre à deux fois avant qu'elle daigne s'ouvrir. J'ai à peine fait un pas à l'intérieur du hall magistral que mon cœur s'arrête et ma tête explose…

– SURPRISE !

Je vois tout et je ne vois rien. Face à moi, une vingtaine de personnes m'accueille les bras ouverts, en hurlant mon nom et d'autres choses incompréhensibles. Je suis sous le choc, je ne comprends plus rien mais je reconnais tous ces visages familiers. Un peu à l'écart de cette foule hilare, Gabriel me fixe de son regard perçant et joueur. Avant que je puisse lui adresser un signe de reconnaissance, Marion me saute dessus.

– Tu ne t'y attendais pas à celle-là, avoue ! Gabriel a tout organisé pour te faire la surprise de ta vie...

Il a réussi...

Voilà pourquoi il m'a ignorée pendant une semaine !

Je retire tout ce que j'ai dit sur lui ! Il est généreux, attentionné, merveilleux...

– Amandine, ça va ? Tu ne vas pas nous faire un infarctus ?!

Ma sœur Camille est face à moi et tente de me sortir de ma torpeur. En la prenant dans mes bras, je remarque la présence d'Alex et Oscar, de Céleste et Silas, de ma collègue Émilie, de Tristan, le frère de Marion et d'amis que je n'ai pas vus depuis des lustres. Je croise le regard de Louise, mon amie d'enfance avec qui j'ai partagé tant de choses en grandissant.

Elle est là ? Incroyable !

Je salue et remercie chaleureusement chacun des invités. Je suis profondément émue qu'ils aient tous fait le trajet jusqu'à Ibiza pour célébrer mon anniversaire. Tous trouvent un petit mot touchant et personnel à m'adresser, ce qui me donne encore plus envie de pleurer. J'essaie de rester digne, mais ils ne me facilitent pas la tâche avec toutes leurs marques d'affection ! J'ai presque fait le tour de la foule et je m'avance enfin en direction de mon beau milliardaire. Son petit sourire en coin est là, ses yeux azur également, il est incroyablement beau dans son polo Ralph Lauren rouge et son pantalon blanc en lin. Au moment où je me mords la lèvre en sentant une douce chaleur se propager dans tout mon corps, je vois une silhouette se détacher, derrière lui.

Ben ? Mais qu'est-ce qu'il fait là ?!

Mon ex vient à ma rencontre, en ignorant superbement mon amant qui se trouve sur son chemin.

– Salut Amour…

Grrr… Déjà à l'époque, je détestais ce surnom ridicule !

– Ben ? Qui t'a invité ?
– Mr Diamonds, qui d'autre ? D'ailleurs, il ne fait pas les choses à moitié, j'ai bien fait de venir !

Je cherche Gabriel du regard, il a disparu. Il doit être furieux… Il ne savait probablement pas qui était Ben. D'ailleurs, mon ex n'a pas changé, il est toujours aussi agaçant. Il passe son temps à me détailler de la tête aux pieds et à m'adresser des clins d'œil déplacés.

Erreur de casting. Quand je pense que je suis restée six mois avec lui…

– T'as perdu ta langue, Amour ? À l'époque, j'avais du mal à te faire taire !

– Je suis étonnée que tu sois là, c'est tout. On n'est plus ensemble, on ne se parle plus, quel intérêt de venir ?

– J'avais envie de te revoir. Et plus si affinités… Tu as l'air tendue, je pourrais peut-être arranger ça. Je ne t'ai jamais vue aussi sexy, ça me donne des idées…

Il se rapproche dangereusement de moi et plonge ses yeux dans mon décolleté.

Ma main dans ta figure, ça, ce serait une bonne idée !

– Benjamin, c'est bien ça ? Je crois qu'une coupe de champagne vous attend du côté du buffet…

Gabriel vient de surgir de nulle part. Sa voix est autoritaire, tranchante, son regard assassin. Apparemment, il a tout vu et tout entendu. Et ça ne lui a pas plu…

– Merci Mr Diamonds, mais je viens de retrouver Amour et j'ai plein de choses à lui dire.

Mon ex n'a jamais aimé qu'on lui donne des ordres. Gabriel ne se démonte pas, comme à son habitude. Il passe un bras autour de mes épaules et me colle à lui. J'ai l'impression d'être le trophée dans ce combat de coqs.

– Amour passé, monsieur Schmidt. Amandine a tourné

la page depuis bien longtemps, vous devriez faire de même.

– Pardon ?

– J'insiste, monsieur Schmidt. Allez donc boire un verre pour vous rafraîchir.

Pendant de longues secondes, leurs regards se défient. C'est à celui qui montrera en premier un signe de faiblesse. Évidemment, Ben finit rapidement par baisser les yeux. Gabriel Diamonds est un homme impressionnant, à qui on ne manque pas de respect. Mon ex vient de le comprendre. Alors que l'indésirable s'éloigne en ronchonnant, mon milliardaire m'embrasse fougueusement. Je suis immensément soulagée de sentir ses lèvres brûlantes contre les miennes, mais ce geste manque un peu de douceur à mon goût.

– Doucement, monsieur le dominant.

– Obéissez à votre maître, petite impertinente.

Il presse son corps contre le mien et enserre mon visage entre ses mains. Ses yeux sont sombres, menaçants.

– Je n'ai pas du tout apprécié cet échange. Rappelle-toi Amandine, tu m'appartiens.

La sangria blanche et les mimosas coulent à flots. Le buffet a été installé derrière la maison, face à la mer. Les pieds dans la piscine à débordement, les convives savourent les mets succulents servis par les employés aux petits soins. Je fuis Ben comme la peste et tente de profiter du reste des invités. Camille s'est excusée pour son comportement lors du pique-nique désastreux, Louise m'a fait un résumé palpitant de sa vie des dix dernières années, Émilie s'est extasiée sur la beauté et le charisme de Gabriel et Tristan s'est amusé à pousser sa sœur dans l'eau. La fête bat son plein, la nuit est tombée depuis un bon moment quand je réalise que je n'ai pas eu l'occasion de discuter avec Céleste. Je la cherche un peu partout du regard et finis par l'apercevoir. Sublime dans sa longue robe en soie couleur crème, elle s'est isolée pour admirer les reflets argentés de la mer qui s'étend à perte de vue. Je tente de l'approcher discrètement, mais maladroite comme je suis, je trébuche et manque de m'étaler par terre. J'atterris dans ses bras.

– Décidément, Amandine, je passe ma vie à sauver votre peau !

Son ton est à la fois ironique et glacial. Cette femme a le don de me mettre mal à l'aise…

– Désolée. Merci encore pour… vous savez… Los Angeles.

– Vous auriez fait la même chose à ma place. Enfin, vous vous seriez sûrement cassé la figure en cours de route mais vous auriez essayé. Je me trompe ?

– …

Elle me coupe le sifflet à chaque fois, ça me rend dingue !

– Mon frère fait beaucoup pour vous, Amandine. Vous en avez conscience ?

– Oui, je lui en suis extrêmement reconnaissante. Mais je n'ai rien réclamé, j'espère que vous ne me prenez pas pour quelqu'un de vénale.

Elle commence à m'énerver avec ses insinuations…

– On peut avoir un faible pour les belles choses et ne pas être vénale pour autant, Amandine. Je me demande juste si vous savez dans quoi vous vous lancez…

– Il me semble que ça ne regarde que Gabriel et moi…

Pour une fois, Céleste Diamonds ne trouve rien à redire. Elle me fixe droit dans les yeux, songeuse. Je la soup-çonne d'être à court de reparties cassantes, dont elle a pourtant le secret. Plusieurs secondes passent, nos regards ne se détachent pas l'un de l'autre. Heureusement, Silas vient briser ce silence assourdissant.

– Salut les filles ! L'une de vous m'accorde une danse ?

Céleste a gagné, j'ai détourné le regard avant elle. Avant de filer en douce au bras de son frère, elle me fait un petit signe de tête dont j'ignore la signification.

Cette femme est un mystère…

Vers 2 heures du matin, la plupart des invités sont allés

rejoindre leur lit dans l'une des nombreuses suites de la somptueuse demeure. Je n'ai quasiment pas vu Ben de la soirée et Gabriel s'est fait très discret, sûrement pour me laisser profiter de mes proches. En le croisant dans le grand hall en marbre blanc, il m'offre un long et délicieux baiser qui réveille tous mes sens engourdis par la fatigue et l'alcool. J'ai très envie de lui, là, tout de suite, mais il calme mes ardeurs.

– Tout doux, jolie Amande, rejoins-moi dehors dans une heure.

Grrr...

J'essaie de contenir ma frustration et j'en profite pour saluer les derniers invités qui vont se coucher, prendre une douche, me remaquiller légèrement et me changer. J'opte pour un ensemble de lingerie blanc à liserés rose poudré et un kimono satiné.

Comme ça, il ne me résistera pas...

À l'heure convenue, je descends les marches sur la pointe des pieds et me rends sur la terrasse qui surplombe la Méditerranée. Gabriel est là, accosté à la barrière du ponton, beau et viril comme un dieu grec dans ce décor enchanteur. Je me sens vaciller, mes jambes sont en coton, mon cœur s'emballe, cet homme me fait un effet à la fois divin et démoniaque. J'ignore s'il perçoit mon trouble, mais il vient lui aussi à ma rencontre, comme pour me porter secours. Nos bouches se retrouvent, nos corps se pressent l'un contre l'autre, nos mains se cherchent.

– Enfin, tu es toute à moi.

Sa voix rauque résonne dans tout mon être et avant que je puisse lui répondre, ses lèvres m'en empêchent. Sa langue est avide, ses dents me mordillent, je sens mon désir grimper en flèche et je ne peux réprimer un grognement de plaisir. Mon amant prend ça pour un encouragement et du bout des doigts, il défait la ceinture de mon kimono. Il fait glisser le vêtement le long de mes épaules et de ses deux mains, il s'empare de mes seins pour les malaxer sensuellement. Cette fois c'en est trop, je gémis bruyamment, sans pouvoir me contrôler. Je sens le désir de Gabriel contre ma cuisse et déjà, je le veux en moi. Alors que ses mains descendent jusqu'à mes reins, empoignent mes fesses et font glisser ma culotte jusqu'au sol, je défais son pantalon. Je veux sentir son érection contre moi, en moi. Son sexe érigé est monumental, cette vision me donne des frissons et je manque de défaillir.

– Maintenant Gabriel, je te veux maintenant, je n'en peux plus…

Plutôt que de céder à mon caprice, il m'attrape par les hanches, me soulève et m'emmène en direction de la piscine à débordement. Il descend les cinq marches et tout doucement, nos corps nus enlacés entrent dans l'eau tiède. Le liquide arrive jusqu'à mes épaules, je flotte contre lui, nos sexes se frôlent, se touchent, s'électrisent, comme aimantés l'un par l'autre. Tout en m'embrassant passionnément, Gabriel plaque mon dos contre le mur de la piscine et de mes deux mains, je m'agrippe au rebord. Finalement, mon doux tortionnaire entre en moi en grognant d'impatience et après seulement deux ou trois allers-retours, je jouis instantanément. Cet orgasme fulgurant est arrivé trop tôt, mais mon amant ne s'arrête pas là pour autant. Il continue ses va-et-vient divins et je sens mon désir poindre à nouveau, mon plaisir monter encore et encore. À deux doigts de jouir, il se détache de moi, me retourne face au mur, vient se plaquer contre mon dos et, me mordillant la nuque, il s'enfonce au plus profond de moi. Je me cambre au maximum pour mieux accueillir ses assauts. Tout en me pénétrant avec ardeur, il caresse subtilement mon clitoris. Mon corps est en feu, le sien est brûlant, ardent, j'ai l'impression que l'eau bout autour de nous. Son corps se tend soudainement, son sexe se raidit, sa respiration se bloque et ensemble, nous accueillons la vague de plaisir qui nous submerge. Un tsunami de sensations exquises et déroutantes. Un raz de marée d'une telle intensité que je manque de perdre connaissance…

Après m'avoir déposée sur une chaise longue, Gabriel m'enroule dans une serviette d'une douceur incroyable et dépose un tendre baiser sur mes lèvres. Puis, comme par magie, il fait apparaître un petit écrin qu'il me tend. Je l'interroge du regard, trop épuisée pour lui demander de quoi il s'agit.

– Ouvre, mon Amande.

J'ai presque entendu « mon Amour », mais je dois rêver. Nos ébats m'ont complètement sonnée, je tente de reprendre conscience. En ouvrant délicatement l'écrin blanc, je découvre une clé.

– Désormais, tu viendras me rendre visite chez moi, à Paris.
– Chez toi ? À Paris ?
– Oui.
– Je croyais que vous détestiez cette ville, Mr Diamonds…
– Il faut croire que certaines choses ont changé, mademoiselle Baumann…

Avant de me glisser sous les draps, je prends soin de ranger ma précieuse clé dans mon coffret à bijoux. Mais en ouvrant la petite boîte gravée à mon nom, je découvre avec horreur que la photo de Gabriel et moi prise à LA est déchirée. En plein milieu, comme si quelqu'un m'envoyait un message. Encore un…

26

DU SANG ET DES LARMES

J'ai encore du mal à réaliser que cette escapade de trois jours à la fois paradisiaque et infernale n'est pas le simple fruit de mon imagination. Dans ma tête, tous les souvenirs se bousculent et je suis partagée entre une joie grisante et un sentiment d'amertume. Quelqu'un a décidé de se mettre en travers de ma route et tente de me séparer de Gabriel en m'envoyant des messages codés. Le mot déposé dans mon sac main, le mail anonyme et maintenant, la photo déchirée.

Notre relation dérange. Mais qui ?

Une chose est sûre : le coupable était à Ibiza.

Ça ne peut pas être Eve...

– Amandine, réunion ! Tout de suite !

Éric est de très mauvais poil ce matin. Plutôt que de m'éparpiller, je ferais mieux de me concentrer sur mon nouveau projet : la création d'une rubrique consacrée aux spiritueux. En entrant dans le bureau du boss, je remarque qu'Émilie y est déjà, prostrée sur une chaise. Elle m'adresse un regard implorant...

Toi, tu as abusé de la sangria...

— Vous avez fait la fête tout le week-end ou quoi ? Ça ne vous réussit pas de poser votre lundi, vous devriez voir vos têtes...

Notre patron est un homme ouvert et tolérant, mais depuis le début de la journée, il enchaîne les remarques désobligeantes. Comme deux employées modèles, on ne se rebiffe pas et on encaisse. Dans quelques heures, Éric viendra probablement s'excuser en nous proposant d'aller boire un verre.

— Comme tous les douze du mois, la date de création du site, on va lancer un nouveau jeu concours. Il se fera sous la forme de...

Pendant qu'il débite dix mots à la seconde pour nous exposer son concept, je perds le fil de la conversation et sens mon estomac se nouer. On est le 11 avril. Mes règles ont deux jours de retard. C'est une première...

En fin d'après-midi, Marion passe me prendre au travail

pour m'emmener à notre séance de cinéma hebdoma-
daire. En un regard, elle comprend que quelque chose
ne va pas.

– Laisse-moi deviner… Tu t'es disputée avec ton
milliardaire !

– Non et je te préviens, je ne suis pas d'humeur à subir
un interrogatoire.

– Si tu ne veux pas que je te pose des questions, dis-
moi ce qui se passe !

– J'ai deux jours de retard.

– Tes règles ?

– Oui.

– Mais tu prends bien la pilule ?

– Chaque jour, à heure fixe. Je ne l'oublie jamais.

– Et tu n'as jamais de retard, d'habitude !

– Bien joué, Sherlock…

– Comment ça se fait alors ?

– Je n'en ai aucune idée Marion, tu vois bien que je
suis dans tous mes états !

– Aucune contraception n'est efficace à 100 %…

–…

– Bon, on oublie le ciné, on va chez toi !

Pendant plus de deux heures, Marion tente de me rassurer comme elle peut. D'après elle, ce retard peut être
dû au changement de climat, à l'alcool que j'ai consommé
pendant le week-end, à l'émotion que m'a causé cette
fiesta surprise et j'en passe… En tout cas, elle n'essaie
pas de m'enfoncer, elle ne me fait pas de reproches et sa

gentillesse parvient à apaiser un peu mes angoisses. Avant de partir, elle sèche mes larmes, m'embrasse tendrement sur la joue et m'adresse un petit sourire compatissant.

– Tu les auras demain, j'en suis certaine !

Si seulement...

Éric est plus détendu depuis que le concours a été mis en ligne et que de nombreux internautes se prennent au jeu et tentent de gagner un jéroboam de champagne. Moi, par contre, je suis dans un état second. J'envoie un mail à Marion pour me sentir un peu moins seule face à ce désastre.

De : Amandine Baumann
A : Marion Aubrac
Objet : Help

On est demain et toujours rien...
Il va croire que je lui ai fait un enfant dans le dos.

Lui faire un enfant dans le dos, il m'en croirait peut-être capable. Gabriel est tellement riche, d'autres ont peut-être déjà essayé avant moi. En tout cas, Céleste sera persuadée que je suis la femme vénale et manipulatrice qu'elle suspectait. Le soir de mon anniversaire, elle n'y est pas allée par quatre chemins pour me dire ce qu'elle pensait de moi…

De : Marion Aubrac
A : Amandine Baumann
Objet : Tests de grossesse !

Je t'en achète trois différents et on se retrouve chez toi à 19 heures ?

Impression de déjà-vu. Sauf que la dernière fois, c'est moi qui avais volé à la rescousse de ma meilleure amie. À sa demande, j'avais dévalisé une pharmacie et m'étais précipitée chez elle. Ce jour-là, tous les tests s'étaient révélés négatifs. Au moment où je m'apprête à répondre à Marion, mon téléphone se met à vibrer à deux reprises.

[Mademoiselle Baumann, je vous attends à 20 heures dans mon humble demeure. Servez-vous de votre clé et faites comme chez vous…]

Ça se complique… Niveau timing, ça ne pourrait pas être pire mais je n'ai qu'une envie : m'enfouir dans ses bras et sentir sa peau brûlante contre la mienne.

C'est justement ce qui t'a mis dans cette situation...

Avant de changer d'avis, j'informe Gabriel que je serai là à l'heure convenue et je préviens Marion du changement de programme. Elle me répond presque instantanément...

———————————————

De : Marion Aubrac
A : Amandine Baumann
Objet : Comme tu veux...

Préviens-moi dès que tu sais que tu n'es PAS enceinte !

———————————————

« Enceinte », vraiment, c'était obligé ?

À 19 h 45, je découvre avec ravissement et stupéfaction cette somptueuse impasse privée qui longe le parc Monceau. Dans ce lieu chargé d'histoire et teinté d'aristocratie, les hôtels particuliers construits pour la haute société du Second Empire s'érigent en direction du ciel. La beauté de la pierre, le luxe des façades, la pureté des jardins environnants me donnent le tournis. Pas de doute, seul un milliardaire pourrait s'offrir un tel bijou d'architecture ! Je rentre fébrilement ma clé dans le trou de la serrure et pénètre dans ce sanctuaire. Dès l'immense hall d'entrée, je suis accueillie par une très belle femme qui doit avoir une petite cinquantaine d'années.

– Bonsoir, mademoiselle Amandine.

Sa voix est rauque mais chaleureuse et je décèle un léger accent hispanique. Elle est de taille moyenne, assez pulpeuse, porte un tailleur noir et ses cheveux sont relevés élégamment dans un chignon parfaitement rond.

– Je suis Soledad, la gouvernante de Mr Diamonds.
– Bonsoir madame. J'ai rendez-vous avec lui.

Qu'est-ce que c'est que cette voix d'écolière apeurée ?

– Appelez-moi Soledad. Suivez-moi, je vais vous montrer votre chambre. Mr Diamonds ne devrait pas tarder.

Je lui rends son sourire et la suis en direction du grand escalier en bois massif. Tout en savourant le son mélodieux des marches qui craquent doucement sous mes pieds, je m'extasie sur les cadres solaires gigantesques dessinés sur la rambarde en fer forgé. Sur chaque palier, d'imposantes verrières illuminent l'espace. En passant au premier étage, j'aperçois l'immense salon décoré dans un esprit à la fois baroque et design. Ce mélange des genres correspond tout à fait au maître des lieux : authentique et dans l'air du temps. Au deuxième étage, Soledad ouvre la double porte qui mène à une suite renversante.

– Voici votre chambre. Installez-vous confortablement. Si vous avez besoin de moi, il vous suffit d'appuyer sur ce bouton. N'hésitez pas.

La gouvernante tirée à quatre épingles m'adresse un regard bienveillant avant de sortir de la chambre. Je me retrouve seule, en tête-à-tête avec le mobilier d'époque et les œuvres d'art contemporaines. Dans les tons clairs et épurés, cette pièce me procure immédiatement une sensation d'apaisement. Du dressing blanc laqué à la salle de bains en marbre beige, en passant par le bureau Napoléon III en acajou et la vue plongeante sur le parc, j'ai l'impression d'être dans un rêve.

Enfin presque...

Pendant quelques minutes, j'ai totalement oublié que depuis deux jours, ma vie ressemble plutôt à un cauchemar. Dans mon petit sac de voyage où j'ai fourré quelques vêtements de rechange se trouve également un test de grossesse. J'hésite entre me refaire une beauté ou m'enfermer dans les toilettes pour découvrir une bonne fois pour toutes si j'attends ou non l'enfant illégitime de Gabriel Diamonds.

Change-toi, après tu verras…

Un coup de brosse dans mes cheveux, un peu de mascara effet faux cils, de rouge sur mes lèvres et mon visage semble plus serein, mes traits moins tirés. Je passe ma petite robe noire à sequins que je n'ai pas eu l'occasion de porter à Ibiza et le tour est joué : je suis prête à retrouver mon amant et à m'évader loin, très loin de la réalité. J'ouvre la penderie pour y ranger mon sac et mon regard se pose sur le fameux test.

Sauter dans le vide ou attendre ?

La boîte maudite à la main, je me dirige vers la salle de bains quand j'entends des pas dans l'escalier. Prise de panique, je cache l'objet dans le premier tiroir que je trouve et je tente de retrouver une contenance. Quelqu'un frappe à ma porte…

– Entrez ?

Gabriel apparaît en face de moi et une fois encore, je suis frappée par sa prestance. Il est tout simplement beau à couper le souffle dans son costume gris anthracite qui souligne sa silhouette de dieu grec. Adossé contre le mur, il me regarde l'admirer et me nargue superbement. Son petit sourire en coin et son regard joueur sont de la partie et je devine qu'il attend que je fasse le premier pas. Je ne suis pas d'humeur rebelle, j'ai plus que jamais besoin de sentir la chaleur de son corps contre moi, je plonge tête baissée et me jette contre lui. Immédiatement, ses bras musclés se referment sur moi et je deviens captive.

– Tu m'as manqué. Tu es belle à croquer dans cette petite robe…

Tout en me maintenant contre lui, il se retourne et je me retrouve dos au mur. Alors que je m'agrippe à sa taille, ses mains emprisonnent mon visage et dirigent ma bouche vers la sienne. Ses lèvres ourlées s'entrouvrent et je sens sa langue s'immiscer entre les miennes. Cette divine caresse m'embrase et je sens un désir ardent monter en moi. Je deviens plus entreprenante, mes mains parcourent ses fesses, ses cuisses et se rapprochent dangereusement du fruit défendu. Je suis affamée, j'ai envie de prendre son sexe en bouche, de le déguster longuement, sensuellement et de l'entendre soupirer d'extase. Alors que j'élabore mon plan délicieux, mon amant tyrannique me stoppe net dans mon élan.

– J'ai faim de vous, Amande douce, mais d'abord, il faut que je mange quelque chose. Je vais avoir besoin de prendre des forces pour vous infliger tous les supplices que je vous réserve…

Grrr…

Dans l'immense cuisine en inox ouverte sur le salon, Soledad ajoute les dernières touches à son menu gastronomique. La table est déjà dressée et nous prenons place.

– Tu as faim ?
– Pas trop.

Aïe... J'espère ne pas avoir offensé Soledad !

– Merci Soledad, tout ça m'a l'air délicieux mais nous allons nous contenter du plat principal.
– Très bien, monsieur.

La gouvernante, qui est aussi un cordon-bleu, nous sert les deux assiettes de canard à l'orange et s'éclipse discrètement.

– Tu as rencontré Soledad ? Elle est formidable, je ne peux plus me passer d'elle.

Voilà quelque chose que j'aimerais entendre à mon sujet...

Pendant tout le repas, Gabriel s'amuse à me titiller, à m'observer en se mordant la lèvre, à porter sa fourchette à sa bouche le plus sensuellement possible, à me lancer des regards brûlants. J'essaie de rester digne, de ne pas afficher mes émotions, je joue la belle indifférente mais je bouillonne intérieurement. Finalement, sans prévenir, il se lève brusquement de sa chaise, m'attrape par le bras pour m'obliger à le suivre et m'emmène dans le salon. Il m'embrasse avec fougue, passe ses mains sous ma robe et déchire mon string. Cet assaut violent et imprévisible me choque et m'excite au plus au point. J'ignore comment, mais sans aucun effort, il parvient à m'allonger sur l'épais tapis en m'écartant les cuisses et il plonge son visage dans mon intimité. Ses lèvres sont partout, sa langue est fiévreuse, avide, tendue, elle sévit au niveau de mon clitoris, puis vient se planter au plus profond de moi. Je halète, je gémis, je frissonne, je me cambre, je lui tire les cheveux, je sens l'orgasme poindre, mais mon amant a déjà une autre idée.

Sans ménagement, il me retourne face au sol et, abrutie par ces sensations fulgurantes, je me laisse aller comme une poupée de chiffon. Au loin, je l'entends déboutonner son pantalon et libérer son sexe dur, immense, qui pointe fièrement vers le ciel. Je me sens vide, je n'ai qu'une hâte : qu'il coulisse en moi, qu'il me remplisse, me possède, me malmène. Mon amant dominant sait ce que j'attends et il se fait une joie de me faire languir… Je sens son sexe chaud rentrer en contact avec ma peau, mais malgré mes gémissements implorants, il ne vient pas se planter en moi. Gabriel caresse mes fesses, la naissance de mes cuisses et mon clitoris du bout de son sexe. Je n'en peux plus, l'attente est insupportable, presque douloureuse.

– Gabriel…
– Supplie-moi.
– Je t'en supplie, prends-moi !

J'ai à peine le temps de finir ma phrase que je sens son érection écarter mes lèvres et s'enfouir dans mon bas-ventre. Je crie comme jamais auparavant, soulagée de sentir sa virilité prendre possession de mon sexe trempé. Je suis allongée sur le ventre, lui est à genoux et me domine de toute sa force, de toute sa fougue. Ses va-et-vient sont d'abord lents et contrôlés, puis petit à petit, il augmente la cadence et finit par me pénétrer à un rythme effréné. Ses coups de boutoir sont une vraie délivrance, je sens mon corps s'exalter, s'ouvrir sous ses assauts répétés. Ensemble, nous nous envolons et explosons dans les airs, dans une jouissance aérienne, astrale. Il s'effondre sur moi et dans le creux de ma nuque, il me susurre quelques mots qui me font monter les larmes aux yeux...

– J'ai tant besoin de toi, Amandine...

Cet aveu me touche profondément. À mon tour, j'ai envie de lui confesser mes sentiments, de faire tomber ces barrières qui nous empêchent de nous aimer natu-rellement, entièrement. Mais trop vite, je sens son corps se détacher du mien. Mon amant m'embrasse sur le front, se relève et ramasse nos vêtements éparpillés sur le sol.

– Mr Diamonds, j'ai quelque chose pour vous.

Je l'avais oubliée, elle !

Gabriel et moi venons de nous rhabiller et je rougis en réalisant que Soledad a peut-être tout entendu...

Cependant, affalé dans un des canapés, mon corps encore tout engourdi ne regrette rien et mon esprit décide de le suivre. Plongée dans mes pensées, je ne remarque pas tout de suite la boîte que tient mon amant quand il se plante face à moi. Il me lance un regard froid, furieux et je réalise qu'il est grand temps que je sorte de ma bulle.

– Tu as quelque chose à m'annoncer ?

Je reconnais l'emballage du test de grossesse.

Merde…

Soledad, l'espion malveillant au service de monsieur le milliardaire, a bien fait son boulot.

– Non.
– Non quoi ? Non, tu n'es pas capable d'avoir une vie sexuelle d'adulte ? Non, tu n'es pas enceinte ? Non je ne suis pas le père ?
– …
– Réponds-moi, Amandine, ou tu ne me reverras plus jamais.

Me voir pleurer ne lui inspire rien, aucune compassion, aucune tendresse. Son ton se fait plus menaçant, ses traits sont tendus, méconnaissables, j'ai envie d'aller me cacher, de me recroqueviller dans un petit coin et de disparaître.

– C'est ça que tu voulais ? Me faire un gosse contre mon gré et toucher le jackpot ?

Et voilà… Je m'y attendais à celle-là !

Je viens de me prendre une énorme gifle mais je n'ai plus peur, je ne crains plus cet homme qui m'insulte du haut de son piédestal.

– Non, ce que je voulais, c'était me faire baiser encore et encore par un homme incapable d'éprouver le moindre sentiment, de faire preuve de la moindre humanité. Tu es un robot, Gabriel, tu n'as pas d'âme, pas de cœur et tu finiras seul !

J'ignorais que ma voix pouvait atteindre un tel volume. J'ai crié tellement fort que j'ai l'impression que les murs en tremblent encore. Sans réfléchir, je me jette hors de la pièce, je monte récupérer mes affaires dans la suite royale et je dévale les escaliers à toute vitesse pour m'enfuir de cet endroit qui ne m'inspire plus que du dégoût.

Sur le chemin du retour, alors que je ne suis plus qu'à quelques pas de chez moi, je sens un liquide chaud… du sang. Je réalise que je ne suis pas enceinte. Et que je viens de perdre Gabriel.

Un bip retentit et pendant un instant, je m'imagine que mon milliardaire tente de se racheter. Je m'empare de mon téléphone et débloque l'écran. Un SMS s'affiche, envoyé par un numéro bloqué.

[Un seul être vous manque et tout est dépeuplé.]

27

LE MOT DE LA FIN

Depuis trois jours, la citation de Lamartine tourne en boucle dans mon esprit. J'ignore qui s'est acharné sur moi ces dernières semaines, mais j'aimerais bien lui dire ses quatre vérités.

S'en prendre à quelqu'un qui est déjà à terre, c'est dégueulasse.

Mais j'ai d'autres chats à fouetter. J'ai perdu Gabriel, son estime, sa confiance, sa tendresse… j'en suis certaine. Il est allé trop loin, moi aussi, notre colère nous a emportés et les mots ont dépassé notre pensée. Enfin, dans mon cas, c'est ce qui s'est passé. J'espère qu'il n'a pas vraiment cette sale image de moi, qu'il ne me croit pas capable de lui faire un enfant dans le dos, qu'il ne s'imagine pas que je couche à droite à gauche, qu'il n'est pas prêt à faire une croix sur moi.

L'espoir fait vivre…

Mon e-mail envoyé mercredi dernier, une heure seulement après notre dispute, est resté sans réponse. En le relisant pour la dixième fois, je me félicite de ne pas en avoir fait des tonnes, de ne pas l'avoir supplié de me pardonner ou de me reprendre. Non, je ne me suis pas abaissée à ça.

De : Amandine Baumann
A : Gabriel Diamonds
Objet : Négatif

Je ne suis pas enceinte.
Cordialement,
Amandine

Simple, clair, concis. Je suis allée droit au but en me disant que ça allait le faire réagir, qu'il me répondrait sur-le-champ. Grosse erreur de ma part : monsieur le milliardaire a une fois de plus décidé d'ignorer la petite stagiaire. Son silence me perturbe, je ne sais pas ce qu'il signifie.

Tout est fini entre nous, tu n'existes plus pour moi ?

Je te punis parce que ça m'amuse ?

Je suis bien trop occupé à me taper une jolie blonde à gros seins ?

En claquant la porte de mon appartement pour aller rejoindre Marion, je continue ma liste qui n'en finit pas de s'allonger. Dans le grand hall désert, je passe devant ma boîte aux lettres et réalise que je n'ai pas ramassé mon courrier depuis deux jours. J'ouvre le petit casier à mon nom. À l'exception d'une étrange enveloppe, il est vide. Au-dessus de mes coordonnées, quelqu'un a tamponné le mot URGENT en lettres rouges. Intriguée et soulagée de penser à autre chose qu'à mon amant perdu, j'ouvre le pli à toute vitesse. Sur une feuille blanche épaisse, je découvre un nouveau message énigmatique et anonyme...

« Petite colombe, tu vas te brûler les ailes... Il n'y a pas de place pour toi dans son nid. »

Un corbeau qui me traite de colombe, c'est original...

Trente minutes plus tard, je retrouve Marion à une terrasse de café en face du musée Beaubourg. Louise, qui était dans le coin, a proposé de nous rejoindre. À Ibiza, on s'est fait la promesse de se revoir et de rattraper les années perdues. Au moment où elle vient s'asseoir à côté de moi, la discussion bat son plein.

— Amandine, arrête tes conneries, je sais que tu vas tout faire pour le récupérer !
— Marion, tu pourrais être de mon côté une seule fois dans ta vie ?

Louise tente de suivre la conversation, mais elle ne sait pas tout de l'histoire. Ma meilleure amie prend l'initiative de lui résumer la situation.

– Gabriel a cru qu'elle essayait de lui faire un gosse en douce. Il a flippé et l'a accusée d'en vouloir après son argent, d'être une croqueuse de Diamonds quoi…

Elle pouffe, amusée par son jeu de mots. Je la fusille du regard.

– Bref, pour une fois Amandine ne s'est pas laissé faire et lui a balancé tout ce qu'elle pensait de lui. Depuis, elle n'a pas de nouvelles de son beau milliardaire.

Louise tente d'assimiler toutes ces informations. Elle se retourne vers moi et me demande, inquiète :

– Tu es enceinte ?
– Non, fausse alerte…

Pendant une bonne heure, mes deux copines dissèquent ma vie sentimentale en donnant leur avis, même quand il n'est pas le bienvenu. Je les écoute d'une oreille distraite en sirotant mon cappuccino, la tête remplie des pires et meilleurs souvenirs que j'ai partagés avec Gabriel. Tout ça me paraît déjà si loin… Sur la petite table ronde du café branché, mon téléphone se met à vibrer. Mon cœur s'accélère, je prie pour que le nom de mon amant apparaisse, mais c'est celui de Ben qui s'affiche.

Encore lui...

Je ne décroche pas, je n'ai aucune envie de lui parler. Mon ex ne lâche pas l'affaire : il me laisse trois appels en absence avant de capituler. Enfin, capituler, c'est un bien grand mot... Quelques minutes plus tard, je reçois un SMS de sa part.

[On se fait un resto ce soir ? Envie de te revoir, Amour...]

Je suis tentée de l'envoyer balader sans retenue, mais lorsque je commence à rédiger mon message, Louise me confisque mon téléphone.

– Accepte son invitation ! Ça te changera les idées.
– Non, il va encore faire son serial lover, je ne suis pas d'humeur.

Marion s'y met aussi, avec toute la subtilité qui la caractérise...

– Allez Amandine, donne-lui une chance. Au moins, tu mangeras gratis ! Demande-lui de t'emmener dans un resto étoilé !
– Vous êtes sourdes ? J'ai dit non !

Les deux diablesses ont réussi à m'avoir à l'usure... J'ai rendez-vous avec Ben à 20 heures, ce qui me laisse pile le temps de rentrer chez moi, de me changer et de repartir en direction de Bastille. J'opte pour une tenue féminine mais décontractée : une robe-chemise blanche ceinturée par une lanière en cuir camel et des bottines plates assorties. Je dompte ma chevelure rebelle et l'enferme dans une longue tresse, je dessine un trait d'eyeliner sur mes paupières, un peu de rose pâle sur mes lèvres et je suis prête à aller à la rencontre de mon ex et à repousser ses avances lourdingues.

— Toujours aussi belle, Amour…
— Toujours aussi direct, ex…

Ben est égal à lui-même : sûr de lui, séduisant, joueur. Le problème avec les mecs de 23 ans, c'est que quand ils sont beaux, ils sont persuadés que ça suffit pour arriver à leurs fins.

— Tu prends un mojito ?
— Tu cherches à me faire boire pour mettre toutes les chances de ton côté ?
— Si tu y penses, c'est que tu en as envie aussi…
— Tu rêves.
— Ton milliardaire t'a laissé sortir ? Il t'a donné la permission de venir me voir ? Ça m'étonne de lui, je ne le pensais pas prêteur…

Grrr…

Le pire, c'est qu'il n'a pas tort…

— Entre Gabriel et moi, c'est terminé. Entre toi et moi

aussi, je te le rappelle…

Et toc !

Étonnamment, le dîner se passe bien et je me surprends plusieurs fois à rire de bon cœur. Ben a beau avoir des tonnes de défauts, il ne manque pas d'esprit, ni d'humour. Mes noix de Saint-Jacques poêlées au miel sont délicieuses et se marient parfaitement avec le Sauternes recommandé par la maison. Plus la soirée avance et plus je me laisse glisser dans une douce euphorie. Le vin est en partie responsable, bien sûr, mais le charme de mon ex y est aussi pour quelque chose. Heureuse d'être en sa présence, j'en oublie d'envoyer un texto à Marion et Louise pour leur dire que tout se passe bien. Mon téléphone est au fond de mon sac et je n'ai aucune intention de l'en sortir…

Avant que les fondants au caramel nous soient servis, je suis Ben hors du restaurant pour l'accompagner pendant sa pause cigarette. Des menthols, comme à l'époque. Il m'en propose une, mais je refuse. Un silence lourd s'installe, Ben me fixe dans les yeux en tirant sur sa cigarette, avant de m'inspecter plusieurs fois de haut en bas. Apparemment, ce qu'il voit lui plaît et c'est idiot, mais ça me donne envie de l'impressionner, de le surprendre, de lui prouver que je ne suis plus une enfant de chœur, mais une femme, une vraie.

Pendant plusieurs secondes, nos lèvres se rencontrent,

se touchent, se caressent. Je ne vais pas plus loin, je n'ai pas envie de sentir sa langue contre la mienne, d'allumer une flamme que je ne suis pas sûre de pouvoir éteindre. Rapidement, je regrette mon geste irréfléchi, absurde, injuste. En embrassant Ben, je pensais me prouver que je n'étais pas une victime, pas juste une femme délaissée par l'homme qu'elle aime. Au contraire, ce contact me rappelle douloureusement que la bouche de Gabriel est loin, bien trop loin de la mienne. Que ses bras ne m'emprisonneront plus, que sa peau ne réchauffera plus, que son sexe ne me remplira plus. Je me détache de mon ex en balbutiant des mots confus.

– Désolée, je ne sais pas ce qui m'a pris…
– Menteuse, tu en veux encore, ça crève les yeux…

Il tente de me retenir mais je m'éloigne de lui.

– Lâche-moi Ben, ce n'est pas toi que je veux et tu le sais !

Il est là, à quelques mètres de moi… Je lis un mélange de surprise et de colère dans les yeux éblouissants de Gabriel. Ben disparaît en murmurant des propos inaudibles et je me retrouve face à mon sublime milliardaire. Comme deux statues, nous restons immobiles, silencieux. Nos regards ne se quittent pas, malgré la fraîcheur printanière, je le sens bouillir intérieurement.

Il a tout vu !

Qu'est-ce qu'il fait là ?!

Il avance d'un pas vers moi, je recule. Je crains sa colère, les mots assassins qu'il va sûrement me cracher à la figure. Notre dernière conversation me revient à l'esprit et me donne le courage de l'affronter.

– Comment savais-tu que je serais là ?
– J'ai tenté de te joindre toute la soirée, sans succès. J'ai fini par appeler sur le portable de Marion, c'est Tristan qui a décroché. Il m'a donné le nom de ce restaurant.

Sa voix est glaciale, cassante. J'ai l'impression d'être face à un étranger.

– Et tu t'es dit que tu pouvais débarquer sans prévenir ?
– Ça m'a permis de constater que tu ne t'ennuyais pas sans moi…
– Tu croyais quoi, Gabriel ? Que j'allais m'arrêter de vivre ? Me morfondre seule dans mon coin en attendant que tu lèves ma punition ?
– Ne joue pas à ça, Amandine. Jusqu'à preuve du contraire, c'est toi qui viens de te jeter dans les bras d'un autre homme, n'essaie pas de retourner la situation. Si tu baises avec la terre entière, dis-le moi, je n'ai pas de temps à perdre avec une…

Sa voix n'a jamais été aussi méprisante, aussi dure. Il

serre les dents pour ne pas finir sa phrase, ses yeux me mitraillent.

– Je n'ai pas couché avec lui ! Et je ne sais même pas pourquoi je l'ai embrassé. Ben ne m'intéresse pas.
– Qu'est-ce qui t'intéresse Amandine ?
– Toi. Mais ce n'est pas réciproque.

Cette phrase l'a touché, je le vois à son visage qui, d'un coup, se détend. Son regard s'adoucit, il me parle plus doucement, sans animosité.

– Ah tu crois ça ?
– Oui. Si tu tenais à moi, tu ne m'aurais pas traitée comme ça l'autre jour.
– J'ai eu peur, Amande. Je suis désolé, je n'aurais pas dû m'en prendre à toi comme ça, j'aurais dû assumer mes responsabilités et mieux te protéger...
– Oui et tu as préféré m'insulter et me laisser seule. Tu m'as abandonnée...

Et en moins d'une seconde, il est contre moi, sa bouche avide force mes lèvres et sa langue se déchaîne. Je sens une chaleur familière irradier tout mon corps : c'est l'effet Gabriel Diamonds. Il attrape mes mains et les plaque contre le mur, pour empêcher toute résistance. Je me laisse aller, bénissant le ciel que cet homme sublime veuille toujours de moi. Je gémis sous les effets divins que me procure ce baiser et je sens sa virilité pointer contre ma cuisse. Il resserre son emprise et ses lèvres descendent dans mon cou. Je baisse la tête et hume le parfum musqué qui s'échappe de sa chevelure dorée. Il libère l'une de mes mains et empoigne mes fesses en grognant sensuellement. Je suis à deux doigts de défaillir, mon bas-ventre est en feu et crie famine. Tout d'un coup, il s'arrache à moi et m'observe pendant que je tente de contrôler ma respiration.

– Tu ne te demandes pas où est passé ton Ben ?

Son ton est ironique mais ses mots me blessent. Je réalise qu'il n'est pas prêt d'oublier mon erreur.

– Ce n'est pas mon Ben. Et je m'en fiche, c'est le dernier de mes soucis.
– Pourtant, tu ne l'as pas fui, lui.
– Il ne m'a pas accusée de l'utiliser pour son argent, lui.

Gabriel se rapproche de moi, colle son visage contre le mien, nos lèvres sont à moins d'un centimètre.

– Mon argent ne vous intéresse pas, mademoiselle Baumann ?
– Non, Mr Diamonds, mais vous possédez quelque chose d'autre qui m'intéresse…

J'ai à peine le temps de reconnaître son sourire narquois qu'il m'attrape par le bras et me traîne dans l'impasse qui jouxte le restaurant de fruits de mer. Il fait nuit noire mais je devine que mon amant n'a pas envie de se faire surprendre. Sa réputation et ma dignité sont en jeu... Tractée par sa force monumentale, je le suis sans résister, savourant par avance les doux sévices qu'il s'apprête à m'infliger. Nous nous enfonçons jusqu'au bout de la ruelle, passons devant une cabine téléphonique et, sans me prévenir, il prend un virage et me colle contre le mur sans ménagement. Cachée derrière les parois opaques, je me retrouve face à cet homme superbe, intimidant, qui me regarde avec un tel désir que j'en frissonne de la tête aux pieds.

– Amandine, tu ne sais pas de quoi je suis capable pour toi...

Mon amant est bouleversé, pour la première fois, ses émotions lui échappent et il ne tente pas de les retenir, sa voix chavire, son corps est dur comme la pierre. Je sens les larmes me monter aux yeux, j'ai eu si peur de le perdre... Je tente de lui répondre que je suis toute à lui, mais aucun son ne parvient à sortir de ma bouche paralysée. Aussitôt, ses lèvres viennent à la rencontre des miennes et je me laisse aller contre lui. Sa main droite se faufile sous ma robe et se plaque contre mon sexe. Ce contact soudain m'arrache un cri, suivi d'un long gémissement lorsque mon amant se met à caresser mon entrejambe à travers le tissu de mon string. Mes jambes flanchent mais Gabriel me retient en s'appuyant plus fort contre moi. Puis ses doigts contournent la dentelle et viennent s'enfouir dans mon intimité. En saisissant mon menton de son autre main, il m'oblige à relever la tête et à me perdre dans son regard. Sa colère a disparu, je ne lis plus que du désir dans ses yeux azur.

Alors que ses doigts me fouillent et me transpercent, je trouve le courage de déboutonner son jean pour libérer son sexe tendu comme un arc. La vue de son érection me provoque des tremblements, j'ai une envie furieuse de la sentir contre ma paume, de la manipuler, de la caresser. Sans son consentement, je démarre un doux va-et-vient mais mon amant me stoppe net dans mon élan. En un seul mouvement, il remonte l'une de mes jambes et fait coulisser mon string jusqu'à m'en libérer. Puis, en lâchant un grognement bestial, il me soulève en m'attrapant sous les cuisses, invite mes jambes à s'enrouler autour de ses hanches et me pénètre profondément. Mon dos vient à nouveau se plaquer contre le mur et je gémis sans discontinuer sous ses assauts passionnés. Pendant de longues minutes, il me remplit, me percute, me possède sans jamais montrer un signe de faiblesse. Sa force est surhumaine, son endurance presque indécente. Finalement, alors que je suis à bout de souffle, à deux doigts de m'écrouler, je jouis en hurlant mon plaisir. Mon orgasme foudroyant déclenche celui de mon amant : son corps se contracte une dernière fois, son sexe se loge au plus profond avant d'exploser en moi.

J'ai dû user et abuser de mon pouvoir de persuasion pour que Gabriel accepte de monter chez moi. Entendre ses pneus crisser sur le bitume et le voir s'éloigner de moi, seule au monde sur mon petit bout de trottoir, je ne m'en sentais pas capable. J'ai besoin de lui parler, de me racheter, de lui faire comprendre qu'aucun autre homme ne pourra me détourner de lui.

– Tu veux un thé, un café, un jus de fruits, une bière ?
– Rien du tout, merci.

Quelle froideur...

– Tu comptes me pardonner un jour ?
– Je n'ai rien à pardonner. Tu es libre de faire tes choix, tu ne me dois rien, mais sache que si tu veux être à d'autres, tu ne seras pas à moi. Je ne partage pas, je te l'ai déjà dit Amandine.
– J'ai du mal à te suivre. En gros, on n'est pas ensemble mais je t'appartiens ?
– Uniquement si tu le souhaites. Pour moi, c'est tout ou rien : soit tu m'es fidèle, soit tu n'existes plus.
– Qu'est-ce que tu attends de moi ? Du sexe, de la tendresse, de... l'amour ?

Tu vas trop loin Amandine...

– Bien plus que du sexe, tout sauf de l'amour.
– Je ne sais pas si j'en suis capable.
– C'est justement pour ça que je laisse la porte ouverte. Tu peux dire stop à tout moment et je disparaîtrai de ta vie.
– Et si tu tombes amoureux de moi ?

– Petite fille, ça n'arrivera pas, crois-moi…
Enfoiré…

Il tente de me prendre dans ses bras, mais je m'échappe. Ses mots m'ont blessée, j'ai envie de le gifler, de marteler sa poitrine exquise de mes petits poings ridiculement faibles.

– Elle sortait d'où, alors, cette crise de jalousie ? De mon imagination ? Je l'ai créée de toutes pièces ? Tu vas me faire croire que ça ne t'a pas fait mal, que tu n'as aucun sentiment pour moi ?! Putain Gabriel, tu vas me rendre folle !
– Calme-toi. Je suis possessif, Amande, rien de plus.
– Je ne suis pas un objet, j'ai un cœur, une conscience. Toi, j'en doute.
– Arrête ça, ne me force pas à me justifier. La vérité te ferait trop mal.

Je suis épuisée, ce dialogue de sourds ne mènera à rien, j'en suis persuadée. Comment fait-il à chaque fois pour me faire vivre les plus beaux moments de ma vie et les pires supplices en l'espace de quelques heures ? Dépitée, je lui demande de me suivre jusqu'à mon lit. Là, il s'allonge contre moi et m'enroule dans ses bras. Le sommeil m'emporte subitement, avant que mes larmes aient le temps de toucher l'oreiller.

Je me réveille aux aurores, seule. Dans mon poing fermé, je découvre un bout de papier…

[Amande si douce, je te rends ta liberté. Fais-en bon usage...]

VI

L'AMOUR À MORT

28

AINSI SOIT-IL

[Amande si douce, je te rends ta liberté. Fais-en bon usage...]

Ce message a été écrit avec tant de soin que je n'ai aucun doute : Gabriel vient bel et bien de me quitter... définitivement. Au fil de ces quelques mots que je déchiffre douloureusement, mon monde s'écroule un peu plus. En m'extirpant des draps, j'ai du mal à respirer, ma tête tourne dangereusement, je sens mon estomac se contracter et je suis prise d'une violente nausée.

Pourquoi est-il parti ?

Je ne suis plus rien sans lui...

Je suis submergée par une vague de tristesse, de désespoir, je me sens creuse, vide. Cet homme, je peux enfin me l'avouer, j'en suis tombée amoureuse. Voilà, je le

confesse, je l'aime ! Comme je n'ai jamais aimé auparavant et comme je n'ai jamais pensé qu'on pouvait aimer.
Je suis liée à lui corps et âme, c'est à la fois physique et
cérébral, délicieux et douloureux, inconcevable et
flagrant.

À quoi bon aimer un homme qui ne veut pas de
toi ?...

Ma petite voix intérieure tente de mettre fin à mes
lamentations, la colère monte en moi, brusquement, violemment et étouffe mes sanglots. Si je me souviens bien,
hier soir encore, Gabriel me promettait monts et mer-
veilles. Pas d'amour, certes, mais tout le reste. « Amandine,
tu ne sais pas de quoi je suis capable pour toi… » Ces
mots me semblaient si prometteurs. Envolées les promesses, mon amant terrible vient de me quitter, de m'abandonner, de s'échapper de mon lit comme un Casanova
de bas étage. Et ça, je ne l'accepte pas.

Tout d'un coup, je suis comme possédée, un sursaut
d'adrénaline me donne la force de me lever, d'agir. Je
m'habille à toute vitesse et me rue jusqu'au métro. J'ai
besoin de le voir, de l'entendre, de lui prouver que s'il
n'est plus prêt à se battre pour nous, je le suis plus que
jamais. Le quai de la ligne 6 est quasiment désert. Un
dimanche matin à 7 h 30, ce n'est pas étonnant. Perdue
dans mes pensées, j'en oublie presque de descendre à
Nation. En marchant énergiquement jusqu'au quai de la
ligne 2, je me prépare psychologiquement à affronter

Gabriel. Sera-t-il heureux ou en colère de me voir ? Pendant les dix-neuf stations qui me mènent jusqu'à Monceau, je fais tout mon possible pour canaliser mes émotions, retrouver un semblant de calme. Je sors mon miroir de poche, ma petite trousse à maquillage et tente d'arranger mon visage marqué par le manque de sommeil et les larmes. Rien de sophistiqué : je veux juste éviter de l'effrayer avec ma mine ravagée.

Quoi que... Il se rendrait peut-être compte du mal qu'il me fait.

J'ai toujours la clé qui ouvre l'immense porte en bois massif de son hôtel particulier. En la sortant de mon sac à main, je réalise l'ironie de la situation. Diamonds a décidé de sortir de ma vie sans me demander mon avis et je m'apprête à lui rendre la pareille : rentrer chez lui à mon gré, sans sa permission. Un peu fébrile, je tourne la clé dans la serrure et pénètre dans son sanctuaire. Sans y réfléchir à deux fois, je me dirige vers le grand escalier et commence à monter les marches qui me séparent de Gabriel. Je n'ai qu'une hâte, me jeter contre lui et m'accrocher de toutes mes forces à son corps musclé pour l'empêcher de me repousser. Seulement, un obstacle en tailleur strict et chignon tendu me barre la route. C'est en arrivant à moins d'un mètre d'elle que je me rends compte de sa présence en lâchant un petit cri strident. Trois marches au-dessus de moi, les bras croisés contre sa poitrine, Soledad me jauge durement. Au moment où elle prend la parole, sa voix est pleine de reproches.

– Mademoiselle Baumann, que puis-je faire pour vous ?

– J'ai besoin de parler à Gabriel. Il est là ? C'est urgent.

– Monsieur Diamonds n'est plus à Paris depuis plusieurs heures. Il a dû se rendre à l'étranger pour ses affaires.

– À l'étranger ? Où ça ?

– Je ne peux pas vous divulguer cette information, mademoiselle Baumann.

Son attitude condescendante commence sérieusement à me gonfler…

– C'est mademoiselle Baumann maintenant ? Vous ne m'appelez plus Amandine ?

– Non et je n'ai plus de raison de vous appeler par votre prénom. D'ailleurs, si vous voulez bien me rendre la clé, elle ne vous appartient plus.

– C'est un ordre de Gabriel ?

– Monsieur Diamonds en a fait la demande, en effet.

– Donc il savait que je viendrai ?

– Il a émis cette probabilité, oui. Maintenant, si vous le voulez bien, je vais vous raccompagner jusqu'à la sortie.

Mais elle se prend pour qui celle-là ?!

– Inutile, ne vous donnez pas cette peine. Voilà la clé.

Je lui remets avec émotion le seul objet qui me donnait accès au monde de mon amant perdu, puis je fais demi-tour et dévale les escaliers en essayant de contenir mes larmes. Avant de passer la porte, je ne peux m'empêcher de lui adresser ces derniers mots pathétiques...

– Je n'abandonnerai pas !

Mes larmes coulent depuis près d'une heure quand je rentre chez moi. Sur mon paillasson, je découvre la pochette colorée d'un vinyle. Let it be des Beatles. La traduction me vient tout de suite à l'esprit : Ainsi soit-il. Le corbeau continue de jouer avec mes nerfs, il sait probablement que mon amant m'a rejetée et il jubile. Las de devoir constamment lutter contre un ennemi invisible, je pénètre dans mon appartement, jette le disque à la poubelle et m'installe devant mon ordinateur. Les mails sont ma seule et dernière chance pour communiquer avec Gabriel. J'ai tenté de l'appeler une dizaine de fois mais mon amant cruel n'a jamais décroché. Sa boîte vocale est soi-disant pleine, mais je devine qu'il m'en a bloqué l'accès. En accédant à ma messagerie électronique, j'espère découvrir un mot de sa part, un signe de vie, la preuve qu'il ne m'a pas totalement oubliée. Rien. Les larmes coulent de plus belle. Je rédige un e-mail en espérant qu'il ne restera pas sans réponse...

De : Amandine Baumann
A : Gabriel Diamonds
Objet : Pourquoi ?

J'ai besoin de toi. Je t'aime.

À peine une minute après avoir appuyé sur la touche envoyer, un nouveau message apparaît. Mon cœur bat à tout rompre, mes yeux ont du mal à y voir clair, j'ai l'impression de flotter entre le paradis et l'enfer.

De : Gabriel Diamonds
A : Amandine Baumann
Objet : Pour te protéger

Je ne suis pas celui que tu crois. Ni celui qu'il te faut.

De : Amandine Baumann
A : Gabriel Diamonds
Objet : Pas besoin

Ce n'est pas à toi d'en juger. Je veux être à toi. Je refuse que tu me quittes.

De : Gabriel Diamonds
A : Amandine Baumann

Objet : Si tu savais…

J'ai mal Amandine, mais je n'ai pas le choix. Ton entrée dans ma vie a tout bousculé. Tu as fait tomber mes barrières, je dois me relever. Tu as réveillé ce qui était enfoui, je dois l'enterrer. Je suis perdu, j'ai besoin de me retrouver. Tu mérites autre chose, je ne veux pas te détruire, je veux ton bonheur. Tu es si précieuse…

De : Amandine Baumann
A : Gabriel Diamonds
Objet : Dis-le

Je sais que tu m'aimes. Tes yeux, ta bouche, tes mains, ton sexe : je les veux sur moi, contre moi, en moi. Tu veux la même chose, je le sais ! Dis-le, Gabriel, par pitié, dis-le pour me libérer, pour que je puisse à nouveau respirer. Je t'appartiens, je ne veux que toi. Reviens.

De : Gabriel Diamonds
A : Amandine Baumann
Objet : Adieu

Prends soin de toi, mon Amande. Ne m'oublie pas trop vite…

Ses derniers mots viennent de m'achever. Machinalement, je ferme mon ordinateur portable, soulève mon corps qui semble peser une tonne et fais quelques pas pour atteindre le canapé. Je me laisse tomber sur la banquette moelleuse, je n'ai plus de larmes mais une douleur aiguë me transperce de toutes parts. Je suis accablée, sonnée, rongée par ce désespoir qui m'envahit et me déchire en lambeaux. Cette souffrance me fait réaliser à quel point j'aime cet homme. En quelques secondes, je perds connaissance et sombre dans les bras de Morphée.

Je suis sur une plage déserte, allongée sur le sable chaud, à la merci d'un soleil brûlant rendu supportable par une douce brise marine. Les rayons dorés inondent ma peau et m'apportent une sensation de bien-être absolu. L'eau tiède et cristalline caresse mes jambes nues et seul le clapotis des vagues vient troubler le silence qui règne à des kilomètres à la ronde. J'ignore où je suis, mais je me sens mieux. La douleur s'est évanouie, le désespoir a laissé place à une exquise torpeur.

Là où je suis, tu ne pourras pas m'atteindre, Diamonds !

Une fois encore, ma petite voix intérieure a parlé trop vite. Après quelques secondes de divine paresse, l'odeur enivrante et musquée de Gabriel parvient jusqu'à moi. Lorsque je me redresse, je l'aperçois, tout habillé de blanc, qui s'avance dans ma direction. Au milieu de ce décor époustouflant, il ressemble à un ange. L'ange Gabriel…

Mon amant diabolique se serait-il métamorphosé ? Incapable de bouger, je me contente de l'admirer alors qu'il parcourt la courte distance qui nous sépare. Il est terriblement beau, sa peau est couleur miel, ses cheveux sont en bataille, ses vêtements épousent parfaitement sa silhouette élancée et virile. La scène passe au ralenti sous mes yeux subjugués. Lorsqu'il arrive enfin à ma hauteur, mon bel amant s'agenouille sans dire un mot et plonge son regard azur dans le mien.

Entre nous, la tension sexuelle est palpable. Sans qu'il me touche, un brasier se déchaîne dans mon ventre. Son visage plein de désir s'approche lentement du mien, comme un prédateur s'approche insidieusement de sa proie. Je respire par à-coups en attendant que cet être sublime fasse ce qu'il veut de moi. Quand ses lèvres s'emparent enfin des miennes, je gémis, le cœur au bord de l'explosion. Ma réaction l'invite à se faire plus pressant, alors que sa langue caresse assidûment la mienne, ses mains viennent se poser sur ma peau. Elles frôlent ma nuque, mes épaules, empoignent mes seins et descendent jusqu'à mon intimité trempée. Je ne porte rien sous ma petite robe de plage et j'écarte mes cuisses pour l'encourager à continuer ses doux sévices. Il introduit un doigt en moi et le fait tournoyer au rythme de mes halètements, je ferme les yeux et je savoure. Nous sommes seuls au monde sur cette île paradisiaque, rien ne pourrait venir gâcher ce moment inespéré.

Tout s'accélère. Sous mes yeux remplis de désir, mon

amant bestial sort son sexe bandé, me plaque contre le sol, se place entre mes cuisses en me surplombant de toute sa splendeur. Il s'introduit en moi, je sens mes chairs s'écarter pour l'accueillir et je quitte la terre. Au loin, je perçois son grognement de pur plaisir. Il se retire et me pénètre à nouveau, plus violemment cette fois. Il répète ce mouvement encore et encore, en soutenant mon regard, jusqu'à ce que je le supplie de rester en moi, de ne plus me quitter. Sa virilité coulisse en moi de plus en plus fort, de plus en plus vite et je me sens partir. Des gémissements rauques s'échappent de sa gorge alors que ma voix monte dans les aigus. Finalement, mon corps capitule et m'emporte dans un orgasme d'une intensité folle, presque surnaturelle. Je suis dans les vapes, à bout de force mais je sens mon amant retrouvé se cambrer au plus profond de moi et se répandre dans mon intimité.

– Amandine, réveille-toi !

L'atterrissage est rude. En entendant la voix de ma meilleure amie à un mètre de moi, je réalise que tout ça n'était qu'un rêve. Encore excitée par cette scène inoubliable, j'ai du mal à la regarder dans les yeux. Je me dis que je n'aurais jamais dû lui confier mon double de clés… Et puis tout me revient à l'esprit et ça n'a plus aucune importance. Je réalise qu'on est dimanche, que Gabriel m'a quittée le matin même, que nos mails échangés n'ont rien arrangé, qu'il n'assumera jamais ses sentiments pour moi et que j'ai envie de crever.

– Tu criais dans ton sommeil, ça va ? Tu as une sale tête !

– …

Les larmes sont de retour…

– Qu'est-ce qu'il t'arrive ? C'est Ben ? Gabriel ?

– Combien de fois est-ce que je vais devoir le répéter ? Je me fous de Ben, c'est mon EX, rien d'autre !

– Ok, ok…

– Gabriel m'a larguée.

Je fonds en larmes sous les yeux compatissants de ma meilleure amie. Pendant plusieurs minutes, elle me prend dans ses bras et tente de stopper mes tremblements. Mes sanglots finissent par se calmer et je retrouve l'usage de ma voix.

– Il a peur de me faire du mal et il ne veut pas tomber amoureux.

Du moins, c'est ce que j'ai cru comprendre…

– Encore un lâche… Tu vaux mieux que ça, Amandine, tu es trop bien pour lui, il est temps que tu t'en rendes compte.

– C'est tout sauf ce que je veux entendre ! Je refuse qu'il m'abandonne, je vais me battre pour lui, le récupérer.

– Alors je vais t'aider…

Je raconte tout à Marion, dans les moindres détails. Je ne lui épargne même pas ma partie de jambes en l'air de la nuit dernière, dans la petite ruelle.

Peut-être ma dernière avec Gabriel...

À court d'idées, ma meilleure amie décide de faire appel à celui qu'elle appelle monsieur Trouve-Tout : son frère Tristan, plus grand fouineur de tous les temps.

– C'est un spécialiste des faits divers, il va nous aider à en savoir plus sur ton milliardaire !
– Ce n'est plus mon milliardaire, Marion.
– Ah oui... Pardon.

Quand la sonnette retentit, je suis soulagée d'aller ouvrir à Tristan. J'adore Marion, mais dans les situations de crise, elle a du mal à garder son calme. Le beau brun aux traits fins m'embrasse chaleureusement en me demandant ce qu'il fait là. Apparemment, sa sœur lui a ordonné de rappliquer sur-le-champ sans lui donner d'explication. Cette fois, c'est Marion qui fait le point et lui explique toute la situation. Elle reprend l'histoire depuis le début, depuis ma rencontre avec Gabriel il y a cinq mois, au château de Bagnolet.

Cinq mois... C'est si peu et tant à la fois...

Tristan n'écoute sa sœur que d'une oreille et interrompt souvent son monologue interminable pour me poser des questions. Sur Diamonds, son passé, son présent, son frère Silas, sa sœur Céleste, ses parents. Sur ses activités, sa fortune, son hôtel particulier, la maison familiale de Los Angeles. Je suis frappée par le peu de réponses que je suis en mesure de lui donner. Je sais si peu de chose sur l'homme que je veux reconquérir… Au bout d'une heure d'interrogatoire, Tristan en a entendu assez. Il range ses feuilles noircies de notes illisibles dans sa sacoche en cuir. Avant de partir pour mener sa petite enquête, il me fait part de ses inquiétudes…

– Je ne sais pas ce que je vais découvrir. Tu es sûre que tu veux que je fouille dans le passé de ton milliardaire ? Ça risque de ne pas être joli joli…

– Oui. C'est ma seule chance de le récupérer.

– Compris. J'espère juste que je ne vais pas aggraver la situation…

– L'homme que j'aime ne veut plus de moi. Ça ne pourrait pas être pire.

Tristan et Marion partis, je me retrouve seule chez moi, en proie à mes angoisses.

Et s'il ne revenait jamais ?

Et si Tristan ne découvrait rien ?

Pour faire passer le temps en attendant que mon complice me donne des nouvelles, je me lance à corps perdu dans mes taches ménagères. Je suis un vrai robot, j'enchaîne les corvées sans faire de pauses. Ça m'évite de penser à mon amant perdu, de m'apitoyer sur mon sort et de succomber à une énième crise de larmes. Les heures passent mais Tristan ne se manifeste toujours pas. L'impatience me ronge. Je décide de me préparer à dîner, je n'ai rien mangé depuis la veille. Je tranche deux tomates et les dépose dans une assiette, j'ajoute quelques billes de mozzarella, des feuilles de basilic et un trait d'huile d'olive. Mon repas trône sur la table mais je repousse mon assiette, incapable d'avaler une bouchée. Enfin, mon téléphone sonne.

Tristan !

– Amandine, je sais pourquoi Gabriel t'a quittée…

29

LE FANTÔME DU PASSÉ

Respire Amandine, respire...

Je crains le pire. Depuis les mails que j'ai échangés le matin même avec Gabriel, ma raison me pousse à fuir, à accepter la rupture et à avancer sans me retourner. Mais mon cœur m'en empêche et me force à m'accrocher au peu d'espoir qu'il me reste, quitte à me faire piétiner. Diamonds est un homme torturé, qui cache un lourd secret, j'en suis persuadée. Alors que mon ami s'apprête à m'annoncer le verdict, je ne suis plus du tout sûre de vouloir entendre la vérité...

Une femme avertie en vaut deux...

– Je t'écoute, Tristan.
– J'ai fait des tonnes de recherches, j'ai remué ciel et terre pour trouver des infos. Tu m'as donné carte blanche, donc je n'ai pas hésité à contacter une de mes sources

aux renseignements généraux. Ton milliardaire est clean, je craignais qu'il fasse partie d'un trafic un peu louche ou qu'il soit fiché pour fraude, mais ce n'est pas le cas...

– Et ?

– Ça ne va pas te plaire mais ça t'apportera sûrement des réponses...

– Tristan !

– Ton milliardaire était fiancé. Il y a treize ans, sa future femme est morte en donnant naissance à un enfant. Un garçon.

Je viens de recevoir un coup de massue, je suis complètement étourdie. Ma gorge se serre, mon ventre se noue, mes neurones tournent à toute vitesse, je suis partagée entre le soulagement et... je dois l'avouer, la jalousie. Il a donc aimé une autre femme. Au point de s'engager éternellement et de lui faire un enfant. Des flashbacks me reviennent. Je comprends mieux pourquoi Gabriel a paniqué en pensant que j'étais enceinte. Pourquoi je lisais parfois de la tristesse, de la mélancolie dans son sublime regard. Pourquoi il voulait m'offrir la terre entière, mais pas l'amour. Pourquoi ses propres sentiments l'effraient, le paralysent. Mon amant n'est pas un homme froid, autoritaire, égoïste, c'est un homme qui a souffert et qui tente de se préserver du pire... et du meilleur.

– Amandine ? Tu es toujours là ?

– Pardon, j'étais... ailleurs.

– Tu veux savoir son nom ?

– Quel nom ?

– Celui de la morte !
– Ah… oui, vas-y.

Probablement un nom de Barbie californienne…

– Eleanor Fitzgerald.

Raté…

Les révélations de mon complice m'ont assommée, je ne sais plus vraiment quoi penser si ce n'est que Gabriel a probablement définitivement fait une croix sur moi. Après ce qui lui est arrivé, je ne peux pas le blâmer. L'amour s'est déjà retourné contre lui une fois, il refuse que cela se reproduise. Sauf que l'idée de l'avoir perdu à jamais m'est insupportable. Comment renoncer à quelqu'un qui me fait vibrer et me fascine à ce point ? Non, je ne peux pas le laisser s'échapper, j'ai trop besoin de lui, de ses bras qui me serrent, de son regard qui m'émeut, de sa bouche qui me transporte, de son sexe qui m'embrase…

Je ne sais pas où il se trouve et je n'ai aucune idée de l'heure qu'il est dans son lointain pays, mais je décide de l'appeler. Je ne suis pas étonnée de tomber sur sa messagerie vocale, mais cette fois, une voix monocorde me propose de laisser un message. Mon ton laisse transparaître toutes mes émotions, je ne cherche pas à les contrôler, je veux qu'il sache que son silence me déchire, que son absence me tue.

[Gabriel, j'ai découvert ton secret, je sais tout. Tu n'as plus besoin de me cacher la vérité, de me fuir. Il y a treize ans, la vie t'a blessé, mais laisse-moi t'aimer. Reviens, je t'en prie. Je t'attends…]

Il est 23 heures. Je rejoins mon lit et pose mon téléphone sur le second oreiller, en espérant que ma nouvelle sonnerie des Lumineers retentira pendant la nuit. J'ignore si ma prière sera exaucée, si mon amant torturé reviendra vers moi en découvrant que la vérité ne m'effraie pas, ou si, au contraire, il sera plus déterminé que jamais à prendre ses distances. Avant de fermer les yeux et de me laisser sombrer dans un sommeil agité, je me remémore son beau visage pour ne jamais l'oublier…

— Amandine, tu peux m'envoyer la dernière newsletter pour que je la valide s'il te plaît ?

Éric Chopard me parle sur un ton amical, sans se douter que le boulot est le dernier de mes soucis. Je devrais sûrement être plus attentive aux ordres de mon boss, mais depuis ce matin, je n'ai qu'une obsession : imaginer à quoi ressemblait Eleanor, la fiancée défunte de Gabriel. J'ai fait quelques recherches sur le net, sans rien trouver.

— Je ne l'ai pas commencée, je pensais m'y mettre cet après-midi…
— Tant que je l'ai avant 16 heures, ça me va.

Brune ou blonde ? Grande et élancée ? Petite et pulpeuse ? C'est sûrement mal d'envier une personne disparue, de la considérer comme une rivale, mais c'est plus fort que moi. Qu'avait cette fille de si particulier pour que Gabriel soit prêt à s'engager, à lui faire un enfant ? Il était peut-être différent à l'époque, plus insouciant et naïf, moins sur la réserve, moins méfiant. Est-ce que j'aurais aimé cette version de lui autant que l'actuelle ? Pas sûr… Je suis inexorablement attirée par ses différentes facettes, par son côté sombre, sauvage, insaisissable, maniaque du contrôle…

— La petite Émilie attend sa collègue Amandine à la machine à café…

La voix moqueuse provient du bout du couloir. Le trait d'humour de ma collègue me sort de mes réflexions confuses et désordonnées. Je redescends sur terre soudainement et quitte machinalement mon bureau pour la rejoindre. La jolie blonde me tend un café serré en m'adressant un sourire contrit. Sa simplicité, sa fraîcheur et son naturel me font du bien. Émilie trouve toujours les mots pour m'apaiser, me faire positiver.

— Merci, la petite Émilie, j'en ai bien besoin.
— Sans ta dose de caféine, tu n'es plus toi-même ! Ça va ?
— Comme un lundi.
— Raconte-moi.
— Juste un coup de fatigue, c'est tout.

– Rien à voir avec ton Apollon multimilliardaire ?
– À ton avis ?...

Sans que j'aie besoin de le préciser, Émilie comprend que je n'ai pas envie d'en dire plus sur le sujet. Elle n'insiste pas et se met à me faire la liste des derniers ragots qui circulent dans les bureaux. Ces derniers temps, j'ai été tellement obnubilée par ma propre vie que j'en ai oublié d'observer ce qui se passait autour de moi. Apparemment, Fred le maquettiste freelance a fait son coming-out, Iphigénie la femme de ménage est en plein divorce et notre boulangère préférée attend son sixième bébé.

Eleanor est morte en accouchant de son premier...

Quoi que je fasse, tout me ramène à ça ! Je m'agace moi-même, j'ai une furieuse envie de me cogner la tête contre un mur pour cesser d'y penser. Je tente de me plonger dans le boulot pour arrêter de ressasser, mais le résultat est mitigé. À 16 heures pile, j'envoie le document Word à Éric en me disant que j'ai bâclé le travail, mais je suis soulagée d'avoir respecté le timing imposé. Pour m'occuper jusqu'à 17 h 30, je me lance dans la rédaction d'un article sur les vins aromatisés, le nouveau phénomène qui fait fureur. En étudiant la fiche d'une bouteille saveur rosé « sex on the beach », je repense à mon rêve érotique de la veille.

J'ai tellement envie de lui…

Après avoir fait un signe de la main à Éric et Émilie, je sors du bureau et descends les escaliers qui mènent jusqu'à la rue. Mon programme du soir est indéterminé : j'hésite à appeler Marion, Louise ou Camille pour ne pas me retrouver seule, en tête à tête avec le fantôme d'Eleanor. J'actionne le mécanisme de la lourde porte brune de l'immeuble, fais quelques pas en direction du métro avant de stopper net. Face à moi, Gabriel est là, adossé à un grand chêne, sublime dans son costume noir.

Il n'est jamais parti à l'étranger… Soledad m'a menti… Garce !

– Bonsoir Amande.

L'intensité de sa voix rauque me transperce mais son regard azur est incertain, hésitant…

– Tu es là…

Ma surprise le fait sourire. Il s'avance vers moi et dépose un tendre baiser sur mes lèvres entrouvertes.

– Oui. Et je ne vais nulle part sans toi.

C'est nouveau, ça !

– Viens Amande, on va boire un café… ou un whisky !

Je ne bouge pas, je suis toujours sous le choc. J'ai cru ne jamais le revoir, j'étais prête à le supplier encore et encore pour qu'il revienne, mais maintenant qu'il est là, à quelques centimètres de moi, je ne sais plus comment réagir. J'ai envie de lui sauter au cou mais aussi de le gifler, de lui crier à la fois mon amour et ma haine. Je croise à nouveau son regard et détecte un mélange d'inquiétude et d'étonnement. Lui non plus ne pensait pas que je réagirais comme ça… Finalement, je reprends mes esprits et accepte de le suivre en direction de la brasserie la plus proche.

– Tu n'as pas froid ?
– C'est pour me demander ça que tu es revenu ?
– Non. Mais ça ne m'empêche pas de prendre soin de toi…

Pardon ?

– Et tu le fais si bien depuis le début…

Je voudrais garder mon sang-froid car je sais que la conversation risque d'être interminable et éprouvante, mais je bouillonne. Mon ton est brutal, acide, les mots que je lui jette au visage sont rouge braise.

– Me quitter en pleine nuit, comme un lâche, c'est ça, prendre soin de moi ?

Et je continue... Arrêtez-moi !

— Amandine, c'est pour ton bien que je suis parti. Ça a été une torture pour moi aussi. Je sais que c'est dur à comprendre, mais je voulais t'épargner...

Au fil de sa phrase, sa voix s'est éteinte. C'est la première fois que je vois Gabriel dans cet état, si touché.

— En me brisant le cœur ?
— En te gardant loin de moi, de mes démons, de mon passé...
— Ça m'est égal tout ça. C'est le présent que je veux avec toi, ton passé et ton futur t'appartiennent...

Je perçois une nouvelle nuance dans ses yeux. Entre l'amusement et la contrariété...

J'ai tellement de mal à le déchiffrer...

— Tu ne veux pas d'un futur avec moi, Amandine ?
— Pas si tu continues à m'ignorer pendant des jours entiers, à me fuir, à te braquer, à m'empêcher de t'aimer. Non, pour l'instant je ne me projette pas avec toi.

MENTEUSE !

Ma réponse lui a fait l'effet d'une gifle. Mon milliardaire reprend de la hauteur, sa voix devient plus dure, plus percutante.

– Comment as-tu découvert mon passé ?

– Tristan m'a aidée.

– Il te tourne autour, lui aussi ? Décidément, j'ai de la concurrence… Enfin, si on peut appeler ça comme ça…

– Votre ego surdimensionné serait-il de retour, Mr Diamonds ?

– Absolument pas, mademoiselle Baumann, j'ai pleinement conscience de qui je suis et de ce que je vaux. Je suis un homme de pouvoir, je réussis ce que j'entreprends et peu de chose me résiste. À part vous, bien sûr.

– Je résiste, vous fuyez. Tout porte à croire que j'ai le dessus…

– Ne va pas trop loin, Amandine… Ne me force pas à te prouver que je te domine. Il suffirait que je te plaque contre moi et que je remonte ma main entre tes cuisses pour te le prouver.

Hmm, pas d'objection votre Honneur…

La serveuse nous interrompt en venant déposer une petite corbeille de pop-corn salé sur notre table carrée. Elle ne peut s'empêcher de dévorer Gabriel du regard, mais celui-ci l'ignore superbement. Je bois une gorgée de kir royal pendant que mon amant retrouvé passe aux aveux…

– J'ai rencontré Eleanor pendant des vacances à Chamonix, quand j'avais 16 ans. C'était la première fois que je tombais amoureux, qu'une fille me faisait cet effet-là. Elle était belle comme le jour, douce, intelligente.

Eleanor était une artiste, elle s'exprimait différemment, à travers ses toiles et ses sculptures. Elle n'avait jamais un mot plus haut que l'autre, elle détestait le conflit, la violence. Après deux ans de relation à distance, on s'est fiancés. Elle a tout quitté pour me rejoindre. Je commençais mes études en France, elle s'est inscrite aux Beaux-arts. On était fous amoureux, fusionnels, mais je sentais que quelque chose n'allait pas. Eleanor était malade depuis des années, elle me l'a caché pendant plus de trois ans avant de me l'avouer. Quand elle est tombée enceinte, les médecins m'ont dit que le pire pouvait arriver. Je l'ai suppliée d'interrompre sa grossesse, de ne pas prendre ce risque. Elle a refusé. Pendant neuf mois, j'ai vécu dans l'angoisse. Chaque jour était à la fois une victoire et un fardeau. Elle a mis au monde notre fils et quelques jours après, elle s'est éteinte. Ça m'a détruit. Je me suis juré de ne plus aimer personne, d'être le seul maître de ma destinée. Et puis tu as débarqué…

Je retiens mon souffle. Gabriel vient de se mettre à nu, il a débité son récit sans s'arrêter, les yeux dans le vague. La souffrance et la détermination se lisent sur son visage. Il vient de m'offrir le plus beau des cadeaux : une part de lui, de son âme torturée, de son cœur meurtri.

Son fils…

Virgile !

L'image du blondinet boudeur et rebelle me revient en

mémoire. Je me souviens m'être demandée ce qu'il faisait là, à Los Angeles, à qui il appartenait. Pourquoi était-il si en retrait, silencieux, étrange ? Sûrement parce que sa mère est morte en lui donnant naissance et que son père avait trop de chagrin pour s'en occuper…

– Virgile… C'est ton fils ?

Diamonds me lance un regard implacable, comme si l'évocation de son enfant était la limite à ne pas franchir.

– Gabriel, j'ai besoin de savoir…

– Tu m'en demandes trop, c'est… douloureux. Je ne l'ai pas élevé, c'est mon plus grand regret.

Sur ce, il se lève, balance un gros billet sur la table qui pourrait payer dix fois ce que nous avons consommé, me tend la main et m'escorte jusqu'à sa Mercedes grise. Sa paume brûlante réveille mon corps engourdi par toutes ces émotions contradictoires et pendant le trajet qui nous amène jusqu'à chez moi, je suis submergée par une vague de soulagement et de reconnaissance.

Il est revenu. Pour moi…

« Et puis tu as débarqué… ». Il vient vraiment de m'avouer à demi-mot qu'il m'aimait ?

Cette fois, je n'ai pas à le supplier pour qu'il accepte de m'accompagner chez moi, au contraire… J'ai à peine le temps de fermer la porte derrière nous qu'il m'approche contre lui et m'embrasse tendrement, langoureusement. Son haleine divine répand des effluves d'irish coffee dans ma bouche et mes sens tourbillonnent déjà. Sa langue est douce, veloutée et vient caresser la mienne qui en redemande. Je suis partagée entre l'excitation et l'envie de me laisser aller, d'ouvrir les vannes pour évacuer toutes les émotions négatives provoquées par son départ, son abandon. Une larme s'échappe et coule le long de ma joue. Elle vient se poser sur nos lèvres mêlées et le petit goût salé coupe mon amant dans son élan.

– Je ne veux plus te faire souffrir, Amande douce. Je ne partirai plus, je te le jure. Tu as réussi à briser ma carapace, tu m'as rendu plus vulnérable, plus humain. Je vais changer… Pour toi.

Je me jette contre lui, bouleversée par ce que je viens d'entendre. Mes mains s'accrochent à son cou et remontent dans sa chevelure dorée pendant qu'il s'empare à nouveau de mes lèvres. Ce baiser est plus avide, plus violent, je subis les assauts de sa langue sans réussir à reprendre mon souffle. Puis il se détache de moi et me déshabille à la vitesse de l'éclair. Mes fringues volent aux quatre coins de la pièce et s'écrasent sur le sol. À son tour, en me fixant de son regard cruel, il retire ses vêtements un par un, lentement, patiemment. Cette délicieuse provocation allume un brasier dans mon bas-ventre, j'ai envie de lui comme jamais. Une fois nu, il se rapproche de moi, nos corps se touchent presque, et lâche ces quelques mots qui me transpercent…

– Je suis à toi. Fais ce que tu veux de moi.

La fierté et le désir coulent à torrents dans mes veines, je réponds à son appel charnel en le guidant vers le canapé et en le poussant d'un geste sec, autoritaire. Cette fois, c'est moi qui prends les commandes, je veux le rendre fou, le posséder. Sans jamais lâcher son regard, je me mets à genoux et porte son sexe érigé jusqu'à ma bouche. Ses proportions divines me remplissent à la perfection et je fais coulisser sa virilité entre mes lèvres, jusqu'à ce qu'il soupire et gémisse de satisfaction. Je sens tout son corps se crisper, sa peau devient brûlante, j'augmente le rythme pour lui faire perdre la tête.

Je te contrôle, Diamonds…

Je sens qu'il approche de la jouissance, sa respiration est de plus en plus saccadée, son visage laisse transparaître son plaisir pur, renversant. Sans me laisser déstabiliser par cette vision qui m'émeut, je grimpe sur mon Apollon et viens planter sa lance magistrale dans mon intimité. Je glisse en lui doucement, jusqu'au plus profond de moi, puis accélère la cadence et l'ampleur de mes mouvements. Il lâche un grognement rocailleux et tente d'emprisonner l'un de mes tétons entre ses dents mais je place une main sous son menton et repousse son avance en le fusillant du regard. Il est à ma merci, c'est moi qui domine. Pour le punir, je lui mords sensuellement la lèvre et maintiens la pression jusqu'à ce qu'un petit cri de douleur lui échappe. Cette sensation de toute puissance me transcende, me donne le courage d'aller plus loin. Je cambre mes reins, incline mon buste, remue les hanches pour qu'il me pénètre, me remplisse, me transperce plus profondément. Ce va-et-vient délicieux fait exploser notre plaisir, un orgasme d'une intensité folle s'abat sur nous et nous transporte loin d'ici, loin de tout. Pendant plusieurs minutes, nous restons immobiles, imbriqués l'un dans l'autre. Puis je me retire de lui et tente de me relever, mais il me tire par le bras et me colle un léger baiser sur les lèvres avant de me croquer la joue.

– Aïe !

– Tu l'as bien mérité. Et ne prends pas trop goût à la domination, jeune fille... C'était exquis mais ce rôle m'appartient. Comme toi, d'ailleurs.

Une heure plus tard, mon amant déroutant me quitte pour aller signer un contrat avec de nouveaux investisseurs. Il m'a promis de me réserver la soirée et la nuit du lendemain, ce qui constitue un progrès majeur dans notre relation. C'est la première fois qu'il daigne me faire part de ses projets... et de faire de moi sa priorité.

On forme un vrai couple ou je rêve ?!

Pendant que mon repas surgelé tourne dans le micro-ondes, j'allume mon ordinateur pour jeter un œil à mes mails. Marion a sûrement cherché à prendre de mes nouvelles.

Bingo !

Tout en haut de mes messages non lus, je trouve son nom écrit en gras. Juste en dessous, mon œil est attiré par l'inscription « Anonyme ».

Encore ?! Ce putain de corbeau ne me foutra jamais la paix !

Résignée, je clique sur le mail et inspire profondément avant de découvrir ce qu'il contient.

De : Anonyme
A : Amandine Baumann
Objet : La curiosité n'est pas toujours un vilain défaut…

ELLA HONOR

Deux mots écrits dans une police agressive, énorme, rouge sang.

Furieuse de constater que je rentre à chaque fois dans le jeu malsain de ce messager mystère horripilant, je cède à la tentation. Je saisis ce nom étrange dans le moteur de recherche, appuie sur entrée et étudie les résultats. Je clique sur le premier lien et découvre, horrifiée, le visage d'Ella Honor, aka Eleanor Fitzgerald, artiste peintre et sculpteuse. Elle me ressemble comme deux gouttes d'eau.

Je suis son sosie…

30

L'UNE OU L'AUTRE

Il se dégage de cette photo officielle un air absent, presque transparent et pourtant une beauté troublante. Ses longs cheveux lisses et soyeux, d'un châtain doré, ressemblent beaucoup aux miens, à une nuance près. Ils entourent un visage au teint pâle, sans vraiment d'expression. Comme peut-être le mien quand je suis songeuse ou fermée comme une huître. Ses grands yeux noisette, à la fois timides et perçants, regardent ailleurs. Ses prunelles brillantes ont l'air au bord des larmes. Même cette expression de chagrin boudeur me semble familière. Ses lèvres délicates, rose pâle, comme deux fragiles coquillages, sont parfaitement closes, sans une trace de sourire. Ses traits emplis de douceur ne parviennent pas à cacher ce qui bout à l'intérieur. Elle semble aussi innocente qu'habitée. Eleanor a quelque chose de poignant que je n'ai pas, mais nos visages sont des copies conformes.

Juste en dessous de cette photo qui me donne la chair de poule, je lis la légende. Apparemment, le cliché date d'il y a quatorze ans, c'est-à-dire un an avant la mort d'Ella Honor. Il a été pris à l'occasion de sa dernière exposition. « L'œuvre de cette jeune artiste prometteuse est à son image : mélancolique, à fleur de peau, touchante, vibrante. Eleanor Fitzgerald s'exerce à la peinture et à la sculpture avec passion et nous fait voyager dans son imagination vive et parfois déroutante. Son sens de la justesse et du détail est tout simplement frappant... »

Ce qui me frappe, c'est notre ressemblance...

Ce n'est pas moi qu'il veut... C'est elle !

Je ne sais vraiment plus quoi penser, à part que Gabriel me ment depuis le début, depuis notre première rencontre, depuis le premier regard qu'on s'est échangé. Ce jour-là, il a couru après le fantôme de son ex-fiancée, pas après moi. Je ne suis qu'une pâle copie de la femme qu'il aime, qu'une enveloppe charnelle qu'il utilise à son gré pour redonner vie à son passé. Je suis son objet, sa chose. À part mon physique, je n'ai rien pour lui plaire, je ne suis pas soumise, je ne suis pas de son monde, je ne suis ni une artiste ni une princesse de la haute. Il me mène en bateau depuis le début, sans se soucier du jour où il quittera le navire et où je n'aurai plus qu'une issue : couler à pic, submergée par la douleur et noyée dans mon chagrin.

À cette idée, mon corps s'anime avant même que mon cerveau n'ait pu réagir. Comme un robot déchaîné, j'enlève le short et le débardeur qui me servent de pyjama. Je ne prends pas le temps de mettre des sous-vêtements : je saute dans un jean qui traînait sur une chaise, enfile un T-shirt propre, le premier de la pile, puis ma paire de Converse blanches sans faire les lacets. En moins d'une minute, je suis en train de courir sur le trottoir, en direction de la place Daumesnil, là où j'ai le plus de chance d'attraper un taxi. Quand je m'engouffre dans la voiture, je coupe court à toute tentative de conversation du chauffeur.

Pas le moment, pas d'humeur !

Je m'enferme dans ma bulle, le visage tourné vers la vitre. La nuit commence à tomber et les lumières des phares et des lampadaires qui défilent devant mes yeux me donnent la migraine. À moins que ce soit le défilé des idées noires dans mon esprit. Il faut environ trente minutes à mon taxi pour rejoindre le 17e arrondissement et je maudis Gabriel d'habiter les beaux quartiers, à l'autre bout de Paris. Je trépigne d'impatience quand la voiture s'approche du parc Monceau, j'anticipe en payant largement mon chauffeur et saute du taxi dès que je peux, avant même qu'il ne soit complètement arrêté. Je me tords bêtement la cheville entre le trottoir et le caniveau mais reprends ma course folle jusqu'à l'entrée de l'hôtel particulier. C'est tout essoufflée et échevelée que je sonne et tambourine à la porte, à mi-chemin entre la crise de nerfs et la crise d'angoisse.

L'immense porte s'ouvre enfin. Soledad apparaît et me barre le passage en m'adressant un sourire teinté de surprise et de remords. Elle n'a sûrement pas oublié la manière dont elle m'a traitée deux jours plus tôt... Moi non plus, d'ailleurs. Je la contourne du mieux que je peux en murmurant un semblant de « bonsoir, je suis pressée ». Alors que je me précipite jusqu'aux escaliers pour me lancer à la recherche de mon amant maudit, j'entends la gouvernante qui tente de me stopper. Je l'ignore et continue sur ma lancée, plus en colère que jamais. En pénétrant dans le majestueux salon, je tombe sur Gabriel et trois convives.

Un dîner d'affaires, il ne manquait plus que ça...

Les yeux dubitatifs des quatre hommes sont braqués sur moi. J'adresse un regard qui en dit long au maître des lieux qui se lève et s'excuse poliment avant de venir à ma rencontre. Il sait que quelque chose ne va pas, je le sens tendu, sur ses gardes. Il attrape ma main et m'emmène tout au bout du couloir, dans une impressionnante bibliothèque. Il referme la porte derrière nous et s'adosse contre le mur.

– Je ne sais pas ce que tu fais là, Amande, mais ce n'est pas vraiment le moment...
– Pour une fois, c'est moi qui décide.
– Il me semble que tu as déjà pris beaucoup d'initiatives

cet après-midi…

Il fait référence à nos derniers ébats et cette image m'écœure. Son sourire en coin m'est insupportable, j'ai l'impression qu'il me provoque, qu'il remue le couteau dans ma plaie béante. J'ai envie de lui faire mal, qu'il souffre, qu'il se sente humilié… comme moi.

– Ella Honor. Ça te dit quelque chose ?

Il hausse les sourcils, étonné. Puis ses yeux azur se plissent durement, laissant filtrer son inquiétude. Je suis en ébullition.

– Dis quelque chose Gabriel ! Dis quelque chose avant que je ne réponde vraiment plus de moi…
– Ella Honor, oui, ça me dit quelque chose.
– Et ? Tu n'as rien à me dire ?
– Si. Elle n'a rien à voir avec toi et moi.
– Rien à voir ? Le fait que je sois son sosie, ça n'a rien à voir ? Tu me prends vraiment pour une imbécile !

Je viens de monter en décibels, mais ça m'est égal.

Tu veux jouer au plus malin ? Tu ne gagneras pas cette fois !

– Vous vous ressemblez physiquement, en effet.

Il tente de garder son calme, ses mots sont calibrés,

choisis avec soin. Ce qui ne fait qu'amplifier ma fureur.

— Tu te contrefous de moi, je ne suis qu'une pauvre débile de plus à avoir succombé à ton charme. C'est elle que tu veux, pas moi ! Quand tu es avec moi, c'est à elle que tu penses, quand tu baises avec moi, c'est à elle que tu fais l'amour ! Tu m'utilises depuis le début et moi, comme une conne, je suis tombée amoureuse…

— Ne dis pas ça Amande, c'est totalement faux. Tu es tout le contraire d'Eleanor, c'est justement pour ça que tu me fais du bien ! C'est toi que je veux, toi que je désire, tu me fais revivre…

— Tu es complètement taré, Gabriel, malsain, dégueulasse. Je pensais que notre histoire était vraie, différente, mais elle est juste glauque ! Tu cours après une morte et moi je vais droit dans le mur…

Mes larmes commencent à couler, je suis en train de perdre pied. Je lis de la douleur sur le visage de l'homme que j'aime et cette vision me bouleverse. Je voudrais être capable de le haïr, de l'insulter et de le quitter une bonne fois pour toutes, mais j'en suis incapable. Je m'effondre, accablée par ces émotions contradictoires. Dans mon esprit, la haine et l'amour se battent dans un duel dont je connais l'issue. L'amour l'emportera toujours, quoi que Gabriel fasse, je ne me détacherai jamais totalement de lui. Soudain, ses bras m'entourent et je me laisse aller contre son torse musclé, enivrée par son parfum divin. D'une main, mon amant préoccupé remonte mon visage pour plonger ses yeux étincelants dans les miens.

– Tu es la seule, l'unique. Tu ne sais pas à quel point je…

Mes lèvres viennent s'écraser sur les siennes et Gabriel répond avidement à mon baiser. Je n'ai plus la force de l'entendre, plus la force de réfléchir, je veux que tout s'arrête, que mon cerveau se mette en pause et que mon corps prenne la relève. Mon dieu grec renforce son étreinte, comme s'il voulait que nos peaux se mélangent et se soudent à jamais. Puis, d'un geste sec, il remonte mes bras et fait glisser mon T-shirt qui retombe sur le parquet en points de Hongrie. Mon amant lâche un grognement de satisfaction lorsqu'il découvre que je n'ai pas de soutien-gorge. Alors que sa langue sucrée s'immisce à nouveau dans ma bouche, ses mains caressent mes seins et excitent mes tétons déjà durcis par le désir. Mon cœur s'emballe quand j'entends le cliquetis de sa ceinture et quand, quelques secondes plus tard, il prend ma main et la dépose sur son sexe dur. Je me débarrasse facilement de mes chaussures qui ne sont toujours pas nouées et commence un va-et-vient qui le fait frissonner. Je me laisse faire lorsqu'il déboutonne mon jean et le fait coulisser jusqu'à mes chevilles, je suis à sa merci, ma colère a disparu, je ne veux que son plaisir et le mien.

Ses mains de fer me soulèvent et, dans un élan bestial et délicieux, il me plaque violemment contre le mur. Il me pénètre d'un coup, je crie sous l'effet de la surprise. Son regard intense plongé dans le mien, il s'enfonce au plus profond et accélère la cadence. Ses coups de boutoir me transpercent, je gémis encore et encore, en tentant de reprendre mon souffle. Ses mains agrippent mes fesses, ses doigts s'enfoncent dans ma chair, je crie son nom et, à nouveau, mes larmes se mettent à couler. Mon tendre amant s'en rend compte et murmure à mon oreille…

– Amandine, je suis à toi. Entièrement.

Ces mots m'embrasent et me redonnent du courage. Je l'embrasse passionnément et cambre mes reins pour aller à la rencontre de ses assauts. Je sens sa virilité immense et brûlante s'épanouir en moi, grandir et gagner du terrain à chaque va-et-vient. J'ondule du bassin pour amplifier les effets de cette danse orgasmique et finalement, alors que mon Apollon s'enhardit de plus belle, je jouis en m'accrochant à sa chevelure dorée. Quelques allers-retours plus tard, il s'enfonce une dernière fois dans mon intimité et explose en moi. Je bénis le fait que, depuis son accident d'avion, nous n'utilisons plus de préservatif. Mon amant sublime m'a juré fidélité et j'aime plus que tout le sentir se répandre en moi.

Au moment où je quitte l'hôtel particulier, Gabriel a déjà rejoint ses invités. Il m'a promis de répondre à toutes mes questions demain, m'a suppliée de ne pas m'inquiéter, de ne pas m'imaginer les pires scénarios.

Facile à dire…

Le lendemain, Camille me rejoint au bistrot du coin pendant ma pause déjeuner. Je touche à peine à la salade lyonnaise que j'ai commandée, encore obsédée par le visage d'Eleanor. Je n'ai pas fermé l'œil de la nuit et j'ai tellement mauvaise mine que ce matin, Éric qui me pensait souffrante m'a proposé de prendre quelques jours.

– Qu'est-ce qui t'arrive Dinette ?

– Camille, ça fait des années que je te demande de ne plus m'appeler comme ça… Je n'ai plus 3 ans !

– Charmant… On peut savoir pourquoi tu es d'une humeur de chien ?

– J'ai mal dormi, je suis épuisée.

– Pars en vacances, profites-en tant que tu es stagiaire !

– Mon boss m'a donné ma semaine, mais merci de me rappeler que je ne suis QUE stagiaire.

– Ce que tu peux être susceptible…

– Je pense avoir des raisons de l'être. Je viens de découvrir que l'ex fiancée de mon mec était ma sœur jumelle. Ou presque…

– Quoi ? Quelle sœur jumelle ? Diamonds était fiancé ?!

– Oui, cette fille était mon portrait craché, elle est morte il y a treize ans, en mettant au monde un enfant.

– Diamonds a un enfant ?

– Un fils…

– Tu le connais ?

– Non, enfin… je l'ai croisé une fois mais il ne vit pas avec Gabriel.

– Depuis que tu es avec ce mec, ta vie ressemble à

Dallas ! Tu vas devenir folle Amandine, quitte-le, passe à autre chose. Il n'est pas bon pour toi.

– Je n'y arriverai pas…

Les larmes font leur entrée, mais cette fois, elles sont accompagnées de sanglots. Ma sœur est inquiète pour moi, pourtant ce n'est pas son genre ! Avant d'aller chercher Oscar à la garderie, elle appelle Marion à la rescousse, pour ne pas me laisser seule. Ma meilleure amie débarque sans hésiter et je suis obligée, une fois encore, de raconter toute l'histoire. Je vois le joli visage de Marion se dissoudre au fur et à mesure que j'avance dans mon récit. Elle est choquée, peinée, désolée pour moi et furieuse contre cet homme qui, selon elle, me met « la tête et le cœur en vrac ». Et puis, soudainement, elle me fait une proposition que j'accepte sans trop savoir pourquoi…

– Et si on partait à la campagne ? Tu as besoin de prendre l'air, de t'éloigner de lui pour faire le point !

En début de soirée, nous arrivons dans le Calvados, à Genneville plus précisément. Située à quinze minutes de Honfleur, la petite maison restaurée des parents de Marion nous ouvre les bras. C'est un lieu chaleureux, simple, apaisant, à mille lieues du luxe et du grandiose auxquels Gabriel m'a habituée. Sur la route, j'ai envoyé un message à mon milliardaire pour le prévenir que j'avais besoin de souffler.

[Changement de programme : je pars à la campagne jusqu'à dimanche. Ne t'inquiète pas pour moi, je suis en sécurité avec Marion. Tu me manques déjà mais j'ai besoin de prendre du recul.]

[Ne me fuis pas Amande, nous avons besoin de parler, cinq jours, c'est une éternité ! Où allez-vous ? Je ne supporte pas de te savoir loin. Reviens-moi…]

Les trois premiers jours sont passés à une vitesse folle. J'ai dormi comme une marmotte, mangé avec appétit, pris des bains de soleil dans le jardin, marché sur la plage, joué au Uno, au Scrabble et au Trivial Pursuit avec ma meilleure amie, pensé encore et encore à l'homme mystérieux et insaisissable que je tentais de fuir.

Sors de ma tête !

Gabriel m'a bombardée de SMS, de coups de fil, d'e-mails, mais j'ai résisté. Ça n'a pas été facile, mais je ne lui ai pas répondu une seule fois. Après tout, il ne s'est pas privé de me faire subir la même torture, quand il disparaissait pendant des jours, voire des semaines, sans donner de nouvelles.

C'est mal de jubiler ?

Le corbeau est lui aussi venu gâcher ma tranquillité. Un matin, en consultant mes mails, j'ai découvert un nouveau message de sa part. Pas d'objet cette fois, aucun texte, mais une pièce jointe. En cliquant dessus, une photo est apparue à l'écran. Gabriel et Eleanor, le jour de leurs fiançailles. Ils devaient avoir à peine 18 ans et déjà, l'amour inconditionnel se lisait sur leurs visages.

Tristan a débarqué samedi matin, à ma plus grande joie. Ces derniers temps, nous nous sommes beaucoup rapprochés et j'apprécie de plus en plus ce garçon simple, frais et authentique. Après une journée à la plage, Marion prépare un gratin de fruits de mer en cuisine pendant que son frère et moi prenons l'apéro sur la terrasse.

– Tu ne me détestes pas après les révélations que je t'ai faites ?

– Non monsieur le fouineur, vous avez été parfait ! Tu m'as ouvert les yeux…

– Alors ? Tu vas enfin le quitter ton grand méchant multimilliardaire qui s'amuse à jouer avec les sentiments des jolies petites innocentes ?

– Je ne sais pas… Je ne crois pas…

– Il me semble que cela ne vous regarde absolument pas, monsieur Aubrac.

Derrière nous, la silhouette élégante de Gabriel surgit de nulle part et sa voix dure et autoritaire nous assomme. Je suis sous le choc, Diamonds a une fois de plus réussi à me retrouver…

Il me fait suivre ou quoi ?!

Qu'est-ce qu'il est beau...

Tristan ne se rebelle pas mais soupire bruyamment et déguerpit en me laissant seule face à mon amant féroce.

– Alors comme ça, tu hésites à me quitter, Amande amère ?

– Alors comme ça, tu me harcèles, monsieur Je-Me-Crois-Tout-Permis ?

– J'ai de bons indics. Ta sœur, par exemple. J'ai eu du mal à la convaincre, mais elle a fini par craquer...

– Tu lui as offert un chèque d'un million de dollars ? Vous les milliardaires, vous savez vous montrer persuasifs...

– Avec les autres, oui, mais apparemment pas avec toi. Tu pensais te débarrasser de moi aussi facilement ?

– Non. Je pensais que tu me laisserais respirer quelques jours...

– Et si je ne peux pas respirer sans toi ? Si ton silence me fait atrocement souffrir ? Tu y penses à ça ?

– Je suis désolée, je pensais que tu comprendrais...

– Bordel Amandine, il n'y a rien à comprendre ! Je suis fou de toi, ce n'est pas si compliqué !

Fou de moi ?

FOU DE MOI ?!!!

31

MILLE ET UNE NUITS

Je suis de retour sur le siège passager, mais cette fois, mon amant fou est à mes côtés dans sa rutilante Porsche Cayman.

Fou de moi...

Il n'a pas eu à insister pour que je rentre à Paris sur-le-champ. Être séparée de lui un jour de plus, je n'aurais pas pu le supporter, pas depuis qu'il m'a avoué ses sentiments dans un cri déchirant. Après avoir rassemblé mes affaires, j'ai embrassé Marion rapidement mais n'ai pas revu Tristan.

Il comprendra. J'espère...

La Porsche roule à toute vitesse, les paysages défilent sous mes yeux sans que je puisse en apprécier la beauté ni les détails. Alors que la scène vibrante de ses aveux tourne en boucle dans ma tête, sa main vient se poser sur mon genou et remonte lascivement sur ma cuisse. Je la repousse à plusieurs reprises, par défi, par jeu, jusqu'à ce que Gabriel perde patience et me gronde comme s'il s'adressait à une petite fille indisciplinée…

— Amandine, tu recommences…
— Quoi donc ?
— À me fuir. Tu sais que je n'aime pas ça.
— Vous ne supportez pas qu'on vous résiste, Mr Diamonds ?
— Non et c'est pour ça que je compte vous kidnapper pendant quelques jours, mademoiselle Baumann. Là où je vous emmène, vous ne pourrez pas m'échapper.

Sa voix est autoritaire et j'en déduis qu'il s'attend à avoir le dernier mot.

Tu ne m'as pas totalement domptée, Gabriel, si j'ai quelque chose à dire, je le dis…

— J'ai un travail, je ne peux pas tout plaquer pour toi.
— Mes désirs sont des ordres, Amande, tu le sais.
— Pardon ?

Ça va chauffer…

— Inutile de te rebeller, j'ai déjà prévenu ton patron pour qu'il te libère. Je te rappelle qu'il bosse pour moi et qu'il ne peut rien me refuser…

– C'est ma dernière semaine de stage, je ne vais pas pouvoir boucler mes dossiers en cours !

– J'ai réglé le problème. J'ai recommandé un nouveau stagiaire à Éric Chopard pour te succéder. Il est extrêmement compétent, peut-être pas autant que toi, Amande amère, mais il fera l'affaire.

– Tu comptes vraiment régenter ma vie de A à Z ?

– Oui, tu es à mon service. Et crois-moi, tu ne le regretteras pas...

– J'ai des droits, Gabriel. Et il me semble qu'on appelle ça de l'exploitation.

– Toi et tes mots de grande personne...

Il éclate de rire et m'adresse un regard moqueur. Ma main me démange...

– Arrête de me traiter comme une gamine ! Tu m'emmènes où, je peux savoir ?

– Nous partons à Dubaï, princesse Shéhérazade. Rien que toi et moi...

Ma mauvaise humeur laisse place à l'excitation. Je n'ai plus du tout envie de le gifler, mais plutôt de me jeter à son cou...

Quoi que... Une petite correction lui ferait beaucoup de bien...

Lundi matin, Diamonds passe me prendre aux aurores pour nous emmener à l'aéroport Charles-de-Gaulle. Sur le trajet, il m'explique qu'il va à Dubaï pour conclure de nouveaux partenariats, mais aussi pour profiter de moi à sa guise...

— Même à 6 heures du matin, tu es resplendissante. Je vais devoir prendre sur moi pour ne pas te sauter dessus pendant les sept heures de vol.

— Ça tombe bien, j'aime me faire désirer.

— Te désirer, c'est devenu mon activité préférée, jolie Amande.

— Voyons Mr Diamonds, je vous prierais de rester professionnel.

Nous pouffons de rire comme deux idiots au moment de descendre de la voiture. Gabriel est beau à couper le souffle dans son pantalon en lin beige et son pull Ralph Lauren rose pâle qui souligne sa musculature de rêve.

C'est moi qui vais avoir du mal à ne pas lui sauter dessus !

Pendant le vol tout confort en première classe, Gabriel déborde d'affection. Je l'ai rarement vu aussi détendu, il a l'air serein, joyeux... amoureux. Je passe la quasi-totalité du voyage collée à lui, à la fois ravie et frustrée. Sa gaieté est communicative, nous n'avons jamais été aussi bien l'un avec l'autre, mais ses baisers m'électrisent, m'embrasent, me donnent envie de plus. À plusieurs reprises, mon amant cruel est obligé de calmer mes ardeurs.

À la sortie de l'avion, je découvre avec stupéfaction et ravissement le décor hors du commun de Dubaï. Il fait près de quarante degrés, le soleil est à son zénith et une divine sensation de bien-être m'envahit. Cet îlot de modernité au cœur de la péninsule arabique me donne l'impression d'être sur une autre planète. Tout ce que je découvre m'interpelle et me donne envie de m'exclamer : les buildings futuristes surgis du désert, les îles artificielles en chantier, les hôtels de luxe démesurés, les malls gigantesques… Difficile à croire qu'il n'y a pas si longtemps, tout ceci n'était qu'un désert aride peuplé de Bédouins et un petit port de pêche réputé pour ses perles.

– Bienvenue au carrefour de l'Orient et de l'Occident, Amande.

– C'est incroyable, j'ai l'impression de rêver… Tout ce luxe, cette ostentation !

– L'argent du pétrole coule à flots dans les Émirats. C'est justement ce qui m'intéresse…

– Tu viens souvent ici ?

– Oui, je réserve toujours la même suite, je m'y sens chez moi. Silas et Céleste m'accompagnent parfois.

Cette ville des mille et une folies m'inspire, j'ai le sentiment qu'ici, tout est possible.

Ce voyage va nous rapprocher, je le sens…

La Rolls-Royce nous dépose aux pieds du Burj Al Arab, l'hôtel réputé comme étant le plus beau et le plus luxueux au monde. Situé sur une île artificielle, l'établissement est reconnaissable par son architecture spectaculaire et futuriste en forme de voile de bateau. À l'intérieur, je découvre, bouche bée, l'atrium de 125 mètres de hauteur. En foulant le sol de la suite de 300 mètres carrés en duplex, je suis prise de frissons. Du marbre en abondance, des meubles recouverts d'or, des équipements high-tech dernier cri, des présents haut de gamme et raffinés, une vue panoramique saisissante sur le golfe persique... Je suis littéralement envoûtée par tant de beauté. Un détail en particulier me donne envie de sauter au plafond (ou de me rouler par terre) : un flacon de parfum de 100 ml de la marque Hermès m'attend dans chaque salle de bains. Au loin, j'entends la voix amusée de Gabriel qui tente de me faire redescendre sur terre.

– Amande soufflée, on va se baigner ?
– Hors de question, je ne quitterai plus jamais cette suite ! JAMAIS !

Après une rapide mais délicieuse baignade et une légère collation dans l'un des bars design de l'hôtel, mon amant affamé a une idée derrière la tête. Que je partage, d'ailleurs... Dans l'ascenseur qui nous mène au vingt-septième et dernier étage de l'édifice, Gabriel m'embrasse langoureusement, son corps brûlant plaqué contre le mien. Ses lèvres sont chaudes et salées, sa langue sent la fleur d'oranger et au moment où les lourdes portes dorées s'ouvrent pour nous ouvrir la voie, je me demande comment l'homme de mes rêves fait pour sentir si divinement bon en toutes circonstances. Cette étreinte fugace mais intense m'a laissée sur ma faim, ma frustration devient ingérable, j'ai besoin de sentir ses mains sur moi, son souffle balayer ma peau, son sexe me remplir et me faire hurler de plaisir.

Nous regagnons notre suite, encore essoufflés par ce baiser épique et j'ai à peine le temps de poser mon sac à main sur la majestueuse console de l'entrée que Gabriel me soulève du sol en grognant bruyamment et m'emmène en direction de la chambre. Je tente faiblement de protester, plus par jeu que par désaccord, mais le regard sans faille de mon Apollon me fait taire.

Mmh... Je vais me régaler...

– Vous êtes là les tourtereaux ?

Je reconnais immédiatement la voix enjouée de Silas. Gabriel aussi, apparemment, puisqu'il me dépose doucement par terre et me susurre un timide « désolé » avant de se retourner pour faire gentiment la morale à son frère jumeau.

Frustration maximale...

– Silas ! Qu'est-ce que tu fais là ? Tu sais que tu es toujours le bienvenu mais la moindre des choses, ce serait de me prévenir.

– On voulait te faire la surprise, tu ne nous avais pas dit que tu serais avec ta douce… Salut Amandine !

– Salut…

« Ta douce » ? Je dois le prendre comment ?

– On ? Tu n'es pas seul ?

– Céleste est avec moi. Elle fait une sieste cette marmotte, mais on a réservé une bonne table pour ce soir, je vais modifier la réservation pour quatre !

Trop aimable, Silas l'incruste !

– Dis donc Amandine, tu as l'air ravie de me voir !

Perspicace en plus…

– Je suis étonnée, Silas. Mais j'aurais dû m'en douter : c'est ta spécialité de prendre les gens par surprise.

– Tu commences à bien me connaître, Amande amère !

Je me retourne vers Gabriel, stupéfaite et un peu agacée qu'il ait parlé de mon surnom à son frère. Mon amant fier de lui m'observe calmement et m'adresse son fameux sourire en coin qui me rend folle, donne un coup de poing amical à son jumeau et lui fait comprendre d'un subtil hochement de tête qu'il est temps de décamper.

– Allez, à plus les tourtereaux ! Gardez un peu d'énergie pour ce soir…

À 21 heures, après avoir délicieusement baptisé la salle de bains royale avec mon amant insatiable, je me retrouve face à la fratrie Diamonds. Céleste a choisi un sushi bar (haut de gamme évidemment) intimiste et raffiné à souhait. Comme d'habitude, la sœur de Gabriel est belle à en crever dans sa robe de grand créateur qui souligne sa silhouette de rêve et sublime sa peau caramel. J'ai vaguement tenté de lui faire concurrence en revêtant une petite robe rétro noire et blanche à ornements, mais je ne me fais pas d'illusions, je n'ai aucune chance de l'emporter.

– Alors comme ça, mon cher frère vous fait découvrir le monde, Amandine ?

Je suis tentée de lever les yeux au ciel et de lui jeter à la figure le contenu de mon verre. Madame Condescendance est de retour. Son sourire est forcé, son ton faussement bienveillant, ce qui me donne encore plus envie de la claquer.

– On pourrait peut-être se tutoyer, vous ne croyez pas, Céleste ?

– Pourquoi pas… Je vais devoir me faire violence.

Grrr !

– Tout doux, Céleste.

Le ton de Gabriel est implacable, Céleste préfère bouder

en se plongeant dans la carte du restaurant plutôt que de défier son frère. Je jubile…

— Finalement, c'est une bonne chose que nous soyons tous réunis. Cela me permet d'officialiser ma relation avec Amandine. Je suis heureux comme je l'ai rarement été. Et c'est grâce à cette sublime jeune femme.

Je rougis comme une bécasse, mon amant fou pense sûrement me faire plaisir, mais en réalité il m'embarrasse. Alors que Céleste me fusille du regard, Silas me pince la joue en se moquant de ma gêne.

— Tu tournes écrevisse, belle-sœur ! Je suis content pour…
— Belle-sœur ? Tu vas un peu loin, Silas. Arrête de boire, ça te rend sentimental… et débile.

La réplique cinglante de Céleste vient de jeter un froid glacial. Madame Princesse Diamonds est hors d'elle. Même Gabriel semble décontenancé et ne parvient pas à calmer sa fureur. Finalement, avant que ma crème brûlée à l'anis étoilé ne me soit servie, Céleste se lève et déguerpit sans dire au revoir. Les deux frères la regardent partir et n'essayent pas de la retenir. Autour de la table bleu néon, l'ambiance est à couper au couteau.

Quelle famille de tarés !

De retour dans nos appartements, mon amant tente de me changer les idées de la meilleure manière qu'il connaisse mais j'ai du mal à passer outre ce dialogue irréel. Gabriel qui choisit le pire moment pour annoncer que nous sommes réellement ensemble, Silas qui fait preuve de son tact légendaire et met les pieds dans le plat, Céleste qui se transforme en harpie et s'enfuit comme une voleuse... Tout à coup, une idée folle me vient à l'esprit : et si la sœur chérie de mon milliardaire était le corbeau qui me hante depuis des semaines ? Un jour ou l'autre, il faudra que je me décide à en parler à Gabriel...

— N'en veux pas trop à Céleste, elle a du mal à accorder sa confiance.

— Quoi qu'elle fasse, tu seras toujours de son côté.

— Seriez-vous jalouse, mademoiselle Baumann ?

— Non, Mr Diamonds, il faut croire que vous ne m'avez toujours pas cernée. Je suis exaspérée, c'est différent.

— Je vais t'apprendre la définition du verbe « cerner », Amande...

La voix rauque et autoritaire de Gabriel me prend au dépourvu, mais ce n'est rien comparé à ses bras qui m'entourent soudainement et qui m'attirent de force contre lui. Il enfouit son visage dans mon cou et je glousse quand ses lèvres viennent emprisonner le lobe de mon oreille. Puis ses dents me mordillent et m'arrachent un petit cri de douleur.

— Excuse-toi, petite impertinente.

Tu rêves !

Nouveau coup de dents.

– J'ai dit excuse-toi !
– Pardon…

Mon amant cruel a eu ce qu'il désirait : une preuve de ma soumission. Ses lèvres voluptueuses viennent se poser sur les miennes et m'entraînent dans une danse sensuelle et étourdissante. Sa langue avide caresse la mienne, parcourt les contours de ma bouche et je laisse échapper un gémissement. Gabriel écarte les bretelles de ma robe, descend la fermeture éclair dans mon dos et en quelques secondes, je me retrouve quasiment nue, face à lui. Il prend le temps d'admirer mon corps alangui, fait glisser ses doigts fins le long de mes courbes, son regard s'intensifie, se noircit.

– Tu me rends dingue Amande…

Sa bouche se presse à nouveau contre la mienne, ses mains sont partout, sa respiration s'accélère. Il se détache de moi, se mord la lèvre en me dévisageant, puis il me pousse sur le lit king size recouvert de satin doré. Je me retrouve allongée sur le dos, à sa merci. D'un geste habile et assuré, il soulève mes fesses et fait coulisser mon string avant de le jeter au sol. Il retire sa chemise blanche, son jean brut et libère son sexe fièrement érigé. Sous mes yeux, la scène passe au ralenti, cette vision exquise me fait frissonner de la tête aux pieds, j'écarte lentement les cuisses pour l'inviter à prendre possession de mon intimité trempée. Il s'exécute sans attendre, monte sur le lit, son torse vient frôler mes seins durcis par le désir et sa virilité se plante au plus profond de moi. Il me remplit, me pénètre à un rythme infernal, je halète sous ses coups de boutoir et me cambre pour mieux le sentir s'enfoncer, encore et encore. Je veux qu'il me transperce, qu'il me marque au fer rouge de son sexe brûlant, incandescent. Le plaisir me fait perdre la tête, je ne suis plus Amandine, la petite stagiaire courtisée par un sublime milliardaire, je suis Amande, la maîtresse lubrique d'un homme possédé, en rut. Finalement, je jouis et suis prise de mille et une secousses de plaisir pur et intense, criant le nom de mon amant qui se répand en moi en grognant sauvagement.

– Tu crois qu'ils nous ont entendus ?
– Crois-moi, Amande, c'est le dernier de mes soucis. La suite est vaste et les chambres bien insonorisées, je ne pense pas qu'ils t'aient entendue crier mon nom…

Encore ce petit sourire en coin…

– J'ai quelque chose pour toi.

Gabriel saute du lit et disparaît pendant quelques minutes. Quand il revient s'allonger contre moi, il me tend un écrin Cartier en cuir rouge. À l'intérieur, je découvre une chaîne en or blanc incrustée de dix diamants.

Je n'ai jamais eu un bijou aussi luxueux entre les mains, ce cadeau a dû coûter une fortune !

– Gabriel… Tu es fou !

– Fou de toi, mais tu le sais déjà.

– C'est bien trop beau pour moi. Je ne porte pas de bijoux aussi précieux.

– Maintenant, si.

– Ah bon. Et c'est un ordre, ça aussi ?

– Il ne te plaît pas ? Je peux le changer, tu n'auras qu'à venir avec moi.

– Ce n'est pas la question, bien sûr qu'il me plaît, mais c'est… étrange.

– Étrange ?

– Oui, comme si tu avais quelque chose à te faire pardonner. Ce n'est pas un bijou qui me fera oublier.

– Amandine, tu crois vraiment que c'est le moment ?

– Oui ! J'ai besoin d'en parler, de comprendre, j'ai besoin que tu m'expliques.

– Expliquer quoi bon sang ? Tu ne peux pas te contenter de vivre le moment présent ? Pourquoi tiens-tu tant à remuer le passé ?

– Parce que je suis ton passé. Je suis Eleanor. Enfin, je suis son sosie et c'est pour ça que tu me veux.

– Mais bordel, combien de fois vais-je devoir le répéter ? C'est toi seule que je veux, malgré votre ressemblance, je vous distingue parfaitement ! Tu respires la joie, la vie, l'amour, c'est pour ça que je ne peux plus me passer de toi. Elle n'avait rien de tout ça, elle…

– Dis son nom.

– Quoi ?
– Dis Eleanor.
– Eleanor…

Gabriel vient de souffler le nom de sa fiancée disparue et son visage s'est crispé sous la douleur. Il a beau me rassurer, me jurer qu'il ne court plus après son fantôme, je n'arrive pas à y croire. Je réalise à ce moment qu'Eleanor sera toujours entre nous, comme une force invisible et toute-puissante capable de briser le plus beau des rêves, la plus belle des unions.

Le lendemain matin, après une nuit agitée, je découvre un SMS non lu sur l'écran de mon téléphone.

[Dix diamants ne sont rien face au destin…]

32

MAÎTRE CORBEAU

Les jours suivants ont défilé bien trop vite à mon goût. J'ai profité à volonté des bras de mon amant, découvert avec lui les trésors de Dubaï, du désert, du golfe Persique, dégusté des mets de toutes les nationalités, apprécié les bienfaits du spa pendant que mon businessman s'occupait de ses affaires. J'ai à peine recroisé Céleste qui, à chaque fois, s'est contentée de m'adresser un signe de tête ou un maigre mot en guise de salut. Silas, lui, a accepté avec un enthousiasme non dissimulé de passer du temps avec moi en l'absence de Gabriel.

Solitude, tu me manques...

Le jumeau tout feu tout flamme a beau être un peu fatiguant, il reste mon meilleur allié dans le clan Diamonds et je me suis promis de ne pas l'oublier. Nos joutes verbales sont sans fin, mais elles me permettent de m'extérioriser et de m'affirmer. Avec lui, je suis moi-même, sereine, je ne pèse pas mes mots et je dois avouer que ça fait du bien. Entre nous, une vraie complicité a vu le jour. J'ai même tenté de l'interroger sur Eleanor, mais mon interlocuteur habile a réussi à éluder le sujet sans aucune difficulté.

Je n'en ai pas fini avec vous, monsieur le cachottier...

Dans l'avion qui nous ramène à Paris, j'ai toujours autant de mal à réprimer mes pulsions d'adolescente amourachée. Gabriel n'a jamais été aussi beau. Sa peau bronzée, ses cheveux en bataille, ses yeux cristallins, son corps parfaitement élancé, dessiné, musclé : cet homme est une œuvre d'art, une gravure de mode, un trophée qu'il me tarde un peu plus à chaque seconde de posséder. Depuis quatre jours, nous sommes incapables de résister l'un à l'autre, nous avons fait l'amour à tout moment de la journée et de la nuit, sans jamais être repus. Cette attraction intense et continue a quelque chose de surnaturel que je ne saurais expliquer. Comme si nos corps et nos esprits étaient destinés à s'unir, à ne faire qu'un. La main de mon amant met fin à ma rêverie en se posant sur mon genou qui gesticule frénétiquement.

— Rassure-toi Amande douce, je n'en ai pas fini avec toi.

— Tu lis dans mes pensées maintenant ?

— Oui et ce que je perçois me plaît beaucoup...

Il me provoque !

— Tu me rends folle Gabriel ! Avant de te connaître, je savais me contrôler.

— Mmh, j'adore te faire perdre la tête. Tu es si belle quand tu es troublée…

Il dépose un baiser frais sur mes lèvres et je frissonne d'envie et de frustration. Je finis par m'endormir contre lui, emprisonnée dans ses bras voluptueux. Après un atterrissage en douceur, le chauffeur de mon amant délicieux me dépose en bas de chez moi. Avant de me laisser m'échapper, Gabriel m'attire contre lui et m'embrasse langoureusement en me faisant gémir de désir. Déçue qu'il n'ait pas le temps de monter pour jouer les prolongations, je lui adresse une mine boudeuse. Il rit doucement, m'embrasse à nouveau et me murmure quelques mots à l'oreille.

— Je passe te chercher demain à midi pile. Ne sois pas en retard.

Je n'ai pas la présence d'esprit de lui demander ce qu'il me réserve. La fatigue et les émotions diverses m'ont assommée, je me résigne à quitter les bras de mon Apollon pour aller retrouver ceux de Morphée. Je me réveille sur les coups de 9 heures du matin, ravie de constater que mon réveil n'a pas interrompu mes rêves torrides, puisque nous sommes samedi. Des images un peu floues et désordonnées me reviennent : nos corps nus sont enlacés,

Gabriel est en moi, nous sommes sur un toit, tout en haut d'un gratte-ciel. Au-dessus de nous, les étoiles scintillent et nous observent. Je halète de plaisir alors que mon amant fougueux me possède de plus en plus vite, de plus en plus fort, son regard éclatant plongé dans le mien. Peut-être un avant-goût de ce que Diamonds me réserve…

C'est l'heure d'aller prendre une douche froide, Amandine…

Je m'apprête à allumer ma machine à café quand la sonnette retentit. J'attache la ceinture de mon kimono, rassemble mes cheveux dans une queue-de-cheval et vais ouvrir à l'inconnu. De l'autre côté de la porte, un jeune homme me salue poliment en contemplant ma mine mal réveillée et me remet un colis avant de s'en aller. Une seule chose me vient à l'esprit :

Un cadeau de mon homme ?

Mon sourire niais et moi nous rendons dans le salon pour déposer le carton sur la table basse. Je défais le gros nœud en satin et retire le couvercle de cette boîte luxueuse. À l'intérieur, ce que je découvre me terrifie : une robe blanche en dentelle, clairement une robe de mariée, tâchée de sang, sur laquelle repose une rose rouge fanée. Cette fois, le corbeau va trop loin, ses menaces sont de plus en plus lugubres, inquiétantes. Je saisis mon téléphone et tente d'appeler Marion sur-le-champ, mais elle ne répond pas. Pareil pour Camille, puis pour Louise :

je tombe directement sur leurs répondeurs. J'hésite à contacter la police, puis je décide d'attendre. Je compte d'abord en parler à Tristan, qui sait, il pourra peut-être m'aider à pister ce maudit messager mystère ?

À 11 h 55, je suis fin prête et fais les cent pas en attendant l'arrivée de mon milliardaire. J'ignore où il compte m'emmener, mais j'ai fait un effort vestimentaire. J'ai opté pour ma dernière trouvaille : un combi-pantalon fluide bleu marine ceinturée à la taille, avec un jeu de bretelles twistées et nouées. Sophistiqué et sexy, mon amant ne devrait pas rester indifférent. J'ai complété cette tenue printanière de sandales compensées couleur camel et d'un gros bracelet tribal en argent. Un maquillage léger, mes cheveux légèrement bouclés et le tour est joué ! À 12 h 01, Gabriel m'invite à le rejoindre dans sa Mercedes stationnée en bas de mon immeuble. Enfin ! Nos retrouvailles sont tendres et passionnées, nous nous échangeons des baisers divins qui me mettent en appétit. Mon amant joyeux tente de calmer mes ardeurs…

– Doucement, gourmande. Là où je t'emmène, il faudra bien te tenir.

– Parce que je ne suis pas assez présentable pour vous, monsieur le milliardaire ?

– Dans cette tenue, tu es bien plus que présentable, Amande si douce…

Gagné !

Quand Gabriel m'annonce gaiement que nous sommes attendus au deuxième étage de la tour Eiffel, ça me met la puce à l'oreille. Je commence à bien le connaître : ma remise de diplôme a lieu dans deux jours et mon petit doigt me dit que mon amant fou compte le célébrer en grande pompe. J'ai vu juste ! En pénétrant dans le restaurant design à la vue époustouflante, je suis assaillie par mes proches et mes amis, tous venus pour me féliciter et profiter d'un déjeuner d'exception dans un cadre idyllique. En embrassant tous les convives, je ne peux m'empêcher d'admirer le décor et le panorama qui m'entourent. Nous sommes à 125 mètres d'altitude, Paris est littéralement à nos pieds !

Éric et Émilie sont là, eux aussi, et m'accueillent avec un grand sourire, ce qui me confirme qu'ils ne m'en veulent pas d'avoir séché ma dernière semaine de stage. Ils me congratulent chaleureusement, font quelques blagues pour me faire comprendre que je vais leur manquer puis se lancent dans un débat à couteaux tirés sur les arômes du champagne qui vient de leur être servi.

Un vrai petit couple...

Après avoir fait le tour de la salle, je me jette dans les bras de Diamonds, émue par tous ces cadeaux incroyables qu'il ne cesse de m'offrir. Je sais que nous ne sommes pas seuls, mais je n'ai pas envie de me détacher de lui, je me noie dans ses effluves divins en me serrant de toutes mes forces contre lui. Après de longues secondes de bonheur pur, je sors de ma bulle et entends Gabriel s'adresser à mon père. D'ailleurs, je n'en reviens pas qu'il ait aussi convié mes parents ! Les pauvres doivent se sentir tellement mal à l'aise dans un tel endroit. Sans parler du fait que c'est la première fois qu'ils me voient « en couple ». Je me demande ce que Camille leur a raconté...

Ah... On passe aux présentations officielles...

– Mr Baumann, Gabriel Diamonds, je suis très heureux de vous rencontrer.
– Bonjour monsieur, ravi aussi. Et merci d'avoir organisé tout ça pour mon Amandine.
– Je vous en prie, appelez-moi Gabriel. Et votre fille le mérite amplement ! Elle n'aime pas se mettre en avant et se vanter mais elle a un avenir brillant devant elle. Elle ira loin, j'en suis certain.

Malgré leur échange un peu guindé, mon père semble apprécier ce qu'il entend, j'ai l'impression que le courant passe bien...

Et voilà ma mère...

Pitié maman, maîtrise-toi...

– Ma chérie, tu es jolie comme un cœur ! Et bronzée !

Ça commence soft...

– Bonjour Gabriel, vous avez réussi à privatiser ce restaurant ? C'est incroyable…

– Enchanté, Mme Baumann. Je connais bien le chef Ducasse, ça n'a pas été trop compliqué.

– Quand même, un endroit pareil…

Ma mère ouvre de grands yeux et ne sait pas où les poser entre le décor somptueux et l'allure incroyable de mon amant. Elle a l'air tout excitée. Après quelques minutes de discussion banale mais courtoise qui détend un peu l'atmosphère, mon milliardaire nous sourit poliment et s'éclipse pour aller saluer ses frère et sœur. Je soupire de soulagement quand mon père m'adresse un clin d'œil approbateur et que ma mère me serre dans ses bras, sincèrement heureuse pour moi. Je crois que Gabriel aussi les a appréciés.

– Qu'est-ce qu'il est beau Dinette ! Et charismatique ! Et riche !

– Maman, parle moins fort ! Et si tu pouvais ne pas m'appeler comme ça, ça m'éviterait de perdre le peu de dignité qu'il me reste.

– Oui oui, pardon. Alors, c'est sérieux entre vous ?

– Christine, laisse-la tranquille ! On a promis à Camille qu'on ne lui ferait pas honte…

Merci p'pa !

– C'est un peu compliqué mais oui, je crois que c'est sérieux.

– Il est plus âgé que toi, non ? Enfin, il m'a tout l'air d'être un homme bien, mais s'il fait du mal à ma petite fille…

– Pierre, pourquoi lui ferait-il du mal ? Il est parfait, ma chérie.

– Bon, qui veut du champagne ?

Mon père s'éloigne et me laisse en tête-à-tête avec ma mère, la reine des pipelettes. Pendant près de dix minutes, elle me cuisine pour en savoir plus sur ma relation avec Diamonds. Je réalise que je vis quelque chose d'unique, qu'elle, Camille ou Marion n'ont jamais vécu. Gabriel a changé ma vie et m'a ouvert les portes d'un monde que peu de gens ont la chance de découvrir. Je n'espère qu'une chose : que ça dure, que ça ne s'arrête jamais. J'aime éperdument cet homme, mais j'aime aussi tout ce qu'il m'apporte. Ma petite existence tranquille et monotone a laissé place à une aventure grandiose, vibrante, une folie de chaque instant.

Avant de passer à table et de déguster le menu fastueux et raffiné du grand chef cuisinier, je me rends rapidement aux toilettes. Je pousse la porte en bois gravé et manque de trébucher en découvrant le couple improbable qui se cache derrière. Marion est sur la pointe des pieds, en train d'échanger un baiser fougueux avec… Silas ! Les deux coupables sentent ma présence et se séparent. Le jumeau Diamonds m'adresse un timide « Salut Amandine » et file en douce, laissant ma meilleure amie, rouge comme une tomate, seule pour affronter mes foudres.

– Marion, qu'est-ce que tu fous ?!
– Désolée Amandine, j'aurais dû te le dire…
– Tu sais qu'il couche avec tout ce qui bouge ?
– Non… Enfin, je sais qu'il aime les femmes, mais ce n'est pas un crime.
– Depuis quand ?
– Quoi ?
– Depuis quand ça dure entre vous ?
– Ça a commencé à Ibiza… On a couché ensemble pour la première fois là-bas et depuis, on s'est revus plusieurs fois à Paris.
– Ibiza ? Tu n'as pas perdu ton temps, tu l'as rencontré le jour même !
– C'est bon Amandine, je me fais plaisir, c'est tout.
– Ok, tu fais comme tu veux, mais je te préviens, ça va mal finir. Silas n'est pas le mec qu'il te faut, ne t'emballe pas trop.
– Oui maman.
– Tu aurais dû me le dire ! Pourquoi ce mensonge ?
– Je ne t'ai pas menti, j'ai juste gardé ça pour moi.
– Marion…
– J'avais peur que tu le prennes mal. Et puis tu as déjà assez de problèmes avec Gabriel, Eleanor, le corbeau…
– Merci de me le rappeler…

Je suis furieuse mais je veux à tout prix éviter que mes mots ne dépassent ma pensée, du coup je fais volte-face et sors des toilettes sans rien ajouter. Marion me déçoit, mais je sais qu'elle n'approuve pas non plus tout ce que je fais. Je suis toujours sous le choc, mais je préfère lui laisser le bénéfice du doute.

Quand même, il a fallu qu'elle se tape un Diamonds !

Le déjeuner se déroule sans incident, tout le monde s'extasie sur le contenu de son assiette et la discussion va bon train. À plusieurs reprises, Gabriel me demande si tout va bien, il se rend compte que quelque chose me tracasse, mais je préfère lui cacher la vérité. Il a tout organisé pour moi, je ne veux rien gâcher. Quand un serveur dépose mon somptueux dessert en face de moi, mes tracas s'évanouissent. Mon amant protecteur sourit adorablement en observant ma mine réjouie. Sous la cloche de chocolat blanc qui surplombe ma compotée de fraises au basilic, je découvre une clé en bronze. Étonnée, je me tourne vers Diamonds pour l'interroger du regard.

Ce n'est pas la clé de son hôtel particulier, je la reconnaîtrais...

— Tu rêvais d'habiter au cœur de Bercy village, non ?
— Pardon ?
— Cette clé ouvre la porte blindée de ton nouvel appartement. Félicitations Amande jolie, tu es désormais propriétaire.
— PARDON ?

J'ai supplié mon amant imprévisible d'écourter la fête pour m'emmener sur place, mais il s'est amusé à tester ma patience. Pendant plus d'une heure, j'ai tenté de sourire et de faire attention à ce qui m'entourait, mais mon esprit arpentait déjà les petites rues pavées de mon quartier préféré. Finalement, après avoir embrassé chacun des invités, j'ai réussi à traîner mon adorable tyran dans l'ascenseur, nous avons quitté la tour Eiffel et sauté dans la berline grise.

Main dans la main, nous pénétrons enfin dans le hall de l'immeuble archimoderne qui longe majestueusement le parc de Bercy. Je n'arrive toujours pas à y croire, Gabriel n'a tout simplement aucune limite ! Il vient de m'offrir un appartement en claquant des doigts, comme un homme achète généralement un bibelot ou un bouquet de fleurs. Sur le chemin, je me suis préparée à refuser poliment ce cadeau démesuré, mais je sais pertinemment que mon milliardaire n'est pas prêt de capituler…

Ça promet…

L'ascenseur parlant nous demande un digicode avant de nous déposer au deuxième étage en nous souhaitant une bonne journée. Je ne peux pas m'empêcher de penser que, de toute façon, je continuerai à prendre les escaliers comme je l'ai toujours fait. Il n'y a qu'une seule porte à cet étage, forcément la mienne. Gabriel ouvre la lourde porte blindée gris souris et nous voilà dans une entrée qui s'ouvre sur un grand espace de vie. Du sol au plafond, tout a l'air neuf, à peine déballé. Le parquet en chêne clair, les murs blancs et les hautes portes-fenêtres donnant sur un balcon face au parc rendent l'appartement incroyablement lumineux. Le grand salon est meublé d'un large canapé d'angle crème, de deux tables basses ovales encastrables, très design, et d'une table à manger assortie, dans un mélange de bois clair et de métal, hyper tendance. Je ne remarque qu'après l'écran plat façon home cinéma discrètement encastré dans un mur, puis les jolis rideaux en lin écru, les coussins à petits boutons de bois…

Le décorateur a poussé le sens du détail très loin…

Nous continuons la visite en passant par la vaste cuisine semi-ouverte sur le salon, entièrement équipée : de longs plans de travail en granit blanc sur des meubles coulissants couleur taupe métallisée. Un immense frigo américain que je ne remplirai jamais, un four high-tech et un lave-vaisselle dernier cri complètent cette cuisine de catalogue.

Tout ça est vraiment à moi ?!

Nous empruntons un petit couloir qui nous mène à une première pièce, absolument vide, dont Gabriel me dit que j'en ferai ce que je voudrai, puis à une chambre spacieuse et décorée avec goût. Encore le joli parquet au sol, sur lequel repose un lit king size aux draps raffinés. Le cadre et la tête de lit en bois gris vieilli sont assortis à une commode très féminine. Les deux tables de chevet, de simples cubes épurés en inox, ajoutent la parfaite petite touche de modernité et je découvre un grand dressing caché derrière une double porte en miroir. Une nouvelle baie vitrée dans la chambre donne sur une terrasse en teck un peu plus à l'abri des regards grâce à de hautes plantes fournies. Du mobilier de jardin très confortable est disposé élégamment. Je finis la visite par un cabinet de toilettes puis une salle de bains décorée façon bord de mer, composée d'une double vasque incurvée, d'une douche à l'italienne sur de petits galets gris et blancs et d'une baignoire à l'ancienne.

L'embarras du choix, bienvenue dans le monde de Mr Diamonds…

— Tu aimes ce que tu vois, Amande soufflée ?
— Tu plaisantes ? C'est bien trop pour moi, Gabriel.

Tout ce que je vois m'enchante et me bouleverse. J'essaie de retenir mes larmes mais je suis abasourdie par tout ce luxe et par la générosité de mon amant richissime. Diamonds a encore réussi à me prendre au dépourvu et une fois de plus, je m'imagine tout et son contraire. Ce présent hors du commun serait-il une déclaration d'amour ? Une promesse d'un futur à deux ? Ou est-ce qu'il cherche juste à me contrôler, à faire de moi sa marionnette en me rendant redevable ?

– Je voulais t'offrir quelque chose de durable, de concret. Je suis avec toi Amandine, pour de bon, je ne vais nulle part.

– C'est tout ce dont j'ai besoin, que tu me rassures. Cet appartement est la perfection incarnée, tu n'aurais pas pu viser plus juste, mais ce n'est pas ce que je recherche. J'espère que tu le sais…

– Je veux que tu sois en sécurité et que tu puisses entreprendre tout ce que tu désires, sans te préoccuper de l'aspect financier. Je veux t'offrir le monde, Amande…

– Je ne veux pas le monde. Je ne veux que toi…

Mon amant en transe se jette contre moi et sa bouche avide s'empare de mes lèvres entrouvertes. Alors que je gémis sous les assauts de sa langue affamée, ses mains entrent déjà en action et me déshabillent sans le moindre effort.

– J'en rêve depuis midi… Vous m'avez causé beaucoup de frustration, mademoiselle Baumann.

– Vous m'en voyez ravie, Mr Diamonds, j'aime vous faire languir…

Ses dents mordent ma lèvre inférieure pour me faire taire et mon sublime impatient retire son pantalon de costume pour libérer son sexe brûlant. Il me retourne violemment et me plaque contre l'une des vasques divinement fraîche. Il m'empale sans attendre, d'un coup sec, et d'une main, m'oblige à relever la tête pour fixer son reflet ardent dans le miroir ovale. Il débute un va-et-vient infernal, en augmentant peu à peu la cadence et la profondeur de ses percées. Nos regards ne se quittent pas, je vois ses pupilles se dilater à mesure qu'il me possède. Autour de nous, ses grognements rauques font écho à mes gémissements plaintifs. Puis ses mains prennent possession de mes hanches et me forcent à me cambrer d'avantage pour accueillir sa virilité au plus profond. Je suffoque, je suis prise de vertiges, mon intimité trempée est en feu, tous mes sens sont en ébullition.

– Où est donc passée votre repartie cinglante, mademoiselle Impertinente ?

Il susurre à mon oreille en ralentissant ses coups de boutoir et jubile en observant le plaisir intense et lubrique qui déforme mes traits. Je me trouve belle dans ce miroir, j'aime l'Amandine fiévreuse, sauvage. Je m'abandonne totalement à cet homme qui sait tirer sur mes ficelles comme aucun autre, mon corps n'est jamais aussi plein et vivant qu'entre ses mains. Son sexe coulisse à nouveau en moi à un rythme effréné et au moment où nous jouissons à l'unisson, mon amant brillant saisit mes seins et me plaque contre lui. Nous nous envolons ensemble, collés l'un contre l'autre, dans un orgasme vertigineux.

À 3 h 47 du matin, je suis réveillée par les vibrations émises par mon téléphone portable. En prenant soin de ne pas réveiller mon amant épuisé, je tâtonne en direction

de ma nouvelle table de nuit pour saisir le smartphone.
L'écran tactile indique trois appels en absence et quatre
messages non lus, tous de Marion.

[Au secours ! Je viens de tomber sur des lettres que
Silas a échangées avec Eleanor ! Ils étaient meilleurs amis.
Ce malade les trimballe partout avec lui !]

[Je viens de comprendre : le corbeau, c'est Silas ! Je
me barre, c'est un psychopathe ! !]

[Ah et j'oubliais… Eleanor n'est pas morte en accouchant. Elle s'est suicidée…]

[Amandine, réponds-moi, je m'inquiète pour toi ! Gabriel
te cache peut-être plus de choses que tu ne le crois…]

CENT FACETTES DE MR DIAMONDS

VOLUME 2

CHAPITRE 1
À SA PLACE

Les textos nocturnes de ma meilleure amie ont mis fin à ma soirée idyllique avec Gabriel. J'ai quitté la chambre à pas de loup pour les relire à tête reposée. Mais je ne suis pas près de trouver le repos. Pendant que mon amant dort comme un bienheureux, je tourne et retourne dans mon esprit les révélations de Marion. La mystérieuse fiancée n'est pas morte en accouchant comme je le croyais, elle s'est donné la mort à la naissance de son fils. Quel genre de femme pourrait faire une chose pareille ? Et comme si ça ne suffisait pas, je peux ajouter Silas à ce tableau morbide. Le frère de Gabriel était donc le meilleur ami d'Eleanor, son confident, celui à qui elle a écrit avant de se suicider il y a treize ans. Et celui qui me menace et me pourrit la vie depuis des mois. Je le croyais mon ami, je le redécouvre sous les traits du corbeau que je cherchais à démasquer. Je ne peux pas résister une seconde de plus à l'envie de l'appeler pour lui déverser mon venin. J'espère seulement que Marion l'a quitté sur-le-champ.

— Silas, c'était toi !

— Ah enfin, Amandine ! Tu réalises que je suis l'homme qu'il te faut ?

— Je réalise surtout que tu es le pire des salauds !

— Ça, ce n'est pas nouveau…

Alors que j'essayais jusque-là de crier en chuchotant pour ne pas réveiller Gabriel dormant à côté, je me mets à hurler dans le combiné :

— Ferme-la ! Je sais ce que tu as fait ! Des mois que tu joues le mec sympa, le jumeau accessible, bienveillant, adorable et tu me plantes un couteau dans le dos ?! Les petits mots, les e-mails, les photos, les horribles cadeaux !

— Tu n'aimes pas les Beatles ?

— Une robe de mariée pleine de sang ! Mais t'es complètement malade ! Je vais appeler les flics, j'aurais dû le faire il y a longtemps.

— … Amandine, je sais que c'est dur à croire, mais je l'ai fait pour toi. Tu n'écoutes pas, tu ne vois pas, *je veux t'ouvrir les yeux. Tu ne sais pas où tu mets les pieds.*

— Dans une famille de dingues, ça, c'est certain. Tu sais qu'on appelle ça « menaces de mort », ce que tu as fait ? Que tu pourrais aller en prison pour ça ?

— Pas avec mon avocat. Écoute, je t'aime beaucoup, je voulais juste te mettre en garde, te faire renoncer. Tu ne devrais pas t'accrocher comme ça.

— Occupe-toi plutôt de toi et de tes problèmes mentaux.

Mon téléphone vissé sur l'oreille, brûlant, j'entends la voix de Silas se briser à l'autre bout du fil. Il se racle la gorge et poursuit en contenant ses sanglots.

— C'est Virgile dont je dois m'occuper. Tous les jours depuis treize ans. Et de la mémoire d'Eleanor. Je lui ai promis, tu ne peux pas comprendre. On ne brise pas une promesse faite sur un lit de mort.

— Mais promettre quoi, putain ?!

— Je vais raccrocher, Amandine. Je suis désolé si je t'ai fait peur, je ne le ferai plus. Maintenant tu es prévenue. Tu ne dois pas détourner Gabriel de son passé.

— Et ce n'est pas à lui d'en décider ?

Pour toute réponse, j'entends la tonalité. Et mon cœur battre mes tempes. Silas vient de me raccrocher au nez. Il doit être 4 heures du matin, j'erre dans mon nouveau salon, pieds nus, seulement vêtue de la chemise blanche de Gabriel bien trop grande pour moi. Il n'y a que l'odeur du tissu froissé qui parvient à m'apaiser. Mes yeux se sont peu à peu habitués à l'obscurité et je regarde autour de moi pour prendre la mesure du cadeau qu'il vient de me faire. Un appartement rien que pour moi. Meublé, décoré, tous frais payés. Et dans mon quartier préféré.

Est-ce qu'il ne serait pas en train de m'acheter ? J'ai besoin de lui parler...

Je me faufile dans la chambre et me glisse sous les draps, me recroquevillant contre le corps nu et chaud de mon amant endormi. Il me tourne le dos, je ne sais pas quoi lui murmurer pour le réveiller. Je souffle doucement sur sa nuque et lui dépose un léger baiser derrière l'oreille. Il se retourne lentement, étends son bras musclé qui m'entoure les épaules et me blottit contre lui. Je pose ma joue sur son torse musclé puis sens une larme mouiller ma peau et la sienne. Dans son demi-sommeil, Gabriel le remarque sans doute puisqu'il se met à me caresser les cheveux avant de finalement ouvrir les yeux.

— Une femme aussi belle ne devrait jamais pleurer.
— Il faut qu'on discute...
— Maintenant ?
— Il y a quelque chose que je ne t'ai pas dit.

Il se tourne sur le côté pour me faire face, appuie sa tête sur sa main et de l'autre, remonte ma cuisse sur ses jambes nues. Son visage fait semblant d'être concerné mais son regard dérive, il pense à tout autre chose.

— Ma chemise te rend terriblement sexy.
— Gabriel, s'il te plaît.
— Mais je t'aime encore mieux sans.

Sa main vient se poser sur ma joue brûlante, il efface mes larmes du pouce, et son doigt finit sa course sur ma bouche. Comme à chaque fois, dans n'importe quelle situation, dans n'importe lequel de ses gestes, sa sensualité me transperce. Gabriel a le don de me rendre muette, de me mettre à ses pieds. Il est la grâce et la virilité incarnées, la plus suprême tentation. D'un mouvement souple, il me bascule à califourchon sur lui. Même allongé sur le dos, enfermé entre mes cuisses, il me domine. Et c'est d'un mouvement sec, cette fois, qu'il arrache ma chemise en faisant sauter tous les boutons. Je les entends rouler sur le parquet pendant que mon amant caresse mes seins d'une main de fer. L'urgence de son désir fait naître le mien comme par enchantement. J'oublie tout des révélations que j'avais à lui faire quand je sens son érection venir frôler mon sexe. Ses doigts habiles agacent mes tétons et mon clitoris dans une synchronisation parfaite qui me fait perdre la tête. Toujours assise sur mon amant joueur, je penche la tête en arrière, m'abandonnant à ses divines caresses. La discussion peut bien attendre, je veux qu'il me fasse jouir, je ne pense plus qu'à ça.

Cet instant d'inattention m'a été fatal. D'un bond, Gabriel m'a retournée sur le ventre et s'est installé à genoux derrière moi. Tout en me caressant le dos, depuis la nuque jusqu'au bas des reins, il relève mon bassin et l'attire à lui. Les frottements de mes fesses sur son sexe bandé deviennent rapidement insupportables. Je me cambre pour lui offrir mon intimité impatiente, trempée, bouillonnante. Il me pénètre enfin, avec une lenteur insolente, et je peux sentir chaque centimètre de son sexe nervuré se frayer un chemin en moi. C'est le plus délicieux des supplices. Mon amant se retire, me laissant désespérément vide, avide, avant de me saisir par les hanches et de s'enfoncer à nouveau avec une ardeur qui me surprend. Ses assauts se font de plus en plus rapides, profonds, et mes soupirs se muent en cris. J'en réclame encore, plus vite et plus fort, comme je ne l'ai jamais fait avant. J'entends mes fesses claquer contre son ventre et la bestialité de ce corps-à-corps me rend dingue. Mon lâcher-prise soudain, ces sensations nouvelles et le plaisir qui me submerge en cet instant dépassent de loin tout ce que j'ai pu vivre auparavant. Gabriel me conquiert, encore et encore, grognant sauvagement derrière moi et un orgasme fulgurant me coupe le souffle pendant d'interminables secondes. Assez longtemps pour que mon amant jouisse en moi dans *les ultimes secousses de ce tremblement de terre.*

Nous nous écroulons tous les deux sur l'immense lit, nos corps essoufflés luisant de sueur. Je croise le regard brillant de Gabriel, qui part dans un grand éclat de rire.

— Tu me surprendras toujours, Amande folle.

Je ris à mon tour, à la fois béate de plaisir, étourdie d'amour et ébahie de ma propre audace. Mon amant m'embrasse partout avant de sauter du lit, nu et magistral, et de courir vers la salle de bains pour ouvrir l'eau de la douche.

— Je t'attends, Amande douce ?
— Non, je crois que mon corps refuse de bouger.
— À tout de suite alors.

Gabriel claque du talon la porte de la salle de bains, et voir les muscles de ses fesses rebondir me fait littéralement fondre. Je me recroqueville de son côté du lit, serrant dans mes bras l'oreiller imprégné de son odeur, consciente du sourire niais qui ne quitte pas mon visage. J'hésite à le rejoindre sous l'eau brûlante ou à profiter encore un peu de mon ivresse. Ivre, je suis ivre de bonheur. Et je crois pouvoir dire que je n'ai jamais vu Gabriel si heureux. C'est si rare que j'en oublierais presque l'affaire Silas, pour mieux profiter de sa joie de vivre et sa sérénité qui me gagnent.

Tu ne rêves pas, l'intraitable Diamonds est en train de chantonner sous ta douche.

Il me semble reconnaître l'air d'une chanson d'Elton John. Je tends l'oreille et perçois les paroles dégoulinantes filtrant sous la porte : « How wonderful life is, now you're in the world ». Soudain, une faible lumière blanche éclaire par intermittence l'obscurité de la chambre et je vois l'iPhone de Gabriel se déplacer sur la table de chevet sous l'effet du vibreur. Le prénom et la photo de Virgile s'affichent sur l'écran, je marque un temps d'hésitation puis décide de décrocher.

— Oui, allo ?
— Allo ? C'est qui ?
— Amandine, Gabriel prend une douche.
— …
— Virgile, tu es là ?
— …

Ce gamin m'étonne toujours autant. Je ne sais pas s'il est aussi torturé que son père, aussi asocial que sa tante Céleste ou simplement mal élevé, mais ses réactions ne sont jamais celles auxquelles je m'attends. J'essaie de me souvenir qu'il n'a que 13 ans, que je suis censée être une adulte face à lui et qu'il a connu un sacré départ dans la vie…

— Attends une seconde, je vais te passer ton père.

– Silas avait promis ! Aucune autre femme, jamais ! Personne ne remplacera ma mère, il a promis ! C'est sa faute si elle est morte ! Je le hais, je ne veux pas qu'il soit mon père ! Je veux qu'il meure ! Et toi aussi !

Pardon ?!

Mon cerveau en ébullition hésite entre la panique, la colère et la peine que m'inspire cet enfant. En l'espace d'une heure, deux membres du clan Diamonds m'ont menacée de mort et raccroché au nez en pleurant. Je repose le téléphone à sa place et essaie de reconstituer l'insoluble puzzle dans ma tête. Qui pourrait souhaiter à un homme, veuf si jeune, de ne jamais refaire sa vie ? Qui voudrait faire porter un fardeau si lourd à un enfant ? Quel genre de promesse, aussi symbolique soit-elle, tient toujours après toutes ces années ? Quelle famille pourrait accepter de vivre dans le deuil et la douleur aussi longtemps ? Qu'avait Eleanor de si spécial pour être encore aussi présente treize ans après sa mort ? Et, surtout, quel rôle a bien pu jouer mon mystérieux Gabriel dans le suicide de sa fiancée pour que son fils l'en tienne pour responsable ?

Je sais bien, et sans doute mieux que personne en ce moment, ce dont il est capable. De tout et de son contraire. Du meilleur comme du pire. Mais de là à provoquer la mort d'une femme qu'il a tant aimée ? Je ne le crois pas une seule seconde coupable d'assassinat, mais qui sait quelle emprise il avait sur elle, dans quel état il pouvait la mettre, quelles limites physiques et psychologiques il a pu lui faire repousser, encore et encore ?

Auteur : Emma L. Green

Éditions ESI

60, rue Vitruve, 75020 Paris

Imprimé par FINIDR - Lipova cp. 1965 - 73701 Cesky Tesin,

République tchèque

Dépôt légal : septembre 2013 – Achevé d'imprimer : août 2013

ISBN : 978-2-8226-0276-1

N° Sofédis : S525430